# GOETHE

*In Briefen, Tagebüchern und Gesprächen*
*1775 - 1832*

GOETHE
Anonyme Kreidezeichnung
(Selbstportrait 1777 ?)

# GOETHE

*In Briefen, Tagebüchern und Gesprächen*
*1775 - 1832*

EDITED WITH INTRODUCTIONS,

NOTES, AND A VOCABULARY

BY

O. S. FLEISSNER and E. M. FLEISSNER

NEW YORK

APPLETON-CENTURY-CROFTS, INC.

PRINTED IN THE UNITED STATES OF AMERICA

# VORSPRUCH

Weite Welt und breites Leben,
Langer Jahre redlich Streben,
Stets geforscht und stets gegründet,
Nie geschlossen, oft geründet,
Ältestes bewahrt mit Treue,
Freundlich aufgefaßtes Neue,
Heitern Sinn und reine Zwecke:
Nun! man kommt wohl eine Strecke.

Goethe

# FOREWORD

Sixteen years ago the editors attempted in *Der junge Goethe* a presentation of the young poet's life and development through selected documents of his time which they connected and amplified in their own words. Their attempt received the interest and approval of many readers, teachers, and students alike, and encouraged them to offer, as a renewed tribute to Goethe's memory, a second volume, this time dealing with Goethe's later life.

If it is true that the young Goethe comes alive most convincingly and delightfully in his letters and that they, therefore, constitute a valuable means of furthering understanding and appreciation of his personality and his works, the same must be said of his later letters, diaries, and conversations. In fact, they are of even greater importance; for Goethe's later works no longer reflect his personal life as openly as the writings of his Storm and Stress period, and it becomes increasingly difficult for the student to form in his mind a unified and living image of the author behind his manifold works and activities. With his advancing age, even the informal recordings of Goethe's thoughts and feelings grow more factual and reserved. The editors have therefore limited themselves largely to the middle period of his life.

The time immediately preceding Goethe's arrival in Weimar, the first ten years in Weimar, and the first Italian journey are presented at greater length. These were decisive years during which most of Goethe's major works were begun, continued, or revised. The letters of this period are as full of life, feeling, and spontaneous appeal to the reader as any earlier ones. His letters to Auguste von Stolberg, for example, delighted Rilke and first aroused Rilke's interest in Goethe. The letters to Frau von Stein only need mentioning to call to mind an impression of unparalleled richness, warmth, and originality. Selections from them were augmented

vii

by excerpts from Goethe's diary, by a number of letters to other friends, old and new, and by interesting comments about Goethe. Readability, the quality of creating an immediate living impression of Goethe, and relevant information about his thoughts and activities were the prerequisites for every choice made. The drive, the sense of adventure, discovery, and progress expressed in these pages cannot but create a response in young minds, even in our age of standardized mass education.

From the period following the Italian journey, Goethe's correspondence with Schiller, his relations to Bettina von Arnim and Beethoven, and his conversations with Eckermann were chosen as being of particular interest to the intelligent student. The spontaneous character of the earlier selections is here replaced by an intensity of thought which impresses upon the reader the excitingly real quality of artistic and philosophical problems. Bettina's delightful letters furnish a link between, as well as a contrast to, Goethe's and Beethoven's personalities, adding relief and, simultaneously, intensifying the tragic element inherent in the incompatibility of genius.

The editors are very much aware that, with these selections, they have not "covered" the scope of Goethe's later life. However, they did not intend to compete with Goethe biographers. It is their hope, first of all, that this book may be useful as a companion reader to Goethe's works in German literature or Goethe courses. Nowhere, as far as they know, has this material been available before in textbook form. The reading matter itself offers no more linguistic difficulties than a modern story or play (the English translations of difficult letters in the Schiller-Goethe correspondence have been supplied in footnotes); therefore, this book should also prove a suitable and stimulating text for fourth semester college courses. Its interest does not depend on a previous acquaintance with Goethe's works; on the contrary, it may well serve as an introduction to them or simply be read for its own intrinsic qualities. Much of Goethe's life, as revealed in his letters, possesses the human appeal and the elements of suspense of fiction: it will hold the reader's attention as a story, offering at the same time rich food for thought and easy, direct contact with the central figure and

period of German literature. Here and there, the editors have
inserted poems as they seemed to develop further the thought and
mood suggested in the letters. They may serve as a bridge from
Goethe, the man, to Goethe, the writer, and as glimpses of his
works which even the student not yet advanced in his knowledge
of German may fully appreciate. Of course, the success of this book
depends to no small extent on the understanding and coöperation
of the teacher. It wants to serve the teacher as much as the student,
placing at his disposition the most varied, direct, and authentic
means of creating in the minds of the students a total impression
of Goethe's spirit, at once so human and understanding and yet
relentlessly demanding and striving; so close to earth and yet so
convinced of earth's spiritual nature.

The material has been presented chronologically and divided
into units, each of which is preceded by a short introduction giving
relevant additional information, stressing points of particular importance, and connecting details with the aim of unifying the
reader's impressions.

To facilitate the use of the book, it seemed advisable to mod-
ernize archaic expressions, spelling, and punctuation. In addition
to notes and a vocabulary, an index of authors and works has been
supplied which should prove helpful in the discussion of major
topics reappearing throughout the text.

The editors' thanks go again to Professor Emeritus A. B. Faust
for his encouragement and advice on the undertaking, and to the
publishers for their interest and coöperation.

Wells College,                                    O. S. FLEISSNER
Aurora, N.Y.                                      E. M. FLEISSNER

# INHALT

xi

xii INHALT

# ABBILDUNGEN

# I

## WEIMAR

*1775–1786*

DAMEN IM PARK ZU WEIMAR

## VOR DER REISE NACH WEIMAR

IM Jahre 1775 verließ der junge Goethe seine Vaterstadt Frankfurt, um einer Einladung des Herzogs Karl August zu folgen und nach Weimar zu gehen. Diese Reise, anfänglich nur als Besuch gedacht, wurde ein Wendepunkt in seinem Leben. Goethe befand sich damals in einer schwierigen, innerlich aufreibenden 5 Lage. Er liebte Lili Schönemann, die einzige Tochter einer reichen Bankierswitwe, und wurde von ihr wiedergeliebt. Aber der Heirat stand viel im Wege. Beide Familien waren dagegen, und Goethe selbst erfuhr immer wieder, wie sehr die Verschiedenheit der Lebensweise, des gesellschaftlichen Milieus ein tieferes Verstehen 10 hinderte. Weil er Lili liebte, paßte er sich ihrem Kreise an, so gut er konnte. Aber er litt darunter und konnte den Zwang auf die Dauer nicht ertragen. Andererseits konnte er sich auch nicht entschließen, mit der Heimat ganz zu brechen, auf die Sicherheit seines Erbes zu verzichten und mit der Geliebten in die Ferne zu 15 ziehen. Um zu einem endgültigen Entschluß zu kommen, trennte er sich auf einige Monate von Lili und fuhr mit Freunden in die Schweiz. Aber nach seiner Rückkehr setzte sich der alte Zwiespalt fort. Er wollte sich nicht binden, er konnte sich nicht lösen und fühlte sich tief unglücklich. Er ließ sich von Vergnügen zu Ver- 20 gnügen treiben, er versenkte sich in die Natur, er philosophierte und dichtete, er suchte Ruhe in der Freundschaft, er versuchte es sogar mit „Geschäften", die ihm sein Vater nahelegte. Aber dabei mußte er wieder erfahren, daß ihm die Enge der bürgerlichen Verhältnisse, die Kleinheit der Zwecke, die Langsamkeit des Denkens 25 alle Freude und Befriedigung raubten. Der Dichter des *Götz* [1] und des *Werther* [2] konnte sich nicht als Rechtsanwalt, Frankfurter Bürger und Ehemann vorstellen, seine geistige Welt war zu weit und ließ sich nicht mit der ihn umgebenden Wirklichkeit in Einklang bringen. 30

Die Briefe, die Goethe damals an Auguste Gräfin zu Stolberg [3]

3

schrieb, geben ein lebendiges Bild seiner inneren Zerrissenheit. In ihrer Sprunghaftigkeit, ihrer Leidenschaft und Gespanntheit offenbart sich unmittelbar, wie er an sich selbst und anderen leidet, rastlos sucht, zweifelt, rückhaltlos liebt, bitter sich selbst ver-
5 spottet. Es ist der Ton des *Werther,* die Gefahr der Selbstvernichtung verbirgt sich hinter dem nervösen, unkontrollierten Lebenshunger. Aber auch die Liebenswürdigkeit und Herzenswärme des jungen Goethe sprechen mit bezaubernder Frische aus diesen Briefen. Der damals schon berühmte Dichter, den
10 Gelehrte und Künstler aufsuchten, den ein Herzog an sich zu binden suchte, ist hier ganz „ein wilder, unbändiger, aber guter Junge, voll Geist, voll Flamme", wie ihn sein Freund Christian Stolberg, der Bruder der Gräfin, beschrieb. Sechsundzwanzigjährig, steht er im Zenith der Jugend, erfüllt vom Sturm und Drang
15 der jugendlichen Gefühle und Gedanken und dem sehnlichen Wunsch, daraus eine Welt zu bauen.

Goethe kannte das Mädchen nicht persönlich, der er diese Briefe schrieb. Sie hatte ihm zuerst im Januar 1775 inkognito von Kopenhagen geschrieben, weil sie für seine Dichtungen schwärmte.
20 Einige Monate später besuchten ihn ihre beiden Brüder Christian und Fritz in Frankfurt, sie wurden Freunde, und er schloß sich ihnen auf ihrer Schweizer Reise an. Die Anteilnahme der Stolbergs und vor allem der fernen, unbekannten Auguste an seinem Schicksal gab Goethe in jener ruhelosen Zeit eine Möglichkeit sein
25 Herz zu öffnen, wie er es keinem seiner alten Freunde hätte öffnen können.

## An Auguste Gräfin zu Stolberg

Wenn Sie sich, meine Liebe, einen Goethe vorstellen können, der im galonierten Rock, sonst von Kopf zu Fuße auch in leidlich konsistenter Galanterie, umleuchtet vom unbedeutenden Prachtglanze
30 der Wandleuchter und Kronenleuchter, mitten unter allerlei Leuten, von ein Paar schönen Augen am Spieltische gehalten wird, der in abwechselnder Zerstreuung aus der Gesellschaft ins Konzert und von da auf den Ball getrieben wird und mit allem Interesse des Leichtsinns einer niedlichen Blondine den Hof macht;

so haben Sie den gegenwärtigen Faßnachts-Goethe, der Ihnen
neulich einige dumpfe tiefe Gefühle vorstolperte, der nicht an
Sie schreiben mag, der Sie auch manchmal vergißt, weil er sich
in Ihrer Gegenwart ganz unausstehlich fühlt.

Aber nun gibt's noch einen, den im grauen Biber-Frack mit 5
dem braunseidnen Halstuch und Stiefeln, der in der streichenden
Februarluft schon den Frühling ahnt, dem nun bald seine liebe
weite Welt wieder geöffnet wird, der immer in sich lebend, strebend und arbeitend, bald die unschuldigen Gefühle der Jugend
in kleinen Gedichten, das kräftige Gewürze des Lebens in man- 10
cherlei Dramas, die Gestalten seiner Freunde und seiner Gegenden und seines geliebten Hausrats mit Kreide auf grauem Papier
nach seiner Maße auszudrücken sucht, weder rechts noch links
fragt: was von dem gehalten werde, was er machte; weil er arbeitend immer gleich eine Stufe höher steigt, weil er nach keinem 15
Ideale springen, sondern seine Gefühle sich zu Fähigkeiten,
kämpfend und spielend, entwickeln lassen will. Das ist der, dem
Sie nicht aus dem Sinne kommen, der auf einmal am frühen Morgen einen Beruf fühlt, Ihnen zu schreiben, dessen größte Glückseligkeit ist, mit den besten Menschen seiner Zeit zu leben.      20

Hier also, meine Beste, sehr mancherlei von meinem Zustande,
nun tun Sie desgleichen und unterhalten mich von dem Ihrigen,
so werden wir näher rücken, einander zu schauen glauben — denn
das sag ich Ihnen voraus, daß ich Sie oft mit viel Kleinigkeit
unterhalten werde, wie mir's in Sinn schießt.                     25

Noch eins, was mich glücklich macht, sind die vielen edlen
Menschen, die von allerlei Enden meines Vaterlands, zwar freilich
unter viel unbedeutenden, unerträglichen, in meine Gegend, zu
mir kommen, manchmal vorübergehn, manchmal verweilen. Man
weiß erst, daß man ist, wenn man sich in andern wiederfindet.     30

Ob mir übrigens verraten worden: wer und wo Sie sind, tut
nichts zur Sache, wenn ich an Sie denke, fühl ich nichts als Gleichheit, Liebe, Nähe! Und so bleiben Sie mir, wie ich gewiß auch
durch alles Schweben und Schwirren durch unveränderlich bleibe.
Recht wohl — ! diese Kußhand — Leben Sie recht wohl.             35

Frankfurt, den 13. Februar 1775

Offenbach, 3. August 1775

Gustchen! Gustchen! Ein Wort, daß mir das Herz frei werde,
nur einen Händedruck. Ich kann Ihnen nichts sagen. Hier! —
Wie soll ich Ihnen nennen, das Hier! Vor dem stroheingelegten,
bunten Schreibzeug — da sollten feine Briefchen ausgeschrieben
5 werden, und diese Tränen und dieser Drang! Welche Verstimmung! O daß ich alles sagen könnte! Hier in dem Zimmer des
Mädchens, das mich unglücklich macht, ohne ihre Schuld, mit
der Seele eines Engels, dessen heitre Tage ich trübe, ich! Gustchen!
Ich nehme vor einer Viertelstunde Ihren Brief aus der Tasche,
10 ich les ihn! — Vom 2. Juni! und Sie bitten, bitten um Antwort,
um ein Wort aus meinem Herzen. Und heut der 3. August,
Gustchen, und ich habe noch nicht geschrieben. — Ich habe geschrieben, der Brief liegt in der Stadt angefangen. O mein Herz —
Soll ich's denn anzapfen, auch Dir, Gustchen, von dem hefetrüben
15 Wein schenken! . . . Vergebens, daß ich drei Monate in freier
Luft herumfuhr, tausend neue Gegenstände in alle Sinnen sog.
Engel, und ich sitze wieder in Offenbach, so vereinfacht wie ein
Kind, so beschränkt als ein Papagei auf der Stange, Gustchen, und
Sie so weit. Ich habe mich so oft nach Norden gewandt, nachts
20 auf der Terrasse am Main, ich seh hinüber und denk an Dich! so
weit! so weit! . . .
O wie war mir so wohl mit Deinen Brüdern. . . . In ihnen hatte
ich Sie, bestes Gustchen, denn ihr seid eins in Liebe und Wesen.
Gustchen war bei uns und wir bei ihr! — Jetzt — nur Ihre Briefe!
25 — Ihre Briefe! — und nur dazu — Und doch brennen sie mich in
der Tasche — doch fassen sie mich wie die Gegenwart, wenn ich
sie in glücklichem Augenblick aufschlage — aber manchmal —
oft sind mir selbst die Züge der liebsten Freundschaft tote Buch-
staben, wenn mein Herz blind ist und taub — Engel, es ist ein
30 schrecklicher Zustand, die Sinnlosigkeit. In der Nacht tappen ist
Himmel gegen Blindheit — Verzeihen Sie mir, denn diese Verworrenheit und das all — Wie wohl ist mir's, daß ich so mit Ihnen
reden kann, wie wohl bei dem Gedanken, Sie wird dies Blatt in
der Hand halten! Sie! dies Blatt! das ich berühre, das jetzt hier
35 auf dieser Stätte noch weiß ist. Goldnes Kind. Ich kann doch nie
ganz unglücklich sein. Jetzt noch einige Worte. — Lang halt ich's

hier nicht aus, ich muß wieder fort — Wohin! — — — — — —
— — — — — — — — — — — — — — — — — — — — — — — —

Ich mache Ihnen Striche, denn ich saß eine Viertelstunde in Gedanken, und mein Geist flog auf dem ganzen bewohnten Erdboden herum. Unseliges Schicksal, das mir keinen Mittelzustand 5
erlauben will. Entweder auf einem Punkt, fassend, festklammernd,
oder schweifen gegen alle vier Winde! — Selig seid ihr, verklärte
Spaziergänger, die mit zufriedener, anständiger Vollendung jeden
Abend den Staub von ihren Schuhen schlagen und ihres Tag-
werks göttergleich sich freuen — — — — — — 10
Hier fließt der Main, grad drüben liegt Bergen auf einem Hügel
hinter Kornfeld. Von der Schlacht bei Bergen [4] haben Sie wohl
gehört. Da links unten liegt das graue Frankfurt mit dem unge-
schickten Turm, das jetzt für mich so leer ist als mit Besen gekehrt,
da rechts auf artige Dörfchen, der Garten da unten, die Terrasse 15
auf den Main hinunter. — Und auf dem Tisch hier ein Schnupftuch, ein Pannier, ein Halstuch drüber, dort hängen des lieben
Mädchens Stiefel. NB. heut reiten wir aus. Hier liegt ein Kleid,
eine Uhr hängt da, viel Schachteln und Pappdeckel zu Hauben
und Hüten — Ich hör ihre Stimme — — Ich darf bleiben, sie will 20
sich drinnen anziehen. — Gut, Gustchen, ich hab Ihnen beschrieben, wie's um mich herum aussieht, um die Geister durch
den sinnlichen Blick zu vertreiben — — Lili war verwundert, mich
da zu finden, man hatte mich vermißt. Sie fragte, an wen ich
schriebe. Ich sagt's ihr . . . 25

Der Unruhige.
Lassen Sie um Gottes willen meine Briefe niemand sehn.

Frankfurt und Offenbach, 14.–19. September 1775

Ja, lieb Gustchen, gleich fang ich an, den 14. September, im Moment, da ich Ihren Brief endige, sehen Sie, wie hoch und klein,[5]
wie viel ich zu schreiben denke. Heut bin ich ruhig, da liegt zwar 30
meist eine Schlang im Grase. Hören Sie, ich hab immer eine
Ahnung, Sie werden mich retten aus tiefer Not,[6] kann's auch
kein weiblich Geschöpf als Sie. Danke zuerst für Ihre lebendige
Beschreibung von allem, was Sie umgibt, hätt ich nur jetzt noch
einen Schattenriß von Ihrer ganzen Figur! Könnt ich kommen. 35

Neulich reist ich zu Ihnen! Durchzog in trauriger Gestalt Deutsch-land, sah mich weder rechts noch links um, nach Kopenhagen, und kam und trat in Ihr Zimmer und fiel mit Tränen zu Ihren Füßen und rief: Gustchen, bist Du's! — Es war eine selige Stunde, da
5 mir das lebendig im Kopf und Herzen war. Was Sie von Lili sagen, ist ganz wahr. Unglücklicherweise macht der Abstand von mir das Band nur fester, das mich an sie zaubert. Ich kann, ich darf Ihnen nicht alles sagen. Es geht mir zu nah, ich mag keine Erinnerungen. . . . Ja, Gustchen, wir wollen das lassen — über
10 des Menschen Herz läßt sich nichts sagen als mit dem Feuerblick des Moments. Nun soll ich zu Tische.

Nach Tische. Dein gut Wort wirkte in mir, da sprach's auf einmal in mir, sollt's nicht übermäßiger Stolz sein zu verlangen, daß Dich ganz das Mädchen erkennte und so erkennend liebte,
15 erkenn ich sie vielleicht auch nicht, und da sie anders ist wie ich, ist sie nicht vielleicht besser? — Gustchen! — Laß mein Schweigen Dir sagen, was keine Worte sagen können.

Gute Nacht, Gustchen! Heut einen guten Nachmittag, der selten ist — mit Großen, das noch seltner ist — Ich konnt zwei Fürstin-
20 nen [7] in Einem Zimmer lieb und wert haben. Gute Nacht. Will Dir so ein Tagbuch schreiben, ist das beste. Tu mir's auch so, ich hasse die Briefe und die Erörterungen und die Meinungen. Gute Nacht! So! — ich sehe zurück, schon dreimal, ist's doch, als wenn ich verliebt in Dich wäre! und den Hut immer nähme und wieder
25 niederlegte. Wie wollt ich, Du könntest nur acht Tage mein Herz an Deinem, meinen Blick in Deinem fühlen. Bei Gott, was hier vorgeht, ist unaussprechlich fein und schnell und nur Dir vernehm-bar. Gute Nacht!

d. 15. Guten Morgen. Ich hab eine gute Nacht gehabt. Und bin
30 jetzt recht wie ein Mädchen. Sie raten nicht, was mich beschäftigt, eine Maske, auf kommenden Dienstag, wo wir Ball haben.

Nach Tisch! — Ich komme geschwind gelaufen, Dir zu sagen, was mir drüben in der andern Stube durch den Kopf fuhr: Es hat mich doch kein weiblich Geschöpf so lieb wie Gustchen.

Und meine Maske wird eine altdeutsche Tracht, schwarz und gelb, Pumphose, Wämslein, Mantel und Federstutzhut. Ach, wie dank ich Gott, daß er mir diese Puppe auf die paar Tage gegeben hat, wenn's so lang währt.

Halb viere. In Brunnen gefallen, wie ich ahnte. Meine Maske 5 wird nicht gemacht. Lili kommt nicht auf den Ball. Aber dürft ich, könnt ich alles sagen! — Ich tat's, sie zu ehren, weil ich deklariert für sie bin, und eines Mädchens Herz pp. — Also, Gustchen! — Ich tat's auch halb aus Trotz, weil wir nicht sonderlich stehn die acht Tage her. Und nun! — Sieh, Gustchen! so 10 kann's allein werden, wenn ich Dir so von Moment zu Moment schreibe. — —

Halb fünf. Ich wollt, ich könnt mich Dir darstellen, wie ich bin, Du solltest doch Dein Wunder sehn. Gott! so in dem ewigen Wechsel, immer eben derselbe.  15

d. 16. Heut Nacht neckten mich fatale Träume. Heut früh beim Erwachen klangen sie nach. Doch wie ich die Sonne sah, sprang ich mit beiden Füßen aus dem Bett, lief in der Stube auf und ab, bat mein Herz so freundlich, freundlich, und mir ward's leicht, und eine Zusicherung ward mir, daß ich gerettet werden, daß noch 20 was aus mir werden sollte: Gutes Muts denn, Gustchen. Wir wollen einander nicht aufs ewige Leben vertrösten! Hier noch müssen wir glücklich sein, hier noch muß ich Gustchen sehn, das einzige Mädchen, deren Herz ganz in meinem Busen schlägt.

Nachmittags halb vier. Offen und gut der Morgen, ich tat was, 25 Lili eine kleine Freude zu machen, hatte Fremde. Trieb mich nach Tische spaßend, närrisch unter Bekannten und Unbekannten herum. Gehe jetzt nach Offenbach,[8] um Lili heute Abend nicht in der Komödie, morgen nicht im Konzert zu sehen. Ich stecke das Blatt ein und schreibe draußen fort.  30

. . . . . . . . .

Offenbach. Sonntag, den 17. nachts zehn. — Ist der Tag leidlich und stumpf herumgegangen, da ich aufstand, war mir's gut, ich machte eine Szene an meinem *Faust*. Vergängelte ein paar Stunden. Verliebelte ein paar mit einem Mädchen, davon Dir die

Brüder erzählen mögen, das ein seltsames Geschöpf[9] ist. Aß in
einer Gesellschaft von einem Dutzend guter Jungens, so grad, wie
sie Gott erschaffen hat. Fuhr auf dem Wasser selbst auf und
nieder, ich habe die Grille, selbst fahren zu lernen. Spielte ein paar
5 Stunden Pharao[10] und verträumte ein paar mit guten Menschen.
Und nun sitz ich, Dir gute Nacht zu sagen. Mir war's in all dem
wie einer Ratte, die Gift gefressen hat, sie läuft in alle Löcher,
schlürft alle Feuchtigkeit, verschlingt alles Eßbare, das ihr in Weg
kommt, und ihr Innerstes glüht von unauslöschlich verderblichem
10 Feuer. Heut vor acht Tagen war Lili hier. Und in dieser Stunde
war ich in der grausamst feierlichst süßesten Lage meines ganzen
Lebens (möcht ich sagen).

O Gustchen, warum kann ich nichts davon sagen! Warum! Wie
ich, durch die glühendsten Tränen der Liebe, Mond und Welt
15 schaute und mich alles seelenvoll umgab. Und in der Ferne das
Waldhorn, und der Hochzeitsgäste laute Freuden.[11] Gustchen,
auch seit dem Wetter bin ich — nicht ruhig, aber still — was bei
mir still heißt, und fürchte nur wieder ein Gewitter, das sich immer
in den harmlosesten Tagen zusammenzieht, und — Gute Nacht,
20 Engel. Einzigstes, einzigstes Mädchen — — und ich kenne ihrer
viele — — —

Montag, d. 18. Mein Schiffchen steht bereit, ich werd's gleich
hinunterlenken. Ein herrlicher Morgen, der Nebel ist gefallen, alles
frisch und herrlich umher! — Und ich wieder in die Stadt, wieder
25 ans Sieb der Danaiden![12] Ade! — Ich hab einen offnen frischen
Morgen! O Gustchen! Wird mein Herz endlich einmal in er-
greifendem wahren Genuß und Leiden die Seligkeit, die Menschen gegönnt ward, empfinden und nicht immer auf den Wogen
der Einbildungskraft und überspannten Sinnlichkeit Himmel
30 auf und Höllen ab getrieben werden. Beste, ich bitte Dich, schreib
mir auch so ein Tagbuch. Das ist das einzige, was die ewige Ferne
bezwingt. — — —

Montag Nacht halb zwölf. Frankfurt, an meinem Tisch.
Komme noch zu Dir, gute Nacht zu sagen. Hab getrieben und
35 geschwärmt bis jetzt. Morgen geht's noch ärger. O Liebste. Was
ist das Leben des Menschen. Und doch wieder die vielen Guten,

die sich zu mir sammeln! — das viele Liebe, das mich umgibt —
Lili heut nach Tisch gesehn — in der Komödie gesehn. Hab kein
Wort mit ihr zu reden gehabt — auch nichts geredet! — Wär ich
das los. O Gustchen — und doch zittr' ich vor dem Augenblick,
da sie mir gleichgültig, ich hoffnungslos werden könnte. — Aber 5
ich bleib meinem Herzen treu und laß es gehn — Es wird —

Dienstag sieben morgens. — Im Schwarm! Gustchen! ich lasse
mich treiben und halte nur das Steuer, daß ich nicht strande. Doch
bin ich gestrandet, ich kann von dem Mädchen nicht ab — heut
früh regt sich's wieder zu ihrem Vorteil in meinem Herzen. — 10
Eine große schwere Lektion! — Ich geh doch auf den Ball einem
süßen Geschöpfe zu lieb, aber nur im leichten Domino, wenn ich
noch einen kriege. Lili geht nicht.

Nach Tische halb vier. Geht das immer so fort, zwischen kleinen
Geschäften durch immer Müßiggang getrieben, nach Dominos 15
und Lappenware. Hab ich doch mancherlei noch zu sagen. Adieu,
ich bin ein armer, verirrter Verlorner — — Nachts achte, aus der
Komödie, und nun die Toilette zum Ball! O Gustchen, wenn ich
das Blatt zurücksehe! Welch ein Leben! Soll ich fortfahren? oder
mit diesem auf ewig endigen? Und doch, Liebste, wenn ich wieder 20
so fühle, daß mitten in all dem Nichts sich doch wieder so viele
Häute von meinem Herzen lösen, so die konvulsiven Spannungen
meiner kleinen närrischen Komposition nachlassen, mein Blick
heitrer über Welt, mein Umgang mit den Menschen sichrer, fester,
weiter wird, und doch mein Innerstes immer ewig allein der 25
heiligen Liebe gewidmet bleibt, die nach und nach das Fremde
durch den Geist der Reinheit, der sie selbst ist, ausstößt und so
endlich lauter werden wird wie gesponnen Gold. — Da laß ich's
denn so gehn — Betrüge mich vielleicht selbst. — Und danke
Gott. Gute Nacht. Addio. — Amen: 1775. 30

## DAS ERSTE JAHR IN WEIMAR

„Ein leidig Loch" nannte der junge Goethe einmal Frankfurt,
die freie Reichsstadt,[1] die Stadt der Kaiserkrönungen, ein Zentrum des Handels und Verkehrs, ein „Nest", gut genug, „um Vö-

gel auszubrüten". Wie mußte ihm da erst Weimar vorkommen, als
er am 7. November 1775 dort einfuhr! Ein Landstädtchen von
kaum sechstausend Einwohnern, weitab von den großen Ver-
kehrsstraßen, Hauptstadt eines Herzogtums mit einer Bevölke-
5 rung von ungefähr neunzigtausend, das sich aus vier winzigen,
früher selbständigen Teilen zusammensetzte: Weimar, Jena, Eisenach und Ilmenau. Und doch fand er hier, was er in Frankfurt
vermißt hatte, eine freie, ungekünstelte Atmosphäre, eine Gemeinschaft von kunstliebenden, lebenslustigen Menschen und die
10 Gelegenheit, zuerst als Freund, dann als Mitarbeiter des Herzogs,
Verhältnisse und Probleme kennen zu lernen, die weit über den
Bereich des Bürgertums hinausgingen.

　　Das Zentrum des geistigen Lebens in Weimar war der Hof,
und die interessanteste Persönlichkeit am Hofe war die Herzogin
15 Mutter Anna Amalia. Sie war neunzehnjährig schon Witwe
geworden, hatte selbst die Regierung übernommen und für die
Erziehung ihrer zwei Söhne gesorgt. Sie war eine Nichte Friedrichs des Großen und hatte in ihrer Liebe zur Musik, ihrem Interesse für die Wissenschaften, ihrem lebhaften Temperament,
20 ihrer Energie manche Ähnlichkeit mit ihm. Aber im Gegensatz
zu Friedrichs Nichtachtung der deutschen Sprache und Literatur
hatte sie in Weimar eine der besten deutschen Bühnen eingerichtet
und den Dichter Wieland [2] berufen, die geistige Erziehung der
Prinzen zu leiten. Militärischer Erzieher wurde Karl Ludwig von
25 Knebel,[3] ein Mann, der seinen Neigungen nach auch mehr Ge-
lehrter und Dichter als preußischer Offizier war und später einer
von Goethes treuesten Freunden. Um am Weimarer Hofe Ansehn
zu genießen, mußte man entweder selbst Künstler oder wenigstens
erklärter Kunstliebhaber sein.

30 　　Als Goethe nach Weimar kam, war die Herzogin Mutter sechs-
unddreißig Jahre alt. Wieland war zweiundvierzig und das älteste
Mitglied der Hofgesellschaft. Der Herzog, Karl August, der eben
die Regierung angetreten hatte, und seine ihm kürzlich angetraute,
schöne, stille Gemahlin Luise waren noch nicht zwanzig. Es war
35 also ein junger, unternehmungslustiger Kreis, in den der „Zauberer", wie Wieland Goethe bewundernd nannte, eintrat, und
dessen geistige Leitung ihm zufiel.

Karl August war „ein Mensch aus dem Ganzen", eine „Natur".[4]
Unter dem Einfluß seiner Mutter und seiner Erzieher hatte er
selbst Liebe zu den Künsten und Wissenschaften gewonnen,
obwohl er von sich aus zu einem derberen Lebensgenuß neigte. Als
er Goethe in Frankfurt kennen lernte, spürte er den verwandten 5
obwohl ihm überlegenen Geist, der beides besaß, die Lust am
Reiten und Jagen, an tollen Jugendstreichen, an lustigen Festen
mit Tanz und Gelage sowohl wie das Streben nach Wahrheit,
die leidenschaftliche Liebe zur Schönheit in Kunst und Natur. Der
ältere Freund wurde ihm nun bald unentbehrlich. Goethe schildert 10
ihre Freundschaft selbst:

„Er war achtzehn Jahre alt, als ich nach Weimar kam; aber schon
damals zeigten seine Keime und Knospen, was einst der Baum
sein würde. Er schloß sich bald auf das innigste an mich an und
nahm an allem, was ich trieb, gründlichen Anteil. Daß ich fast 15
zehn Jahre älter war, kam unserm Verhältnis zugute. Er saß ganze
Abende bei mir in tiefen Gesprächen über Gegenstände der Kunst
und Natur und was sonst allerlei Gutes vorkam. Wir saßen oft
tief in die Nacht hinein, und es war nicht selten, daß wir nebeneinander auf meinem Sofa einschliefen." 20

„Er war wie ein edler Wein, aber noch in gewaltiger Gärung.
Er wußte mit seinen Kräften nicht wohinaus, und wir waren oft
sehr nahe am Halsbrechen. Auf Parforcepferden über Hecken und
Gräben und durch Flüsse und bergauf, bergein sich tagelang abar-
beiten und dann nachts unter freiem Himmel kampieren, etwa 25
bei einem Feuer im Walde: das war nach seinem Sinne. . . . Das
Ilmenauer Gedicht (1783) enthält eine nächtliche Szene nach
einer solchen halsbrechenden Jagd im Gebirge. Wir hatten uns
am Fuße eines Felsen kleine Hütten gebaut und mit Tannenreisern gedeckt, um darin auf trockenem Boden zu übernachten. 30
Vor den Hütten brannten mehrere Feuer, und wir kochten und
brieten, was die Jagd gegeben hatte. Knebel, dem schon damals
die Tabakspfeife nicht kalt wurde, saß dem Feuer zunächst und
ergötzte die Gesellschaft mit allerlei trockenen Späßen, während
die Weinflasche von Hand zu Hand ging. Seckendorf,[5] der 35
schlanke, mit den langen, feinen Gliedern, hatte sich behaglich
am Stamm eines Baumes hingestreckt und summte allerlei

Poetisches. — Abseits, in einer ähnlichen kleinen Hütte lag der
Herzog im tiefen Schlaf. Ich selber saß davor bei glimmenden
Kohlen, in allerlei schweren Gedanken . . . Doch aus dieser
Sturm- und Drangperiode hatte sich der Herzog bald zu wohl-
5 tätiger Klarheit durchgearbeitet . . . seine tüchtige Natur reinigte
sich bald und bildete sich bald zum besten, sodaß es eine Freude
wurde, mit ihm zu leben und zu wirken."

(Eckermann, 23. Oktober 1828)

Als Freund und Gast des Herzogs wurde Goethe sofort nach
seiner Ankunft in den inneren Freundeskreis der herzoglichen
10 Familie aufgenommen. Die Herzogin Mutter schrieb in freund-
schaftlichem Ton an seine Mutter und versicherte ihr, wie sehr
sie sich alle freuten, ihren Sohn bei sich zu haben. Wieland hatte
schon früher trotz aller Wesensverschiedenheit in Goethe den
großen Dichter erkannt und freute sich nun seiner Gegenwart:
15 „Seit dem heutigen Morgen ist meine Seele so voll von Goethe
wie ein Tautropfen von der Morgensonne." Und nicht nur Goethe
selbst, auch seine Freunde waren bei Hofe willkommen und genossen eine fröhliche Gastlichkeit:

### Graf Ch. Stolberg an seine Schwester

(Weimar, Ende November 1775)

Unser Goethe war da und ist da; den hab ich noch viel lieber
20 gekriegt. Die ganze herzogliche Familie ist, wie keine fürstliche
Familie ist. Man geht mit ihnen allen um ganz, als wären's
Menschen wie unsereiner. Du kennst Luischen aus der Beschreibung. Noch eben der Engel! Die alte Herzogin, das Ebenbild des personifizierten Verstandes, und dabei so angenehm, so
25 natürlich. Der Herzog ist ein herrlicher Junge, der sehr viel
verspricht; und sein Bruder auch. Außerdem sind noch recht gute
Leute da. Mit Wieland ging's uns schnakisch; wir waren den
ersten Augenblick gespannt, das dauerte aber nur einen Augenblick. Wir fanden, daß wir uns über so viele Dinge gut verstanden,
30 daß es uns bald wohl zusammen ward; wir haben uns viel gesehen und schieden als Freunde voneinander. Einen Abend sou-

pierten wir beim Prinzen, des Herzogs Bruder. Auf einmal ging
die Tür auf, und siehe, die alte Herzogin kam herein mit der
Oberstallmeisterin, einer trefflichen, guten, schönen Frau v. Stein;
beide trugen zwei alte Schwerter aus dem Zeughause, eine Elle
höher wie ich, und schlugen uns zu Rittern. Wir blieben bei Tische 5
sitzen, und die Damen gingen um uns herum und schenkten uns
Champagner ein. Nach Tische ward blinde Kuh gespielt; da
küßten wir die Oberstallmeisterin, die neben der Herzogin stand.
— Wo läßt sich das sonst bei Hofe tun? . . . . .

In das gesellige Leben des Hofes brachte Goethes sprühender 10
Geist neue Anregung. Er war nicht nur der Schöpfer großer, ern-
ster Dichtungen, die Einsamkeit und Sammlung voraussetzen,
er konnte auch in Gesellschaft und zu lustigen Zwecken reimen
und dramatische Spiele ersinnen. So wurde er bald, wie er sich
spottend selbst nennt, „der Hofpoet der Torheit", dichtete, schrieb 15
und spielte Komödie, wo sich nur Gelegenheit dazu bot. Dazu
die folgende Anekdote:

## J. W. Gleim erzählt J. D. Falk [6]

Kurz nachdem Goethe seinen *Werther* geschrieben hatte, kam
ich nach Weimar und wollte ihn kennen lernen. Ich war abends
zu einer Gesellschaft bei der Herzogin Amalie geladen, wo es 20
hieß, daß Goethe späterhin auch kommen würde. Als literarische
Neuigkeit hatte ich den neuesten Göttinger Musenalmanach [7]
mitgebracht, aus dem ich eins und das andere der Gesellschaft
mitteilte. Indem ich noch las, hatte sich auch ein junger Mann,
auf den ich kaum merkte, mit Stiefeln und Sporen und einem 25
kurzen, grünen, aufgeschlagenen Jagdrocke unter die übrigen
Zuhörer gemischt. Er saß mir gegenüber und hörte sehr aufmerksam zu. Außer einem Paar schwarzglänzender italienischer Augen,
die er im Kopfe hatte, wüßte ich sonst nichts, das mir besonders an
ihm aufgefallen wäre. Allein es war dafür gesorgt: ich sollte ihn 30
schon näher kennen lernen. Während einer kleinen Pause nämlich, wo einige Herren und Damen über dies oder jenes Stück ihr
Urteil abgaben, eins lobten, das andere tadelten, erhob sich jener
feine Jägersmann — denn dafür hatte ich ihn anfänglich ge-

halten — vom Stuhle, nahm das Wort und erbot sich in demselben
Augenblicke, wo er sich auf eine verbindliche Weise gegen mich
verneigte, daß er, wofern es mir so beliebte, im Vorlesen, damit
ich nicht allzu sehr ermüdete, von Zeit zu Zeit mit mir abwechseln
5 wollte. Ich konnte nicht umhin, diesen höflichen Vorschlag an-
zunehmen und reichte ihm auf der Stelle das Buch. Aber, Apollo
und die neun Musen, die drei Grazien nicht zu vergessen, was
habe ich da zuletzt hören müssen! Anfangs ging es zwar ganz
leidlich:

10          Die Zephirn lauschten,
            Die Bäche rauschten,
            Die Sonne
            Verbreitet ihr Licht mit Wonne.

Auch die etwas kräftigere Kost von Voß, Leopold Stolberg,
15 Bürger [8] wurde so vorgetragen, daß sich keiner darüber zu beschweren hatte. Auf einmal aber war es, als ob den Vorleser der
Satan des Übermuts beim Schopfe nähme, und ich glaubte, den
wilden Jäger [9] in leibhaftiger Gestalt vor mir zu sehen. Er las
Gedichte, die gar nicht im Almanach standen, er wich in alle nur
20 mögliche Tonarten und Weisen aus. Hexameter, Jamben, Knittel-
verse und, wie es nur immer gehen wollte, alles unter- und durcheinander, wie wenn er es nur so herausschüttelte.

Was hat er nicht alles mit seinem Humor an diesem Abend zu-
sammenphantasiert! Mitunter kamen so prächtige, wiewohl nur
25 ebenso flüchtig hingeworfene als abgerissene Gedanken, daß die
Autoren, denen er sie unterlegte, Gott auf den Knien dafür hätten
danken müssen, wenn sie ihnen vor ihrem Schreibpulte eingefallen
wären. Sobald man hinter den Scherz kam, verbreitete sich eine
allgemeine Fröhlichkeit durch den Saal. Er versetzte allen An-
30 wesenden irgend etwas. Auch meiner Mäzenschaft, die ich von
jeher gegen junge Gelehrte, Dichter und Künstler für eine Pflicht
gehalten habe — so sehr er sie auf der einen Seite belobt — so ver-
gaß er doch nicht auf der andern Seite, mir einen kleinen Stich
dafür beizubringen, daß ich mich zuweilen bei den Individuen,
35 denen ich diese Unterstützung zuteil werden ließ, vergriffe.
Deshalb verglich er mich witzig genug in einer kleinen, *ex tem-
pore* gedichteten Fabel mit einem frommen und dabei über die

Maßen geduldigen Truthahn, der eigene und fremde Eier in großer Menge und mit großer Geduld besitzt und ausbrütet, dem es aber *en passant* wohl auch einmal begegnet und der es nicht übel nimmt, wenn man ihm ein Ei von Kreide statt eines wirklichen unterlegt. 5

„Das ist entweder Goethe oder der Teufel!" rief ich Wieland zu, der mir gegenüber am Tische saß. „Beides" — gab mir dieser zur Antwort — „er hat heute wieder einmal den Teufel im Leibe; da ist er wie ein mutiges Füllen, das vorn und hinten ausschlägt, und man tut wohl, ihm nicht allzu nahe zu kommen." 10

Der Geist der Neckerei, der Goethe und seine Freunde erfüllt, kommt auch in einem kleinen dramatischen Spiel (1776) zum Ausdruck, das Goethes Eindruck auf die Damen des Hofes behandelt. Es ist von besonderem Interesse, denn die Verfasserin ist Charlotte von Stein, die Frau, die zehn Jahre lang den tiefsten 15 Einfluß auf Goethe ausüben sollte. Goethe hatte schon, ehe er nach Weimar kam, einen Schattenriß von Charlotte von Stein gesehen und damals gewünscht, er könnte sehen, „wie die Welt sich in dieser Seele spiegelt". Als er sie kennen lernte, fühlte er sich sofort zu ihr hingezogen und machte aus seiner Neigung 20 kein Hehl. Vielleicht ist dieses kleine Spiel Frau von Steins Abwehr gegen die Neckereien, die sie von andern deswegen ertragen mußte. Sicher ist es aber auch ein Spott auf Goethes Glück bei Frauen und auf seine wechselnden Neigungen, die mit seinem Dichterruhm der Welt bekannt geworden waren. 25

Frau v. Stein tritt in dem Spiel selbst als *Gertrud* auf, die Herzogin Mutter ist *Adelheid,* die Hofdame Luise v. Göchhausen, auch eine Verehrerin Goethes, *Thusnelde* und eine Frau v. Werthern *Kunigund.* Goethe wird *Rino* genannt nach einer Gestalt in den Liedern Ossians,[10] von der es heißt: „Rinos Seele war wie ein 30 Feuerstrahl", und „schlank bist du auf dem Hügel, schön unter den Söhnen der Heide."

# Rino

### Ein Schauspiel in drei Abteilungen
### von Charlotte von Stein

## I

*Rino tritt in den Saal, wo eben getanzt wird.*

RINO (*beiseite*)
Sind da eine Menge Gesichter herum,
Scheinen alle recht adlig Gänse dumm.
*Verschiedene werden präsentiert.*

ADELHEID
Wir haben dich lang bei uns erwart',
5   Du einziges Geschöpf in deiner Art.
*Rino verbeugt sich.*

THUSNELDE
Ich bin sehr neugierig auf dich gewesen,
S'ist nun mal so in meinem Wesen.

RINO
Können also jetzt Ihre Neugier stillen,
10   Wie's Ihnen beliebt, nach Ihrem Willen.

GERTRUD (*von weitem*)
Gleichgültig ist er mir eben nicht,
Doch weiß ich nicht, ob er oder Werther mir spricht.

KUNIGUND
Ja, ja, 's ist Werther ganz und gar.
So liebenswert, als er mir immer war.
15   *Gertrud und Kunigund werden präsentiert.*

GERTRUD
Ich freue mich Ihre Bekanntschaft zu machen.
*Rino verbeugt sich.*

GERTRUD
Apropos des Balls: mögen Sie gern tanzen und lachen?

RINO
Manchmal, doch meistens schleicht mit mir

Herum ein trauriges Gefühl
Über das ew'ge Erdengewühl.

*Geht ab*

GERTRUD

Ist mir doch, als wär das Intresse der Gesellschaft vorbei.

ADELHEID

Mir ist hier alles recht *ennuyant* einerlei.                    5

KUNIGUND (*traurig*)

Heut mag ich gar nicht gern tanzen.

THUSNELDE

Nun daß er auch fort ist, über den dummen Hansen.

## II

*Die Unterredung ist auf der Redoute.*
*Rino tanzt. Adelheid, Gertrud, Kunigund, Thusnelde sitzen in*
*einer Ecke des Saals.*

GERTRUD (*auf Rino deutend*)

Ich bin ihm zwar gut, doch, Adelheide, glaub mir's nur,
Er geht auf aller Frauen Spur;
Ist wirklich, was man eine *coquette* nennt,                     10
Gewiß, ich hab ihn nicht verkennt.

ADELHEID

Du sollst mit deiner Lästrung schweigen,
Sonst werd' ich dir noch heut meine Ungnade zeigen,
Hat dir gewiß was nicht recht gemacht.

THUSNELDE

Und wer hat dich denn zu den Gedanken gebracht?                  15
Sag doch, da du keine Heilige bist,
Warum er dir so gleichgültig ist?
Willst gewiß dahinter was verstecken.

GERTRUD

Nun über das Mädchen ihr Necken;
Für mich ist die Liebe vorbei,                                    20
Auch schein ich ihm sehr einerlei.

KUNIGUND

Ich ihm leider es bin, doch kann ich wohl fühlen;
Wie könnte ich denn sonst so gut Luise [11] spielen.

THUSNELDE

Bei mir die Liebe mehr auf der Zunge ist;
Drum, mein Herz, du nicht zu bedauern bist.
5 Meinen Witz will ich recht an ihm reiben,
In Freiheitsstreit mit ihm die Zeit mir vertreiben.

*Sie stehn auf und tanzen.*

## III

*Im Zimmer der Adelheid. Gertrud, Thusnelde, Kunigund.*

ADELHEID

Heut kommt der Freund zu mir,
Und ich laß ihn weder dir, dir, noch dir.
10 Will mich ganz allein an ihm laben,
Und ihr sollt nur das Zusehn haben.

THUSNELDE

Wissen das recht gut zu verstehn,
Wird auch wohl nach keiner von uns sehn.

KUNIGUND (*mit einem Seufzer*)

Ja, ich muß ihn wohl cedieren,
15 Denn meine Augen können ihn am wenigsten rühren.

GERTRUD

Er hat mir wohl so mancherlei gesagt,
Daß, hätt ich es nicht reiflich überdacht,
Ich wär stolz auf seinen Beifall worden.
Doch treibt ihn immer Liebe fort,
20 Ein neuer Gegenstand an jedem neuen Ort.
Die schönern Augen sind gleich sein Orden,
Für die muß er manch treues Herz ermorden;
So ist er gar nicht Herr von sich,
Der arme Mensch, er dauert mich.

THUSNELDE

25 Wie sie nun wieder ihre Weisheit purgiert,
Ach, Kind, wirst von dir selbst bei der Nase geführt!

Hättst nur *billets* wie unsereins! —

**GERTRUD**

Und glaubst du denn, ich hätte keins?

**THUSNELDE**

Nun, so weis doch dein *Portefeuil.*

*Gertrud weist's.*

**ADELHEID**

Wahrhaftig, so ein dick Paket wie ich! 5

**KUNIGUND**

Und ebenso viel als ihr er schrieb an mich.

**THUSNELDE**

Und meine dazu, so wird's ein *recueil.*

Über das lustige, oft recht übermütige Leben und Treiben am Hofe zu Weimar drangen allerlei Gerüchte in die Welt, und dem Neuankömmling Goethe, der durch seinen *Werther* schon viel 10 Unruhe in die Gemüter gebracht hatte, wurde die Schuld gegeben. Alte Freunde wie Merck,[12] Bekannte wie der Arzt Zimmermann,[13] die Eltern, ja selbst der ihm flüchtig bekannte Dichter Klopstock [14] schrieben, warnten und klagten. Goethe ließ sich dadurch nicht beirren. Er traute sich selbst und dem Herzog, er 15 wußte, was Spiel, was Ernst war. Weimar wurde ihm immer lieber, und er beschloß zu bleiben. Anfangs, als Gast, war er aber ohne Einkommen und deshalb noch von seinen Eltern abhängig. Vom Vater, dem seine Verbindung mit dem Herzog nie recht gewesen war, konnte er nur durch Vermittlung der Mutter Unterstützung 20 erwarten. Auf die Liebe und das Verständnis der Mutter, der phantasievollen, lebensfrohen „Frau Aja",[15] konnte er sich verlassen. Aber in der Unruhe des Weimarer Lebens fand er selten Lust und Zeit nach Hause zu schreiben. Und doch brauchte er den Zusammenhang, kam sich ohne Nachricht von den Seinen noch etwas 25 verlassen und vereinsamt vor. Wohl lud er den Straßburger Freund, den unglücklichen Dichter Lenz,[16] nach Weimar ein und verschaffte Herder [17] einen Ruf als Generalsuperintendent. Aber diese Beziehungen bedeuteten eher Belastung als Erleichte-

rung. Die etwas verworrene und doch hoffnungsvolle, zuversicht-
liche Stimmung Goethes spiegelt sich in den Briefen, die er am
Anfang des Jahres 1776, also wenige Monate nach seiner Ankunft
in Weimar, an die fünf Jahre ältere Freundin, „das Täntchen",
5 Johanna Fahlmer [18] schrieb.

## An Johanna Fahlmer

Weimar, 5. Januar 1776

Liebe Tante, ich sollt an meine Mutter schreiben, drum schreib
ich an Sie, daß ihr zusammen meinen Brief genießt und verdaut.
Ich bin immerfort in der wünschenswertsten Lage der Welt.
Schwebe über all den innersten, größten Verhältnissen, habe
10 glücklichen Einfluß und genieße und lerne und so weiter. Jetzt
nun aber brauch ich Geld — denn niemand lebt vom Winde — so
wollt ich nur sagen, Täntchen, überleg Sie's mit der Mutter, ob
der Vater Sinn und Gefühl ob all der abglänzenden Herrlichkeit
seines Sohnes hat, mir 200 fl.[19] zu geben oder einen Teil davon.
15 Mag das nicht gehn, so soll die Mutter Merck schreiben, daß der
mir's schickt. Das schicklichste wär in Golde, mit dem Postwagen,
unter andern Sachen — Nimm Sie, liebe Tante, das auf die Schul-
tern. Und macht mir's richtig. . . . . .

Liebe Tante, ich höre nichts von Ihnen, wie Sie nichts von uns,
20 doch Sie müssen bei der Frau Aja manches vernehmen, und ich
dächte, Sie schrieben mir manchmal aus Ihrem Herzen, daß ich
nicht so ganz fremd würde mit euch. Ich richte mich hier ins
Leben und das Leben in mich. Ich wollt, ich könnt Ihnen so vom
Innersten schreiben, das geht aber nicht, es laufen so viele Fäden
25 durcheinander, so viel Zweige aus dem Stamme, die sich kreuzen,
daß ohne Diarium, das ich doch nicht geschrieben habe, nichts
Anschaulichs zu sagen ist. Herder hat den Ruf als Generalsuperintendent angenommen.

Ich werde auch wohl dableiben und meine Rolle so gut spielen,
30 als ich kann, und so lang, als mir's und dem Schicksal beliebt.
Wär's auch nur auf ein paar Jahre, ist doch immer besser als das
untätige Leben zu Hause, wo ich mit der größten Lust nichts tun

kann. Hier hab ich doch ein paar Herzogtümer vor mir. Jetzt bin
ich dran, das Land nur kennen zu lernen, das macht mir schon viel
Spaß. Und der Herzog kriegt auch dadurch Liebe zur Arbeit,
und weil ich ihn ganz kenne, bin ich über viel Sachen ganz und
gar ruhig. Mit Wieland führ ich ein liebes, häusliches Leben, esse 5
mittags und abends mit ihm, wenn ich nicht bei Hofe bin.

Die Mägdlein sind hier gar hübsch und artig, ich bin gut mit
allen. Eine herrliche Seele ist die Frau von Stein, an die ich so,
was man sagen möchte, geheftet und genistelt bin. Louise und ich
leben nur in Blicken und Silben zusammen,[20] sie ist und bleibt 10
ein Engel. Mit der Herzogin Mutter hab ich sehr gute Zeiten,
treiben auch wohl allerlei Schwänk und Schabernack. Sie sollten
nicht glauben, wie viele gute Jungens und gute Köpfe beisammen
sind, wir halten zusammen, sind herrlich untereins und drama-
tisieren einander und halten den Hof uns vom Leibe. . . 15
d. 14. Febr. 76.

Liebe Tante, ein politisch Lied! Wären Sie hier, könnten Sie die
Ehre alle Tage haben. Es ist nun wohl nicht anders, ich bleibe
hier, und nun muß ich Euch auf einen Besuch vorbereiten. Beherzigen Sie diesen Brief mit der Mama. Der Oberstallmeister v.
Stein geht ehstens durch Frankfurt und wird Vater und Mutter 20
besuchen. Es ist ein braver Mann, den Ihr wohl empfangen mögt,
nur muß man über meinen hiesigen Zustand nicht allzu entzückt
scheinen. Ferner ist er nicht ganz mit dem Herzog zufrieden wie
fast all der Hof, weil er ihnen nicht nach der Pfeife tanzt, und mir
wird heimlich und öffentlich die Schuld gegeben; sollt er so was 25
fallen lassen, muß man auch drüber hingehn. Überhaupt mehr
fragen als sagen, ihn mehr reden lassen als reden, das übrige lasse
ich Euren Klugheiten. Ich wollt, die Geschichte meiner vier letzten
Monate ließ sich schreiben, das wär ein Fraß für ein gutes Volk.
Lebt wohl und schreibt mir. . . . 30
19. Febr. 76

Liebe Tante. Schreibt mir bitte und liebt mich. Sorgt nicht für
mich. Ich fresse mich überall durch, wie der Schwärmer sagt.
Jetzt bitt ich Euch, beruhigt Euch ein für allemal, der Vater mag

kochen, was er will, ich kann nicht immer darauf antworten, nicht immer die Grillen zurechtlegen. Soviel ist's: Ich bleibe hier, hab ein schön Logis gemietet, aber der Vater ist mir Ausstattung und Mitgift schuldig, das mag die Mutter nach ihrer Art einleiten, sie
5 soll nur kein Kind sein, da ich Bruder und alles eines Fürsten bin. Der Herzog hat mir wieder hundert Dukaten geschenkt. Gegeben. Wie Ihr wollt — ich bin ihm, was ich ihm sein kann, er mir, was er sein kann — das mag nun fortgehn, wie und so lang das kann. Ich bin noch allerlei Leuten schuldig, das tut mir nichts
10 — Aber die Mutter soll nur ihre Schuldigkeit tun und sehn, was auf den Vater möglich ist, ohne sie zu plagen! — Wenn sie allenfalls Geld braucht und kann's vom Vater nicht haben: so will ich's ihr schicken.

d. 6. März

Auf die Dauer konnte und wollte Goethe nicht in Weimar
15 bleiben ohne eine geordnete Tätigkeit und eine Stellung, die ihm ermöglichte, finanziell unabhängig und zugleich dem Herzog und seinem kleinen Staate nützlich zu sein. Amtserfahrung besaß er nicht und hätte, wenn es nach der Regel gegangen wäre, in einer untergeordneten Stellung anfangen und sich langsam em-
20 porarbeiten müssen. Aber die Freundschaft und das Vertrauen des Herzogs kümmerten sich wenig um Tradition, und Karl August bot ihm schon im Frühling 1776 an, Mitglied seines Ministerrats zu werden. Die Absicht des Herzogs, den Freund auf diese Weise zu einem nahen und einflußreichen Mitarbeiter zu machen, stieß
25 begreiflicherweise auf großen Widerstand bei dem Vorsitzenden des Geheimen Rats, dem Minister von Fritsch. Er weigerte sich mit einem so jungen, leichtsinnigen und unerfahrenen Frankfurter Advokaten zusammenzuarbeiten, und seine freimütige Kritik gab nur dem Ausdruck, was auch andere dachten. Aber der Her-
30 zog ließ sich nicht irre machen. In Goethes Worten: „Fremde Zuflüsterungen glitten an ihm ab . . . er sah überall selber, urteilte selber und hatte in allen Fällen in sich selber die sicherste Basis." (Eckermann) Außerdem besaß er die Zustimmung und Unterstützung seiner klugen und erfahrenen Mutter, die, obwohl sie

v. Fritsch als tüchtig und zuverlässig hochschätzte, Karl Augusts
Bewunderung für Goethes außerordentliche Gaben teilte. Beide
schrieben an den Minister und baten ihn, sein Entlassungsgesuch
zurückzunehmen und sich mit Goethes Beitritt zum Ministerrat
auszusöhnen. Der Minister gab nach, und Goethe verstand es, trotz 5
zeitweiliger Verstimmungen, des älteren Mannes Achtung und
Vertrauen zu gewinnen.

Die Briefe des Herzogs und der Herzogin Mutter an v. Fritsch
sind von doppeltem Wert: sie geben uns einen Einblick in die
edle, vorurteilslose Gesinnungsart Karl Augusts und Anna Ama- 10
lias wie keine Beschreibung zweiter Hand, und sie deuten an,
wie unsicher anfänglich die Stellung des jungen Goethe in Weimar gewesen sein muß, wie er nicht nur bewundert und begehrt,
sondern auch angefeindet und herabgesetzt wurde. Sein Dasein
war nicht immer, wie er es einmal scherzend nennt, „eine Schlitten- 15
fahrt mit Schellengeklingel"; seine Hinweise auf Schwierigkeiten,
auf Mangel an Vertrauen und Verständnis anderer, die in seinen
Briefen und Tagebüchern oft wiederkehren, werden durch diese
Briefe bekräftigt. Andererseits beweisen sie aber auch, wie berechtigt und begründet Goethes Hoffnungen auf eine fruchtbare 20
und befriedigende Tätigkeit in Weimar an der Seite des Herzogs
waren.

### Karl August an den Minister v. Fritsch

(den 10. Mai 1776)

Ich habe Ihren Brief, Herr Geheimer Rat, vom 24. April richtig
erhalten. Sie sagen mir in demselben Ihre Meinung mit aller der
Aufrichtigkeit, welche ich von einem so rechtschaffnen Manne, 25
wie Sie sind, erwarte. Sie fordern in ebendemselben Ihre Dienstentlassung, weil, sagen Sie: Sie nicht länger in einem Collegio,
wovon der D. Goethe ein Mitglied ist, sitzen können. Dieser
Grund sollte eigentlich nicht hinlänglich sein, Ihnen diesen Entschluß fassen zu machen. Wäre der D. Goethe ein Mann eines 30
zweideutigen Charakters, würde ein jeder Ihren Entschluß billigen,
Goethe aber ist rechtschaffen, von einem außerordentlich guten
und fühlbaren Herzen. Nicht alleine ich, sondern einsichtsvolle

Männer wünschen mir Glück, diesen Mann zu besitzen. Sein Kopf
und Genie ist bekannt. Sie werden selbst einsehen, daß ein Mann
wie dieser nicht würde die langweilige und mechanische Arbeit, in
einem Landes-Collegio von unten auf zu dienen, aushalten. Einen
5 Mann von Genie nicht an dem Ort gebrauchen, wo er seine außerordentlichen Talente gebrauchen kann, heißt denselben mißbrau-
chen; ich hoffe, Sie sind von dieser Wahrheit so wie ich überzeugt. . . . . Was das Urteil der Welt betrifft, welche mißbilligen
würde, daß ich den D. Goethe in mein wichtigstes Collegium
10 setze, ohne daß er zuvor weder Amtmann, Professor, Kammer-
oder Regierungsrat war, dieses verändert gar nichts; die Welt
urteilt nach Vorurteilen, ich aber und jeder, der seine Pflicht tun
will, arbeitet nicht, um Ruhm zu erlangen, sondern um sich vor
Gott und seinem eigenen Gewissen rechtfertigen zu können, und
15 suchet auch ohne den Beifall der Welt zu handeln. . . . Wie sehr
muß es mich befremden, daß Sie, statt sich ein Vergnügen daraus
zu machen, einen jungen fähigen Mann, wie mehrbenannter D.
Goethe ist, durch Ihre, in einem zweiundzwanzigjährigen treuen
Dienst erlangte Erfahrung zu bilden, lieber meinen Dienst ver-
20 lassen und auf eine, sowohl für den D. Goethe als, ich kann es
nicht leugnen, für mich beleidigende Art; denn es ist, als wäre
es Ihnen schimpflich, mit demselben in einem Collegio zu sitzen,
welchen ich doch, wie es Ihnen bekannt, für meinen Freund an-
sehe, und welcher nie Gelegenheit gegeben hat, daß man denselben
25 verachte, sondern vielmehr aller rechtschaffenen Leute Liebe verdient. . . . .

## Anna Amalia an den Minister v. Fritsch

Mein Sohn, der Herzog, hat mir das Vertrauen bewiesen, mir
die Korrespondenz zu zeigen, die zwischen ihm und Ihnen stattgefunden hat . . . ich ersehe daraus mit Schmerz, daß Sie die
30 Absicht haben, meinen Sohn zu verlassen, und dies in einem
Augenblick, wo er Sie am notwendigsten braucht. Die Gründe,
welche Sie anführen, haben mich tief bekümmert, sie sind eines
feinen Kopfes wie des Ihren, der die Welt kennt, nicht würdig.
Sie sind eingenommen gegen Goethe, den Sie vielleicht nur aus

unwahren Berichten kennen, oder den Sie von einem falschen
Gesichtspunkt beurteilen. Sie wissen, wie sehr mir der Erfolg
meines Sohnes am Herzen liegt und wie sehr ich darauf hingear-
beitet habe und noch täglich hinarbeite, daß er von rechtschaffenen
Männern umgeben sei. Wäre ich überzeugt, daß Goethe zu den 5
kriecherischen Geschöpfen gehörte, denen kein anderes Interesse
heilig ist als ihr eigenes und die nur aus Ehrgeiz tätig sind, so
würde ich die erste sein, gegen ihn aufzutreten. Ich will Ihnen
nicht von seinen Talenten, von seinem Genie sprechen; ich rede
nur von seiner Moral. Seine Religion ist die eines wahren und 10
guten Christen, die ihn lehrt, seinen Nächsten zu lieben und zu
versuchen, ihn glücklich zu machen. . . . . . Machen Sie Goethes
Bekanntschaft, suchen Sie ihn kennen zu lernen; Sie wissen, daß
ich meine Leute erst gehörig prüfe, bevor ich über sie urteile,
daß die Erfahrung mich in solcher Prüfung sehr geübt hat, und 15
daß ich dann ohne Vorurteil richte; glauben Sie einer Freundin,
die Ihnen wahrhaft zugetan ist, sowohl aus Dankbarkeit wie aus
Anhänglichkeit. . . . .

(Das Original ist französisch)

## FREUNDSCHAFT MIT FRAU VON STEIN

In der ersten Zeit litt Goethe in Weimar noch an seiner Liebe 20
zu Lili, von der er sich aus äußeren, aber wohl noch mehr aus
inneren Gründen getrennt hatte. Er wollte ungebunden sein und
sehnte sich doch zugleich nach einer Bindung, die seinem Dasein
ein Gefühl von Festigkeit, Sinn und Nutzen geben könnte. Die
„zwei Seelen" Fausts stritten leidenschaftlich in seinem Innern, 25
Phantasie und Tatkraft, Sturm und Drang und der Wille sich ein-
zuordnen, seine Gaben konstruktiv zu brauchen, schufen eine
Spannung, die ihn nicht zur Ruhe kommen ließ. Er suchte sein
Wesen halb resigniert, halb trotzig zu rechtfertigen:

Ach, was soll der Mensch verlangen? 30
Ist es besser, ruhig bleiben?
Klammernd fest sich anzuhangen?
Ist es besser, sich zu treiben?

Soll er sich ein Häuschen bauen?
Soll er unter Zelten leben?
Soll er auf die Felsen trauen? —
Selbst die festen Felsen beben.

5      Eines schickt sich nicht für alle!
Sehe jeder, wie er's treibe,
Sehe jeder, wo er bleibe,
Und wer steht, daß er nicht falle.

Erst unter dem Einfluß von Charlotte von Stein bezwang er
10 sich allmählich und lernte, das eigene Ich einer Gemeinschaft an-
zupassen, die innere schöpferische Spannung zu beherrschen
und für das gemeinschaftliche Leben fruchtbar zu machen.

Es war eine lange, oft schmerzliche Entwicklung. Denn seine
Liebe zu Frau von Stein war, wenigstens äußerlich betrachtet, viel
15 hoffnungsloser als seine Liebe zu Lili. Charlotte von Stein war
sieben Jahre älter als er, eine Dame der Hofgesellschaft, eine
Freundin der Herzogin Mutter. Sie hatte sehr jung geheiratet und
sieben Söhne geboren, von denen vier gestorben waren. So war
sie durch bitteres Leid gereift, aber auch entmutigt und ohne
20 Vertrauen zum Leben. Konvention, Sitte, Pflicht trennten sie
von Goethe. Von Anfang an wußte er, mußte er wissen, daß er
an eine Verbindung mit der Geliebten nicht denken durfte. Wie
war es da möglich, daß diese Frau trotz so großer Hindernisse
zehn Jahre lang einen so tiefen, anhaltenden Einfluß auf seinen
25 rastlosen Geist ausüben konnte?

Nach dem Zeugnis der Zeitgenossen muß Charlotte von Stein
sehr anziehend gewesen sein. Der Arzt J. G. Zimmermann beschreibt sie im Stil und Geschmack der Zeit in einem Brief an
J. K. Lavater [1] vom 25. November 1774:

30 „ . . . Sie hat überaus große schwarze Augen von der höchsten
Schönheit. Ihre Stimme ist sanft und bedrückt. Ernst, Sanftmut,
Gefälligkeit, leidende Tugend und feine tiefgegründete Empfindsamkeit sieht jeder Mensch beim ersten Anblick auf ihrem Ge-
sichte. Die Hofmanieren, die sie vollkommen an sich hat, sind
35 bei ihr zu einer seltenen hohen Simplizität veredelt. Sie ist sehr

fromm und zwar mit einem rührend schwärmerischen Schwung
der Seele. Aus ihrem leichten Zephirgang und aus ihrer theatralischen Fertigkeit in künstlichen Tänzen würdest Du nicht
schließen, was doch sehr wahr ist, daß stilles Mondenlicht und
Mitternacht ihr Herz mit Gottesruhe füllen. Sie ist einige und 5
dreißig Jahre alt, hat sehr viele Kinder und schwache Nerven.
Ihre Wangen sind sehr rot, ihre Haare ganz schwarz, ihre Haut
italienisch wie ihre Augen. Der Körper mager; ihr ganzes Wesen
elegant mit Simplizität. . . ."

Goethe sah Frau von Stein bei Hofe, er besuchte sie auf ihrem 10
Gute Kochberg, und sie, mit ihren Kindern und Freunden, besuchte ihn in seinem kleinen „Gartenhaus" an der Ilm.[8] Gesellschaften, Theater, Konzerte, Schlittschuhlaufen im Winter, Spa-
zierfahrten im Sommer brachten häufige Gelegenheit sich zu sehen.
Aber sie sahen sich anfangs selten allein; deshalb schrieb ihr 15
Goethe fast täglich, ja manchmal mehrmals am Tage. Die Briefe
und Briefchen, oft nur ein paar Zeilen lang, offenbaren die Innig-
keit seiner Liebe.

Frau von Stein mißtraute anfangs ihrem leidenschaftlichen,
unkonventionellen Liebhaber, der die schwer erkaufte Entsagung 20
dem Leben gegenüber, ihre einzige Waffe gegen die Schicksals-
schläge, nicht gelten lassen wollte und durch die rücksichtslose
Offenheit seines Benehmens Verwirrung und Verlegenheit in ihr
geregeltes Dasein brachte. Aber auf die Dauer konnte sie sich dem
Zauber seines Wesens nicht verschließen und erkannte widerstre- 25
bend an, daß sie ihm ein neues Interesse am Leben verdankte.
Trotzdem aber war sie entschlossen, seine Liebe in den Grenzen zu
halten, die ihr Lebensart und Pflicht vorschrieben. Daraus ergaben
sich für Goethe viel bittere Stunden und innere Kämpfe. Aber
die Macht dieser Frau über ihn wuchs und wuchs. Sie wurde die 30
Mitte, worauf sich allmählich sein ganzes Fühlen und Denken bezog. Zu ihr hatte er vollkommenes Vertrauen und ersehnte dasselbe
von ihr. Bei allem, was er tat, hoffte er nur auf ihre Teilnahme,
ihre Zustimmung, ihre Hilfe. Ihre Kränklichkeit machte ihn unglücklich, eine Verstimmung zwischen ihnen konnte er nicht 35
ertragen. Was ihr nahe stand, liebte auch er, besonders ihr jüngstes
Söhnchen Fritz. Goethe hatte Kinder von jeher geliebt; nun be-

kümmerte er sich um den kleinen Fritz wie um einen Sohn. Er nahm ihn mit auf Reisen und später sogar in sein Haus, um seine Entwicklung und Erziehung zu überwachen.

## An Charlotte von Stein

Weimar, Januar 1776

Hier durch Schnee und Frost eine Blume. Wie durch das Eis und
5 Sturmwetter des Lebens meine Liebe. Vielleicht komm ich heute. Ich bin wohl und ruhig und meine, ich hätte Sie um viel lieber als sonst, das doch immer mir jeden Tag meist so vorkommt.

Lieber Engel, ich komme nicht ins Konzert. Denn ich bin so wohl, daß ich nicht sehen kann das Volk! Lieber Engel, ich ließ
10 meine Briefe holen, und es verdroß mich, daß kein Wort drin war von Dir, kein Wort mit Bleistift, kein guter Abend. Liebe Frau, leide, daß ich Dich so lieb habe. Wenn ich jemand lieber haben kann, will ich Dir's sagen. Will Dich ungeplagt lassen. Adieu, Gold. Du begreifst nicht, wie ich Dich lieb hab.
d. 28. Jan. 76

15 . . . . . einen guten Morgen und *Stella*.[2] Ich habe gut geschlafen, und meine Seele ist rein und voll frohen Gefühls der Zukunft. Kommen Sie heut nach Hof? Louise war gestern lieb. Großer Gott, ich begreife nur nicht, was ihr Herz so zusammenzieht. Ich sah ihr in die Seele, und doch, wenn ich nicht so warm für sie
20 wäre, sie hätte mich erkältet. Ihr Verdruß übers Herzogs Hund war auch so sichtlich. Sie haben eben immer beide unrecht. Er hätt ihn draußen lassen sollen, und, da er drinnen war, hätt sie ihn eben auch leiden können. Nun, liebe Frau, bewahr Dich Gott, und hab mich lieb. Ist doch nichts anders auf der Welt.

Februar 1776

### Wandrers Nachtlied

25         Der du von dem Himmel bist,
        Alle Freud und Schmerzen stillest,

Den, der doppelt elend ist,
Doppelt mit Erquickung füllest.
Ach, ich bin des Treibens müde!
Was soll all die Qual und Lust.
Süßer Friede,                                    5
Komm, ach komm in meine Brust.

Am Hang des Ettersberg
d. 12. Febr. 76

Ich mußte fort, aber Du sollst doch noch eine gute Nacht haben.
Du Einzige, die ich so lieben kann, ohne daß mich's plagt — Und
doch leb ich immer halb in Furcht — Nun mag's. All mein Vertrauen hast Du und sollst, so Gott will, auch nach und nach all 10
meine Vertraulichkeit haben. O hätte meine Schwester einen
Bruder, irgend wie ich an Dir eine Schwester habe. Denk an mich
und drück Deine Hand an die Lippen, denn Du wirst Gusteln [3]
seine Ungezogenheiten nicht abgewöhnen, die werden nur mit
seiner Unruhe und Liebe im Grab enden. Gute Nacht. Ich habe 15
nun wieder auf der ganzen Redoute nur Deine Augen gesehn —
und da ist mir die Mücke ums Licht eingefallen. Ade! . . . .
Febr. d. 23. nachts halb 1 Uhr

## Charlotte von Stein an Goethe

### (Einziger erhaltener Brief [4] aus diesen Jahren)

Die Welt wird mir wieder lieb, ich hatte mich so los von ihr
gemacht, wieder lieb durch Sie. Mein Herz macht mir Vor-
würfe; ich fühle, daß ich mir und Ihnen Qualen zubereite. Vor 20
einem halben Jahre war ich so bereit zu sterben, und ich bin's nicht
mehr.

März 1776

## An Charlotte von Stein

Wenn heute Abend jemand zu Haus ist, so komm ich, les den
Kindern ein Märchen, esse mit Euch und ruhe an Deinen Augen
von mancherlei aus. Indes adieu, Liebe.                          25

Ich bitte Dich doch, Engel, komm ja mit auf Ettersburg. Du
sollst mir da mit einem Ring ins Fenster oder Bleistift an die
Wand ein Zeichen machen, daß Du da warst — Du einziges
Weibliches, was ich noch in der Gegend liebe, und Du einziges,
5 das mir glückwünschen würde, wenn ich was lieber haben könnte
als Dich. — — Wie glücklich müßt ich da sein! — oder wie unglücklich! Adieu! — komm! und laß nur niemand meine Briefe
sehen — Nur — NB, das NB — will ich Dir mündlich sagen, weil's
zu sagen eigentlich unnötig ist — Ade, Engel —
Montag, d. 4. März 76. Erfurt

### Charlotte v. Stein an J. G. Zimmermann

à Weimar ce 6 Mars 1776

10    D'un jour à l'autre, Cher Ami, j'ai voulu Vous écrire. . . .
Dernièrement au soir et hier à midi, Wieland a soupé et dîné
chez moi et devient de bon coeur mon ami, je dois son amitié à
Goethe et le tout à Vous. . . .
Goethe est ici un objet aimé et haï, Vous sentirez qu'il y a bien
15 de grosses têtes, qu'ils ne le comprennent pas.[5] . . .
Ich komme jetzt, Ihnen eine gute Nacht zu sagen. Ich war den
Abend im Konzert, Goethe nicht, vor einigen Stunden war er
bei mir, gab mir für Sie das beigeschlossne Billet und war toll
über Ihren Brief, den er mir auch vorlas, ich verteidigte Sie, ge-
20 stand ihm, ich wünschte selbst, er möchte etwas von seinem wilden
Wesen, darum ihn die Leute hier so schief beurteilen, ablegen,
das im Grunde zwar nichts ist, als daß er jagt, scharf reitet, mit der
großen Peitsche klatscht, alles in Gesellschaft des Herzogs. Gewiß
sind dies seine Neigungen nicht, aber eine Weile muß er's so trei-
25 ben, um den Herzog zu gewinnen und dann Gutes zu stiften, so
denk ich davon; er gab mir den Grund nicht an, verteidigte sich
mit wunderbaren Gründen, mir blieb's, als hätt er unrecht. Er war
sehr gut gegen mich, nannte mich im Vertrauen seines Herzens
Du, das verwies ich ihn mit dem sanftesten Ton von der Welt,
30 sich's nicht anzugewöhnen, weil es nun eben niemand wie ich zu
verstehn weiß und er ohnedies oft gewisse Verhältnisse aus den

Augen setzt, da springt er wild auf vom Kanapé, sagt, ich muß fort, läuft ein paar mal auf und ab, um seinen Stock zu suchen, findet ihn nicht, rennt so zur Türe hinaus ohne Abschied, ohne gute Nacht; sehen Sie, lieber Zimmermann, so war's heute mit unserm Freund. Schon einigemal habe ich bittern Verdruß um ihn ge- 5 habt, das weiß er nicht und soll's nie wissen. Nochmals gute Nacht.

d. 8. Da haben Sie nun auch den guten Morgen, ich könnte Ihnen vor Abgang der Post auch noch eine gute Nacht sagen, aber ich bin nicht zu Haus den Abend, und noch den Vormittag muß ich mich von Ihnen trennen. Ich sollte gestern mit der 10 Herzogin Mutter zu Wieland gehn, weil ich aber fürchtete, Goethe da zu finden, tat ich's nicht. Ich habe erstaunlich viel auf meinem Herzen, das ich dem Unmenschen sagen muß. Es ist nicht möglich, mit seinem Betragen kommt er nicht durch die Welt; wenn unser sanfter Sittenlehrer gekreuzigt wurde, so wird dieser bitter 15 zerhackt. Warum sein beständiges Pasquillieren, es sind ja alles Geschöpfe des großen Wesens, das duldet sie ja, und nun sein unanständiges Betragen mit Flüchen, mit pöbelhaften niedern Ausdrücken. Auf sein moralisches, so bald es aufs Handeln ankommt, wird's vielleicht keinen Einfluß haben, aber er verdirbt 20 andre; der Herzog hat sich wunderbar geändert, gestern war er bei mir, behauptete, daß alle Leute mit Anstand, mit Manieren, nicht den Namen eines ehrlichen Mannes tragen könnten. Wohl gab ich ihm zu, daß man in dem rauhen Wesen oft den ehrlichen Mann fände, aber doch wohl eben so oft in dem gesitteten; daher 25 er auch niemand mehr leiden mag, der nicht etwas Ungeschliffnes an sich hat. Das ist nun alles von Goethe, von dem Menschen, der vor Tausenden Kopf und Herz hat, der alle Sachen so klar, ohne Vorurteile sieht, so bald er nur will, der über alles kann Herr werden, was er will. Ich fühl's, Goethe und ich werden niemals 30 Freunde, auch seine Art, mit unserm Geschlecht umzugehn, gefällt mir nicht, er ist eigentlich was man *coquet* nennt, es ist nicht Achtung genug in seinem Umgang.

Zerreißen Sie meinen Brief, es ist mir, als wenn ich eine Undankbarkeit gegen Goethe damit begangen hätte, aber, um keine 35

Falschheit zu begehn, will ich's ihm alles sagen, sobald ich nur
Gelegenheit finde. Leben Sie wohl, lieber Zimmermann, und
empfehlen Sie mich unsern Freundinnen.

v. Stein

April 1776

### Goethe an Wieland

5    Ich kann mir die Bedeutsamkeit — die Macht, die diese Frau
über mich hat, anders nicht erklären als durch die Seelenwanderung. — Ja, wir waren einst Mann und Weib! — Nun wissen wir
von uns — verhüllt, in Geisterduft. — Ich habe keine Namen für
uns — die Vergangenheit — die Zukunft — das All.

### An Charlotte von Stein

10     Warum gabst du uns die tiefen Blicke,
unsre Zukunft ahnungsvoll zu schaun,
unsrer Liebe, unserm Erdenglücke
wähnend selig nimmer hinzutraun?
Warum gabst uns, Schicksal, die Gefühle,
15     uns einander in das Herz zu sehn,
um durch all die seltenen Gewühle
unser wahr Verhältnis auszuspähn?
. . . . . . . . . .
Sag, was will das Schicksal uns bereiten?
Sag, wie band es uns so rein genau?
20     Ach, Du warst in abgelebten Zeiten
meine Schwester oder meine Frau!

Kanntest jeden Zug in meinem Wesen,
spähtest, wie die reinste Nerve klingt,
konntest mich mit einem Blicke lesen,
25     den so schwer ein sterblich Aug durchdringt.
Tropftest Mäßigung dem heißen Blute,
richtetest den wilden, irren Lauf,
und in Deinen Engelsarmen ruhte

die zerstörte Brust sich wieder auf.
Hieltest zauberleicht ihn angebunden
und vergaukeltest ihm manchen Tag.

Welche Seligkeit glich jenen Wonnestunden,
da er dankbar Dir zu Füßen lag,                                5
fühlt' sein Herz an Deinem Herzen schwellen,
fühlte sich in Deinem Auge gut,
alle seine Sinnen sich erhellen
und beruhigen sein brausend Blut!

Und von allem dem schwebt ein Erinnern                          10
nur noch um das ungewisse Herz,
fühlt die alte Wahrheit ewig gleich im Innern,
und der neue Zustand wird ihm Schmerz.
Und wir scheinen uns nur halb beseelet;
dämmernd ist um uns der hellste Tag.                            15
Glücklich, daß das Schicksal, das uns quälet,
uns doch nicht verändern mag!

d. 14. Apr. 76

Mai 1776

d. 1. Mai abends. Du hast recht, mich zum Heiligen zu machen,
das heißt, mich von Deinem Herzen zu entfernen. Dich, so heilig
Du bist, kann ich nicht zur Heiligen machen und hab nichts    20
als mich immer zu quälen, daß ich mich nicht quälen will. Siehst
Du die trefflichen Wortspiele. Also auch morgen. Gut, ich will
Dich nicht sehen! — Gute Nacht.

Hier auch eine Urne, wenn allenfalls einmal vom Heiligen
nur Reliquien überbleiben sollten.                             25

### Charlotte v. Stein an J. G. Zimmermann

Weimar, den 10. Mai 76

. . . . . . .
Mir geht's mit Goethe wunderbar, nach acht Tagen, wie er
mich so heftig verlassen hat, kommt er mit einem Übermaß von

Liebe wieder. Ich hab zu mancherlei Betrachtungen durch Goethe
Anlaß bekommen; je mehr ein Mensch fassen kann, dünkt mir,
je dunkler, anstößiger wird ihm das Ganze, je eher fehlt man den
ruhigen Weg; gewiß hatten die gefallnen Engel mehr Verstand
5 wie die übrigen.

Schreiben Sir mir nur ein Wort, ob Sie um Johanni in Hannover
sind, oder lassen Sie mir's durch Goethe sagen. Ich bin durch
unsern lieben Goethe ins deutsch schreiben gekommen, wie Sie
sehen, und ich dank's ihm, was wird er wohl noch mehr aus
10 mir machen? denn, wenn er hier, lebt er immer um mich herum:
jetzt nenn ich ihn meinen Heiligen, und darüber ist er mir unsichtbar worden, seit einigen Tagen verschwunden und lebt in
der Erde fünf Meilen von hier im Bergwerke. . . . Goethe und
Wieland haben sich alle beide hier Gärten gekauft, sind aber
15 nicht Nachbarn, sondern liegen an verschiednen Toren. In Goethes
Garten hab ich schon einmal *Café* getrunken und von seinem
Spargel gegessen, den er selbst gestochen und in seinem Ziehbrunnen gewaschen hatte. In Goethes Garten ist die schönste Aussicht,
die hier zu haben ist, er liegt an einem Berg, und unten ist Wiese,
20 die von einem kleinen Fluß durchschlungen wird. Gute Nacht,
lieber Zimmermann, ich bitt um Vergebung wegen des vielen
unnützen Zeugs, das ich geschwätzt habe.

                                                    von Stein

## An Charlotte von Stein

Also auch das Verhältnis, das reinste, schönste, wahrste, das
25 ich außer meiner Schwester je zu einem Weibe gehabt, auch das
gestört! — . . . Ich will Sie nicht sehn, Ihre Gegenwart würde
mich traurig machen. Wenn ich mit Ihnen nicht leben soll, so
hilft mir Ihre Liebe so wenig als die Liebe meiner Abwesenden, an
der ich so reich bin. Die G e g e n w a r t im Augenblicke des Be-
30 dürfnisses entscheidet alles, lindert alles, kräftiget alles. Der Ab-
wesende kommt mit seiner Spritze, wenn das Feuer nieder ist. —
— Und das alles um der Welt willen! Die Welt, die mir nichts
sein kann, will auch nicht, daß Du mir was sein sollst — Sie wissen
nicht, was sie tun. Die Hand des einsam Verschlossnen, der die

Stimme der Liebe nicht hört, drückt hart, wo sie aufliegt. Adieu,
Beste.

d. 24. Mai 76

Juni 1776

Warum soll ich Dich plagen! Liebstes Geschöpf! — Warum mich
betrügen und Dich plagen und so fort. — Wir können einander
nichts sein und sind einander zu viel — . . . . Weil ich die Sachen 5
nur so seh, wie sie sind, das macht mich rasend. Gute Nacht, Engel, und guten Morgen. Ich will Dich nicht wiedersehen — Nur —
Du weißt alles — Ich hab mein Herz — Es ist alles dumm, was ich
sagen könnte. — Ich seh Dich eben künftig, wie man S t e r n e
sieht! — denk das durch.                                    10

. . . . . Liebste Frau, ich darf nicht dran denken, daß Sie Dienstag weggehn, daß Sie auf ein halb Jahr hinaus von mir ab sind.
Denn was hilft alles! Die Gegenwart ist's allein, die wirkt, tröstet
und erbaut! — Wenn sie auch wohl manchmal plagt — und das
Plagen ist der Sommerregen der Liebe. Ich hab Sie viel lieber 15
seit neulich, viel teurer und viel werter ist mir Deine Gutheit zu
mir. Aber freilich auch klarer und tiefer ein Verhältnis, über das
man so gerne wegschlüpft, über das man sich so gerne verblendet.
Der Herzogin Mutter entging nicht, daß ich mich auf einmal
veränderte. Adieu! Hier eine Rose aus meinem Garten, hier ein 20
paar halbwelke, die ich an einer Hecke, gestern zurückkreitend,
Dir abbrach. Leb wohl, Bestes. Der Schwester einen guten Morgen.
Addio. d. 22. Jun. 76.

Juli 1776

Ich hab auf der andern Seite angefangen, was zu zeichnen,
es geht aber nicht, drum will ich lieber schreiben in der Höhle
unter dem Hermannstein,[6] meinem geliebten Aufenthalt, wo ich 25
möcht wohnen und bleiben. Liebste, ich habe viel gezeichnet,
sehe nur aber zu wohl, daß ich nie Künstler werde. Die Liebe
gibt mir alles, und wo die nicht ist, dresch ich Stroh. Das malerisch-

ste Fleck gerät mir nicht, und ein ganz gemeines wird freundlich
und lieblich. Es regnet scharf im tiefen Wald. Wenn Du nur
einmal hier sein könntest, es ist über alle Beschreibung und Zeichnung. Ich hab viel gekritzelt, seit ich hier bin, alles leider nur von
5 Auge zur Hand, ohne durchs Herz zu gehen, da ist nun wenig
draus worden. Es bleibt ewig wahr: sich zu beschränken, Einen
Gegenstand, wenige Gegenstände recht bedürfen, so auch recht
lieben, an ihnen hängen, sie auf alle Seiten wenden, mit ihnen
vereinigt werden, das macht den Dichter, den Künstler — den
10 Menschen —

Addio, ich will mich an den Felsenwänden und Fichten um-
sehn. — Es regnet fort —

Hoch auf einem weit rings sehenden Berge.
Im Regen sitz ich hinter einem Schirm von Tannenreisern.
15 Warte auf den Herzog, der auch für mich eine Büchse mitbringen
wird.
Die Täler dampfen alle an den Fichtenwänden herauf.
(NB. Das hab ich Dir gezeichnet)

                                                          den 24.
Ich muß das schicken. Vorgestern schrieb ich das Addio. Dach-
20 test Du an mich, wie ich an Dich denke? Nein, ich will's nicht! —
Will mich in der Melancholie meines alten Schicksals weiden,
nicht geliebt zu werden, wenn ich liebe.

## An Merck

Ilmenau, 24. Juli 1776

Wir sind hier und wollen sehn, ob wir das alte Bergwerk wieder
in Bewegung setzen. Du kannst denken, wie ich mich auf dem
25 Thüringer Wald herumzeichne; der Herzog geht auf Hirsche,
ich auf Landschaften aus, und selbst zur Jagd führ ich mein Portefeuille mit. . . . . . Hab mich immer lieb, glaub, daß ich mir
immer gleich bin, freilich hab ich was auszustehen gehabt; dadurch
bin ich nun ganz in mich gekehrt. Der Herzog ist ebenso, daran
30 denn die Welt freilich keine Freude erlebt; wir halten zusammen

und gehen unsern eigenen Weg, stoßen so freilich allen Schlimmen, Mittelmäßigen und Guten vor den Kopf, werden aber doch hindurchdringen, denn die Götter sind sichtbar mit uns. Addio! Grüß die Mutter.

Oktober 1776

## An Charlotte von Stein

Leben Sie wohl, Beste! Sie gehen, und weiß Gott, was werden 5 wird! ich hätte dem Schicksal dankbar sein sollen, das mich in den ersten Augenblicken, da ich Sie wiedersah, so ganz rein fühlen ließ, wie lieb ich Sie habe, ich hätte mich damit begnügen und Sie nicht weiter sehen sollen. Verzeihen Sie! Ich seh nun, wie meine Gegenwart Sie plagt, wie lieb ist mir's, daß Sie gehn, in 10 einer Stadt hielt ich's so nicht aus. Gestern bracht ich Ihnen Blumen mit und Pfirsiche, konnt's Ihnen aber nicht geben, wie Sie waren; ich gab sie der Schwester. Leben Sie wohl. . . . . . . Sie kommen mir eine Zeit her vor wie *Madonna,* die gen Himmel fährt; vergebens, daß ein Rückbleibender seine Arme nach ihr ausstreckt, 15 vergebens, daß sein scheidender tränenvoller Blick den ihrigen noch einmal niederwünscht, sie ist nur in den Glanz versunken, der sie umgibt, nur voll Sehnsucht nach der Krone, die ihr überm Haupte schwebt. Adieu doch, Liebe!
d. 7. Okbr. 76

## Aus Goethes Tagebuch

7. (Oktober) Kommissarische Session. mit ♃ gegessen. Nach 20 Tisch ☉ Finsternis. Abends bei Herder mit ♃.

d. 8. Die ☉ weg. (Auf der Rückseite des Blattes von Frau v. Steins Hand:)
    Ob's unrecht ist, was ich empfinde — —
    und ob ich büßen muß die mir so liebe Sünde,          25
    will mein Gewissen mir nicht sagen;
    vernicht' es, Himmel du! wenn mich's je könnt anklagen.

(☉ = Sonne = Frau von Stein; ♃ = Jupiter = Herzog.)

Als Freund des Herzogs, als einer der höchsten Beamten des kleinen Staates, als Mitglied der Weimarer Hofgesellschaft hatte Goethe nun reichlich Gelegenheit, das menschliche Leben in allen möglichen Formen kennen zu lernen. Sein leidenschaftlicher
5 Wunsch, das Charakteristische jeder Daseinsform zu verstehen und das eigene Leben sinnvoll zu machen, ließ ihn das Neue intensiv aufnehmen, während er doch alles, was ihm von früher her wichtig und lieb war, auch erhalten und pflegen wollte. Das führte bald zu einer solchen Fülle von Erleben und Tätigkeit, daß
10 selbst der lebenshungrige, tatenfrohe junge Goethe unter der wachsenden Last der Aufgaben und immerwährenden geselligen Ansprüche zu seufzen begann und sich in ihm eine Abkehr von der Welt, eine Sehnsucht nach Konzentration im engeren Kreis von nahen Freunden und wesentlichen Interessen immer deutlicher
15 entwickelte.

Das gesellige Leben zog ihn an und stieß ihn ab. Der verstimmte Liebhaber einer spröden Frau konnte „wie toll" tanzen, um sich zu betäuben. Menschen interessierten ihn immer, „die Kunst des Lebens" ließ sich nur im Umgang mit Menschen lernen. Der
20 kleine Weimarer Kreis erweiterte sich durch Besuche auf benachbarten Schlössern, durch Reisen, die bis nach Berlin an den Hof Friedrichs des Großen ausgedehnt wurden. Aus dem „Weltkind", wie sich Goethe früher einmal im Vergleich mit Lavater genannt hatte, wurde der Weltmann, der beobachten und schweigen konnte,
25 dessen Selbstbeherrschung trotz seiner Jugend und seines Künstlertemperaments andere in Erstaunen setzte. Der Dichter in ihm erkannte den Wert vielseitiger Berührungen mit den verschiedensten Menschentypen und Schicksalen, er sammelte und ordnete im Geiste unermüdlich, was ihm die Umwelt bot. Sein großer Ent-
30 wicklungsroman *Wilhelm Meister,* an dessen erster Fassung [7] er damals arbeitete, sollte den Reichtum seiner Menschenkenntnis künstlerisch gestalten.

Andererseits hatte ja schon der Verlobte Lilis in Frankfurt das gesellschaftliche Leben als solches leer und unerträglich gefunden,
35 und so verlor auch der Glanz der Weimarer Hoffestlichkeiten bald seinen anfänglichen Reiz. Das Leben in und mit der Natur lag Goethe so viel näher. Der Herzog verstand darunter Jagden und

wilde Ritte. Goethe machte mit, denn er empfand seine Stellung,
als älterer Freund, als eine persönliche Verpflichtung, die sich nur
durch Teilnahme und Verständnis erfüllen ließ. Aber in jeder
freien Minute zeichnete er oder untersuchte und beobachtete
Tiere, Pflanzen und Gestein. Das Zeichnen, schon früher eine 5
Lieblingsbeschäftigung, wurde nun für ihn eine fast ebenso wichtige Äußerung seines Künstlertums wie das Dichten. Nur selten
gelang ihm eine Zeichnung zu seiner Zufriedenheit, aber er ließ
sich nicht entmutigen. Geduld und unermüdliche Übung waren
ihm nun hohe Werte, die in der Kunst wie im Leben unerläßlich 10
waren.

Sein Häuschen an der Ilm,[8] sein Garten, den er selbst gepflanzt,
wurden ihm in ihrer Abgeschiedenheit und Einfachheit eine Zuflucht, die er hütete, und wo er sich von Jahr zu Jahr häufiger verbarg, um zu dichten oder seiner wachsenden Neigung zu Kunst- 15
und Naturstudien nachzugehen. So sehr er die Gegenwart be-
freundeter Menschen genoß, so empfindlich war er für jeden
Mißton, jede Spannung und fühlte sich, wie er innerlich wuchs und
reifte, mehr und mehr andern „entfremdet" und vereinsamt.

Goethe war sich wohl bewußt, wie tief er sich von den Menschen 20
des Hofes unterschied. Er wollte wirken, wo sie genießen wollten;
er wollte die Gesetze des Daseins entdecken, wo sie sich mit den
Konventionen ihrer Kaste zufrieden gaben. Von Zeit zu Zeit
empörte sich seine Natur gegen den „Geheimrat". So reiste er
allein und unter falschem Namen in den Harz,[9] wie er später 25
nach Italien fuhr. Er wollte ein einfacher Mensch unter unbekannten einfachen Menschen sein. So freute ihn die gefährliche Besteigung des Brockens im Winter und das böse Wetter, das ihn bis
auf die Haut durchnäßte, sodaß ihm der warme Ofen ein Erlebnis
wurde. So suchte er bei der Ausübung seines Amtes mit den 30
Menschen persönlich bekannt zu werden, statt sich mit schriftlichen Berichten zu begnügen. Er hob Rekruten aus, so wenig ihm
das Geschäft behagte; bei Bränden half er löschen, bis er sich die
Sohlen versengte. Er wollte das Ilmenauer Silberbergwerk wieder
in Gang bringen, um dem Staat eine neue Einnahme, der armen 35
Bevölkerung lohnende Arbeit zu verschaffen. An Ort und Stelle
lernt er die Bergleute kennen und untersucht die Gesteinsarten.

Das elende Los der Strumpfwirker in Apolda bedrückt ihn so sehr,
daß er die innere Ruhe zur Arbeit an der *Iphigenie* schwer finden
kann. Er möchte helfen. Einzelne Schicksale, die ihm bekannt
werden, versucht er zum Guten zu wenden, besucht einen schwer-
5 mütigen Studenten auf der Harzreise, sorgt für einen verwaisten
Jungen. Aber im ganzen fühlt er sich im Lauf der Jahre oft ent-
täuscht: All sein guter Wille, seine Einsicht, seine Energie können
verhältnismäßig wenig tun, die zähe Masse des Bestehenden zu
bewegen und zu verbessern.

10 Dieses reiche Leben, das sich vom Einfachsten bis zum Feinsten,
vom Naturerlebnis bis zum Kunstwerk spannt, ist in den Tagebüchern und Briefen dieser Jahre skizziert. Lebendig und unmittelbar sprechen sie das Gefühl des Dichters aus und lassen uns seine
Entwicklung miterleben.

Januar 1777

### An J. K. Lavater

15 . . . . . In meinem jetzigen Leben weichen alle entfernten
Freunde in Nebel, es mag so lang währen, als es will, so hab ich
doch ein Musterstückchen des bunten Treibens der Welt recht
herzlich mitgenossen. Verdruß, Hoffnung, Liebe, Arbeit, Not,
Abenteuer, Langeweile, Haß, Albernheiten, Torheit, Freude, Er-
20 wartetes und Unversehnes, Flaches und Tiefes, wie die Würfel
fallen, mit Festen, Tänzen, Schellen, Seide und Flitter ausstaffiert,
es ist eine treffliche Wirtschaft. Und bei dem allen, lieber Bruder,
Gott sei Dank, in mir und in meinen wahren Endzwecken ganz
glücklich. . . .
d. 8. Jan. 77

Juli 1777

### An Auguste Gräfin zu Stolberg

25 Dank, Gustchen, daß Du aus Deiner Ruhe mir in die Unruhe
des Lebens einen Laut herüber gegeben hast.
Alles geben Götter, die unendlichen,
Ihren Lieblingen ganz,

    Alle Freuden, die unendlichen,
    Alle Schmerzen, die unendlichen, ganz.

So sang ich neulich, als ich tief in einer herrlichen Mondnacht aus dem Flusse stieg, der vor meinem Garten durch die Wiesen fließt; und das bewahrheitet sich täglich an mir. Ich muß das Glück für meine Liebste erkennen, dafür schiert sie mich auch wieder wie ein geliebtes Weib. Den Tod meiner Schwester wirst Du wissen. Mir geht in allem alles erwünscht, ich leide allein um andre. . . .

Weimar d. 17. Jul. 77.

September 1777

## An Charlotte von Stein

. . . . Ja, lieb Gold, ich glaub wohl, daß Ihre Lieb zu mir mit dem Absein wächst. Denn wo ich weg bin, können Sie auch die Idee lieben, die Sie von mir haben, wenn ich da bin, wird sie oft gestört durch meine Tor- und Tollheit. Adieu. Ich schick Ihnen nun Zeichnungen oder meine Haare, denn die Gegend ist herrlich hier, wild und (Gott versteht mich), und wenn ich muß zu Hause bleiben und kann nicht zeichnen und schießen, so schneid ich von meinen Haaren ab und schick sie Ihnen.

. . . . . Es ist ein weiter Weg zwischen uns, der grade beschwerlicher als der krumme. Ich seh Sie bald nicht wieder, adieu — Engel. Ich hab Sie gegenwärtig lieber als abwesend, drum könnt ich mir anmaßen, daß meine Liebe wahrer sei. Adieu.

Schon fühl ich, liebste Frau, daß Sie weit, fatal weit von mir weg sind, denn ich weiß nicht einmal, wie die Briefe vielleicht laufen, und mir stockt's gleich in allen Gliedern, wie Sie wissen, drum hab ich so lang nicht geschrieben. Auch hab ich ein Knötchen gewonnen an einem Zahn, schon in Stützerbach, hab's *parforce* dressiert und hab viel dran gelitten. Besonders da schon fast alles gut war, tanzt ich wie toll eine ganze Nacht und habe 24 Stunden Geschwulst und große Schmerzen gehabt. Jetzt ist's wieder still, doch noch ein wenig dick, und muß zu Hause sitzen in Eisenach, in dem weitschichtigen Schlößchen, und alles ist in Wilhelmstal und auf Jagden. Da wird nun in der Stube gehetzt, wo denn oft aus Mangel andern Wildbrets mein armes Ich herhalten muß. . . . .

Den ganzen Nachmittag hab ich mit tollen Imaginationen gewirtschaftet, diesen Abend mit einem sehr braven Manne von
5 unsrer Landschaft Unzähliges geschwätzt. Stündlich seh ich mehr, daß man sich aus diesem Strome des Lebens ans Ufer retten, drinnen mit allen Kräften arbeiten oder ersaufen muß.
Freitag, d. 12. Sept. Eisenach.


Wartburg,[10] d. 13. S. 77 abends 9. Hier wohn ich nun, Liebste,
10 und singe Psalmen dem Herrn, der mich aus Schmerzen und Enge wieder in Höhe und Herrlichkeit gebracht hat. Der Herzog hat mich veranlaßt heraufzuziehen, ich habe mit den Leuten unten, die ganz gute Leute sein mögen, nichts gemein, und sie nichts mit mir, einige sogar bilden sich ein, sie liebten mich, es ist aber nicht
15 gar so. Liebste, diesen Abend denk ich mir Sie in Ihrer Tiefe um Ihren Graben im Mondschein beim Wachfeuer, denn es ist kühl. In Wilhelmstal ist mir's zu tief und zu eng, und ich darf doch noch in der Kühle und Nässe nicht in die Wälder die ersten Tage. Hieroben! Wenn ich Ihnen nur diesen Blick, der mich nur kostet
20 aufzustehn vom Stuhl, hinübersegnen könnte. In dem grausen linden Dämmer des Monds die tiefen Gründe, Wieschen, Büsche, Wälder und Waldblößen, die Felsenabhänge davor und hinten die Wände, und wie der Schatten des Schloßbergs und Schlosses unten alles finster hält und drüben an den sachten Wänden sich
25 noch anfaßt, wie die nackten Felsspitzen im Monde röten, und die lieblichen Auen und Täler ferner hinunter und das weite Thüringen hinterwärts im Dämmer sich dem Himmel mischt. Liebste, ich hab eine rechte Fröhlichkeit dran, ob ich gleich sagen mag, daß der belebende Genuß mir heute mangelt, wie der lang
30 Gebundne reck ich erst meine Glieder. Aber mit dem echten Gefühl von Dank, wie der Durstige ein Glas Wasser nimmt und die Heiligkeit des Brunnens und die Liebheit der Welt nur nebenweg schaut.

Wenn's möglich ist zu zeichnen, wähl ich mir ein beschränkt
35 Eckchen, denn die Natur ist zu weit herrlich hier auf jeden Blick hinaus! Aber auch was für Eckchen hier! — O man sollte weder

zeichnen noch schreiben! — Indes wollt ich doch, daß Sie wüßten, daß ich lebe und Sie gleich wieder recht liebe, da mir's anfängt wieder wohl zu sein — Und zu Trost in der Öde bild ich mir ein, Sie freuen sich über einen Brief oder sonst ein Gekritzel von mir.

Oktober 1777

## Aus Goethes Tagebuch

. . . . Hier nun zum letztenmal auf der reinen ruhigen Höhe, 5 im Rauschen des Herbstwinds. Unten hatt ich heute ein Heimweh nach Weimar, nach meinem Garten, das sich hier schon wieder verliert. — Gern kehr ich doch zurück in mein enges Nest, nun bald in Sturm gewickelt, in Schnee verweht. Und, will's Gott, in Ruhe vor den Menschen, mit denen ich doch nichts zu teilen habe. 10 Hier hab ich weit weniger gelitten, als ich gedacht habe, bin aber in viel Entfremdung bestimmt, wo ich doch noch Band glaubte. ♃ wird mir immer näher und näher, u. Regen und rauher Wind rückt die Schafe zusammen. —— —

## An Charlotte von Stein

Warum das Hauptingrediens Ihrer Empfindungen neuerdings 15 Zweifel und Unglaube ist, begreif ich nicht, das ist aber wohl wahr, daß Sie einen, der nicht festhielte in Treu und Liebe, von sich wegzweifeln und -träumen könnten, wie man einem glauben machen kann, er sähe blaß aus und sei krank. Gestern Abend hab ich einen *Salto mortale* über drei fatale Kapitel meines Romans 20 gemacht, vor denen ich schon so lange scheue, nun da sie hinter mir liegen, hoff ich, den ersten Teil bald ganz zu produzieren. Addio. d. letzten Okbr.

Dezember 1777

(Von der Harzreise) Donnerstag, d. 4. Dez. 77

. . . . Ein ganz entsetzlich Wetter hab ich heut ausgestanden. Was die Stürme für Zeugs in diesen Gebirgen ausbrauen, ist unsäglich, Sturm, Schnee, Schloßen, Regen, und zwei Meilen an 25 einer Nordwand eines Waldgebirgs her, alles fast ist naß, und

erholt haben sich meine Sinne kaum nach Essen, Trinken, drei
Stunden Ruhe u.s.w. — — . . . . Hier bin ich nun wieder in
Mauern und Dächern des Altertums versenkt. Bei einem Wirte,
der gar viel Väterlichs hat, es ist eine schöne Philisterei im Hause,
5 es wird einem ganz wohl. — — Wie sehr ich wieder, auf diesem
dunklen Zug, Liebe zu der Klasse von Menschen gekriegt habe!
die man die niedre nennt! die aber gewiß für Gott die höchste ist.
Da sind doch alle Tugenden beisammen, Beschränktheit, Genügsamkeit, grader Sinn, Treue, Freude über das leidlichste Gute,
10 Harmlosigkeit, Dulden — Dulden — Ausharren in un — — ich
will mich nicht in Ausrufen verlieren.

Ich trockne nun jetzt an meinen Sachen! sie hängen um den
Ofen. Wie w e n i g der Mensch bedarf, und wie lieb es ihm
wird, wenn er fühlt, wie s e h r er das w e n i g e bedarf. . . .

d. 6. Dez. 77

15 Mir ist's eine sonderbare Empfindung, unbekannt in der Welt
herumzuziehen, es ist mir, als wenn ich mein Verhältnis zu den
Menschen und den Sachen weit wahrer fühlte. Ich heiße Weber,
bin ein Maler, habe *iura* studiert, oder ein Reisender überhaupt,
betrage mich sehr höflich gegen jedermann und bin überall wohl
20 aufgenommen. Mit Frauen hab ich noch gar nichts zu schaffen
gehabt. Eine reine Ruh und Sicherheit umgibt mich, bisher ist
mir noch alles zu Glück geschlagen, die Luft hellt sich auf, es
wird diese Nacht sehr frieren. Es ist erstes Viertel. Ich hab einen
Wunsch auf den Vollmond, wenn ihn die Götter erhören, wär's
25 großen Danks wert. Ich nehm auch nur mit der Hälfte vorlieb.
Heut wollt ich zeichnen, ein lieblich Fleck, es ging gar nicht.
Mir ist's ein für allemal unbegreiflich, daß ich Stunden habe, wo
ich so ganz und gar nichts hervorbringe. . . .

d. 10. nachts gegen 7. . . . . . Ich will Ihnen entdecken (sagen
30 Sie's niemand), daß meine Reise auf den Harz war, daß ich
wünschte, den Brocken zu besteigen, und nun, Liebste, bin ich
heut oben gewesen, ganz natürlich, ob mir's schon seit 8 Tagen
alle Menschen als unmöglich versichern. . . .

Ich sagte: ich hab einen Wunsch auf den Vollmond! — Nun, Liebste, tret ich vor die Türe hinaus, da liegt der Brocken im hohen herrlichen Mondschein über den Fichten vor mir, und ich war oben heut und habe auf dem Teufelsaltar meinem Gott den liebsten Dank geopfert. . . . 5

## Februar 1778

Es ist doch hübsch von Ihnen, daß Sie den, den Sie nicht mehr lieben, doch mit eingemachten Früchten nähren wollen. Dafür dank ich. Ob's gleich aussieht, als wenn Sie mir Gerichte schickten, damit ich nicht kommen solle, sie bei Ihnen zu verzehren.
d. 1. Febr. 78 (Weimar)

## März 1778

Ihren Fritz mit Blumen und Früchten schick ich Ihnen wieder, 10 das ist das schönste, was mir jetzt die Welt hat. Er mag Ihnen unsere Possen und Leben erzählen. Adieu.
d. 7. März 78

### An den Mond

(Fassung von 1777?)

Füllest wieder 's liebe Tal
Still mit Nebelglanz,
Lösest endlich auch einmal 15
Meine Seele ganz.

Breitest über mein Gefild
Lindernd deinen Blick,
Wie der Liebsten Auge mild
Über mein Geschick. 20

Das du so beweglich kennst,
Dieses Herz in Brand,
Haltet ihr wie ein Gespenst
An den Fluß gebannt,

Wenn in öder Winternacht
Er vom Tode schwillt
Und bei Frühlingslebens Pracht
An den Knospen quillt.

5 Selig, wer sich vor der Welt
Ohne Haß verschließt,
Einen Mann am Busen hält
Und mit dem genießt,

Was, dem Menschen unbewußt
10 Oder wohl verdacht,
Durch das Labyrinth der Brust
Wandelt in der Nacht.

Wenngleich die Feierlichkeit, die Sie heute erwartet, ein ge-
ringes Morgenbrot des Einsiedlers auslöschen muß, so schick ich
15 doch Ihnen und Fritz ein Stück Kuchen. Die Götter sind lieblich
im Frühlingsregen und warmen Wind.
d. letzten März 78

## Wieland an Merck

12. April

Goethe bekomme ich gar nicht mehr zu sehen; denn er kommt
weder an den Konzerttagen nach Hof noch zu mir; und zu ihm
zu kommen, wiewohl unsre Domänen eben nicht sehr weit von-
20 einander liegen, ist auch keine Möglichkeit, seitdem er beinah alle
Zugänge barrikadiert hat. Denn alle näheren Wege zu seinem
Garten gehen über die Ilm und teils durch eine ehemals öffentliche
Promenade, der S t e r n genannt, teils über eine herrschaftliche
Wiese. Nun hat er zwar, *pour faciliter la communication,*[11] im
25 vorigen Jahre 3 bis 4 Brücken über die Ilm machen lassen;
aber, Gott weiß warum, sie sind mit Türen versehen, die ich,
so oft ich noch zu ihm gehen wollte, verschlossen angetroffen
habe.

Mai 1778

## An Charlotte von Stein

Wörlitz,[12] Donnerstag. Nach Tische gehn wir auf Berlin über Potsdam. . . . Und nun bald in der Pracht der königlichen Städte, im Lärm der Welt und der Kriegsrüstungen.[13] Mit den Menschen hab ich, wie ich spüre, weit weniger Verkehr als sonst. Und ich scheine dem Ziel dramatischen Wesens immer 5 näher zu kommen, da mich's nun immer näher angeht, wie die Großen mit den Menschen und die Götter mit den Großen spielen. Adieu. . . . . .

Berlin. Sonntag, d. 17. Abends. . . . . . Durch die Stadt und mancherlei Menschengewerb und Wesen hab ich mich durch- 10 getrieben. . . . Gleichmut und Reinheit erhalten mir die Götter aufs schönste, aber dagegen welkt die Blüte des Vertrauens, der Offenheit, der hingebenden Liebe täglich mehr. Sonst war meine Seele wie eine Stadt mit geringen Mauern, die hinter sich eine Zitadelle auf dem Berge hat. Das Schloß bewacht ich, und die 15 Stadt ließ ich in Frieden und Krieg wehrlos, nun fang ich auch an, die zu befestigen, wär's nur indes gegen die leichten Truppen. . . .

September 1778

Eisenach, Sonntag, d. 13. S.

Die Zeit bin ich auf der Wartburg mit dem Prinzen seßhaft gewesen, und wir hatten so viele Drollerei zusammen, daß ich 20 in keine Ruhe gekommen bin. Die Felsen hab ich trotz dem bösen Wetter gemessen. Mit dem Jagen wird's morgen schweinisch werden. Und vier bis fünf Herzoge von Sachsen in einem Zimmer machen auch nicht die beste Konversation. . . .

Allerlei Krickeleien (*Disappointments*) hab ich wieder gehabt, 25 wie Sie wohl denken können, da ich die schöne Hoffnung auf mein 30. Jahr habe, weil ich im 29. noch so ein Kind bin.

Oft schüttl ich den Kopf und härte mich wieder, und endlich komm ich mir vor wie jenes Ferkel, dem der Franzos die knusperig

gebratne Haut abgefressen hatte und es wieder in die Küche
schickte, um ihm die zweite anbraten zu lassen.

Februar 1779

Mit einer guten Nacht schick ich noch zwei aufkeimende
Blumen. . . Den ganzen Tag brüt ich über *Iphigenie,* daß mir
5 der Kopf ganz wüst ist, ob ich gleich zur schönen Vorbereitung
letzte Nacht 10 Stunden geschlafen habe. . . Gute Nacht, Liebste.
Musik hab ich mir kommen lassen, die Seele zu lindern und die
Geister zu entbinden.
d. 14. Febr.

Meine Seele löst sich nach und nach durch die lieblichen Töne
10 aus den Banden der Protokolle und Akten. Ein Quartett neben in
der grünen Stube, sitz ich und rufe die fernen Gestalten leise
herüber. Eine Szene soll sich heut absondern, denk ich, drum
komm ich schwerlich. Gute Nacht. Einen gar guten Brief von
meiner Mutter hab ich kriegt.
d. 22. Febr. Abend

März 1779

15 Dornburg,[14] d. 2. März. Wenn ich an einen Ort komme, wo ich
mit Ihnen gewesen bin, oder wo ich weiß, daß Sie waren, ist mir's
immer viel lieber. Heut hab ich im Paradiese [15] an Sie gedacht,
daß Sie drin herumgingen, eh Sie mich kannten. Es ist mir fast
unangenehm, daß eine Zeit war, wo Sie mich nicht kannten und
20 nicht liebten. Wenn ich wieder auf die Erde komme, will ich die
Götter bitten, daß ich nur einmal liebe, und wenn Sie nicht so
feind dieser Welt wären, wollt ich um Sie bitten zu dieser lieben
Gefährtin. . . .
Knebel können Sie sagen, daß das Stück sich formt und Glieder
25 kriegt. Morgen hab ich die Auslesung, dann will ich mich in das
neue Schloß sperren und einige Tage an meinen Figuren bosseln.
Am 5. treff ich in Apolda ein, da verlang ich aber einen Boten von
Ihnen zu finden und viel Geschriebnes und sonst allerlei Sachen.
Jetzt leb ich mit den Menschen dieser Welt und esse und trinke,

spaße auch wohl mit ihnen, spüre sie aber kaum, denn mein in-
neres Leben geht unverrücklich seinen Gang. . . .

Dornburg, d. 4. März 79

. . . . . . Mit den Leuten leb ich, red ich und laß mir erzählen.
Wie anders sieht auf dem Platze aus, was geschieht, als wenn es
durch die Filtriertrichter der Expeditionen eine Weile läuft. Es
gehn mir wieder viele Lichter auf, aber nur die mir das Leben
lieb machen. Es ist so schön, daß alles so anders ist, als sich's ein
Mensch denken kann. Noch hab ich Hoffnung, daß, wenn ich
den 11. oder 12. nach Hause komme, mein Stück fertig sein soll.
Es wird immer nur Skizze, wir wollen dann sehn, was wir ihm
für Farben auflegen. . . .

Apolda,[16]d. 5. Abends. Sie haben sehr wohlgetan, mir ein
Briefchen hier einzulegen, denn ich hatte mir unterwegs vorgenommen, böse zu werden, wenn ich nichts von Ihnen an-
träfe. . . . .
Besser hätt ich getan, noch heut in Dornburg zu bleiben,
da war's schön, offen und ruhig. Hier ist ein bös Nest und lärmig,
und ich bin aus aller Stimmung. Kinder und Hunde, alles lärmt
durcheinander, und seit zwölf Uhr Mittag laß ich mir schon
vorerzählen von allen Menschen, eins ins andre, das will auch
wieder teils vergessen, teils in sein Fach gelegt sein. Mir ist's auf
dieser ganzen Wandrung wie einem, der aus einer Stadt kommt,
wo er aus einem Springbrunnen auf dem Markte lang getrunken,
in den alle Quellen der Gegend geleitet werden, und er kommt
endlich spazierend einmal an eine von diesen Quellen an ihrem
Ursprung, er kann dem ewig rieselnden Wesen nicht genug zusehn und ergötzt sich an den Kräutern und Kieseln. Meine Gedanken spielen ein schön Konzert, und Gott geb Ihnen einen
guten Abend. . . .

d. 6. März

Den ganzen Tag war ich in Versuchung nach Weimar zu
kommen, es wäre recht schön gewesen, wenn Sie gekommen

wären. Aber so ein lebhaft Unternehmen ist nicht im Blute der
Menschen, die um den Hof wohnen. Grüßen Sie den Herzog und
sagen ihm, daß ich ihn vorläufig bitte, mit den Rekruten säuberlich zu verfahren, wenn sie zur Schule kommen. Kein sonderlich
5 Vergnügen ist bei der Ausnehmung, da die Krüppel gerne dienten
und die schönen Leute meist Ehehafften haben wollen. . . . . .
Hier will das Drama gar nicht fort, es ist verflucht, der König
von Tauris soll reden, als wenn kein Strumpfwirker in Apolda
hungerte. . . .

Apolda, d. 7. März früh

10 . . . . . . Lavater hab ich immer ausgelacht, daß er auf seinen
Reisen jede Viertelstunde an die seinigen schrieb und mit jeder
Post Briefe und Zettelchen erhielt, worauf eigentlich nichts stand,
als daß sie sich wie vor vier Wochen noch immer herzlich liebten.
Und nun könnte man auch lachen.
15 Adieu, lieber Engel.

## Aus Goethes Tagebuch

d. 28. (März) früh Denstädt. Abends: *Iphigenie* geendigt.

6. (April) *Iphigenie* gespielt. Gar gute Wirkung davon besonders auf reine Menschen.

## An Charlotte von Stein

Erst wollt ich noch zu Ihnen, nun heißt mich das Wetter
20 häuslich sein, am Kaminfeuer drück ich mich und höre dem
Sausen zu und dem spitzen Regen. Wenn Sie da wären, ließe
sich's schön schwätzen.
d. 24. April 1779

Mai 1779

Wenn ich nur was anders hätte Ihnen zu schicken als Blumen
und immer dieselbigen Blumen. Es ist wie mit der Liebe, die
25 ist auch monoton.
d. 23. Mai 1779

Juli 1779

## Aus Goethes Tagebuch

d. 25. . . . in der Nacht ward ein gewaltsam Feuer zu Apolda, ich früh, da ich's erst erfuhr, hin und ward den ganzen Tag gebraten und gesotten. . . . . Verbrannten mir auch meine Plane, Gedanken, Einteilung der Zeit zum Teil mit. So geht das Leben durch bis ans Ende, so werden's andre nach uns leben. Ich danke 5 nur Gott, daß ich im Feuer und Wasser den Kopf oben habe. . . . . . Die Augen brennen mich von der Glut und dem Rauch, und die Fußsohlen schmerzen mich.

Das Elend wird mir nach und nach so prosaisch wie ein Kaminfeuer. Aber ich lasse doch nicht ab von meinen Gedanken und 10 ringe mit dem unerkannten Engel, sollt ich mir die Hüfte ausrenken. Es weiß kein Mensch, was ich tue und mit wieviel Feinden ich kämpfe, um das wenige hervorzubringen. Bei meinem Streben und Streiten und Bemühen bitt ich euch nicht zu lachen, zuschauende Götter. Allenfalls lächeln mögt ihr und mir beistehen. 15

August 1779

d. 7. Zu Hause aufgeräumt, meine Papiere durchgesehen und alle alten Schalen verbrannt. Andre Zeiten, andre Sorgen. Stiller Rückblick aufs Leben, auf die Verworrenheit, Betriebsamkeit, Wißbegierde der Jugend, wie sie überall herumschweift, um etwas Befriedigendes zu finden. Wie ich besonders in Geheimnissen, 20 dunklen imaginativen Verhältnissen eine Wollust gefunden habe. Wie ich alles Wissenschaftliche nur halb angegriffen und bald wieder habe fahren lassen, wie eine Art von demütiger Selbstgefälligkeit durch alles geht, was ich damals schrieb. Wie kurzsinnig in menschlichen und göttlichen Dingen ich mich umgedreht habe. 25 Wie des Tuns, auch des zweckmäßigen Denkens und Dichtens so wenig, wie in zeitverderbender Empfindung und Schattenleidenschaft gar viele Tage vertan, wie wenig mir davon zu Nutz gekommen, und da die Hälfte nun des Lebens vorüber ist, wie nun kein Weg zurückgelegt, sondern vielmehr ich nur dastehe wie 30 einer, der sich aus dem Wasser rettet und den die Sonne anfängt wohltätig abzutrocknen. Die Zeit, daß ich im Treiben der Welt

bin, seit Oktober 75, getrau ich noch nicht zu übersehen. Gott
helfe weiter und gebe Lichter, daß wir uns nicht selbst so viel
im Wege stehn. Lasse uns von Morgen zum Abend das Gehörige
tun und gebe uns klare Begriffe von den Folgen der Dinge. Daß
5 man nicht sei wie Menschen, die den ganzen Tag über Kopfweh
klagen und gegen Kopfweh brauchen und alle Abend zu viel
Wein zu sich nehmen. Möge die Idee des Reinen, die sich bis auf
den Bissen erstreckt, den ich in Mund nehme, immer lichter in
mir werden.

## DIE ZWEITE SCHWEIZER REISE

10    Im September 1779, nach fast vierjähriger Trennung sah Goethe
seine Eltern in Frankfurt wieder. Er war mit dem Herzog auf
einer Reise durch das Rheinland und die Schweiz. Beide stiegen
in Goethes Elternhaus ab zur großen Freude seiner Mutter, die
alles im stillen vorbereitet und seine alten Freunde benachrichtigt
15 hatte.

„Das erstemal, daß wir nach einer langen, nicht immer fröh-
lichen Zeit aus dem Loch in die freie Welt kommen", schrieb Goethe an seinen Freund Lavater, den sie in Zürich besuchten. Er er-
hoffte viel von den neuen Eindrücken für den jungen Herzog.
20 Die Ungebundenheit und Abwechslung des Reisens im Vergleich
mit der Beschränktheit des Hoflebens, die Größe der Bergwelt im
Gegensatz zu der Enge seines kleinen Staates mit seiner freundlichen, doch unbedeutenden Landschaft sollten ihn anregen und
seinen Sinn für Freiheit und Größe nähren. Aber auch für sich
25 selbst ersehnte Goethe die Reise, die ihn nach vier ereignisvollen
Jahren wieder zu ihm einmal so wichtigen Stätten und Menschen
führen sollte und ihm damit die Möglichkeit bot, sich der eigenen
Entwicklung bewußt zu werden. Frankfurt, Straßburg, die
Schweiz, Lavater, das Grab der einzigen Schwester,[1] wieviel
30 Erinnerungen, Gedanken, Einsichten mußte das alles in ihm
wecken!

Leichten Herzens betrat wohl Goethe sein Vaterhaus nicht trotz
des freudigen Wiedersehns mit seiner Mutter. Der Vater hatte
seine Übersiedelung nach Weimar, seine Verbindung mit dem
35 Herzog nie gebilligt. Würde er ihn das auch jetzt noch fühlen

lassen? Die Sorge erwies sich als unnötig. Das Alter hatte den Vater still und vergeßlich gemacht.

Von Frankfurt ging die Reise rheinaufwärts ins Elsaß. Goethe besuchte Friederike Brion in Sesenheim und Lili, jetzt Frau von Türckheim, in Straßburg. Beide empfingen ihn herzlich. Frie- 5 derike hatte nicht geheiratet. Wie einst, als der Straßburger Student ihre Liebe gewann, lebte sie still im Kreis ihrer Familie und hatte Goethe trotz allem Leid der Trennung ein freundliches Andenken bewahrt. Lili war glücklich verheiratet und Mutter. Von beiden schied Goethe mit beruhigter, befreiter Seele. 10

Es war schon reichlich spät im Jahr, als die Reisenden zum Höhepunkt ihrer Fahrt, den Schweizer Alpen, kamen. Trotzdem unternahmen sie, vom Wetter begünstigt, große Touren in die Gletscherwelt. Zu Pferd und großenteils zu Fuß durchzogen sie das Berner Oberland, die Umgebung des Montblanc, das Wallis 15 und bestiegen den St. Gotthard. „Wir hoffen unsre Geister im Erhabenen der Natur zu baden," schrieb Goethe an Frau von Stein. „Das Erhabene gibt der Seele die schöne Ruhe, sie wird dadurch ganz ausgefüllt, fühlt sich so groß, als sie sein kann. . . ." Er verspricht ihr, seine „alte Sünde", immer von sich zu reden, 20 abzulegen und will sie statt dessen die Schönheit der Schweizer Landschaft miterleben lassen. „Ich bin ein sehr irdischer Mensch," schrieb er an Lavater, dessen religiöse Mystik ihn zum Widerspruch reizte, „ich denke auch aus der Wahrheit zu sein, aber aus der Wahrheit der fünf Sinne." Zwar ahnt er hinter der Vielfältig- 25 keit der Erscheinungswelt das „ewige Gesetz", aber er sucht es nicht auf spekulativem Wege, sondern durch „reine und stille" Beobachtung der Wirklichkeit. Die Wirklichkeit, wie sie ihn jetzt umgibt, ist aber so großartig, daß sie jeder Beschreibung spottet. Er versucht es wieder und wieder in seinen Briefen, die Formen 30 und Farben, die Weite, den romantischen Reiz der Berge und Täler zu schildern, und muß doch schließlich die „taumelnde Erkenntnis" durch poetische Gleichnisse ergänzen. „Man gibt da gern jede Prätension ans Unendliche auf, da man nicht einmal mit dem Endlichen im Anschauen und Gedanken fertig werden 35 kann."

Der „Gesang der Geister", worin er das Wesen des Staubbachs 2 zugleich beschreibt und als Ganzes im Gleichnis gestaltet, ist deshalb das schönste und wahrste Zeugnis der Schweizerreise.

## An Die Mutter

Mein Verlangen, Sie einmal wiederzusehen, war bisher immer durch die Umstände, in denen ich hier mehr oder weniger not-
5 wendig war, gemäßigt. Nunmehr aber kann sich eine Gelegenheit finden, darüber ich aber vor allem das strengste Geheimnis fordern muß. Der Herzog hat Lust, den schönen Herbst am Rhein zu genießen, ich würde mit ihm gehen und der Kammerherr Wedel. Wir würden bei Euch einkehren, wenige Tage da bleiben,
10 um den Meßfreuden auszuweichen, dann auf dem Wasser weiter gehen. Dann zurückkommen und bei Euch unsre Stätte aufschlagen, um von da die Nachbarschaft zu besuchen. Wenn Sie dieses prosaisch oder poetisch nimmt, so ist dieses eigentlich das Tüpfchen aufs i Eures vergangnen Lebens, und ich käme das
15 erstemal ganz wohl und vergnügt und so ehrenvoll als möglich in mein Vaterland zurück. Weil ich aber auch möchte, daß, da an den Bergen Samariä der Wein so schön gediehen ist,[3] auch dazu gepfiffen würde, so wollt ich nichts, als daß Sie und der Vater offne und feine Herzen hätten, uns zu empfangen und Gott zu
20 danken, der Euch Euren Sohn im dreißigsten Jahr auf solche Weise wiedersehen läßt. Da ich aller Versuchung widerstanden habe, von hier wegzuwitschen und Euch zu überraschen, so wollt ich auch diese Reise recht nach Herzenslust genießen. Das Unmögliche erwart ich nicht. Gott hat nicht gewollt, daß der Vater
25 die so sehnlich gewünschten Früchte, die nun reif sind, genießen solle, er hat ihm den Appetit verdorben, und so sei's. Ich will gerne von der Seite nichts fordern, als was ihm der Humor des Augenblicks für ein Betragen eingibt. Aber Sie möcht ich fröhlich sehen und Ihr einen guten Tag bieten wie noch keinen. Ich habe
30 alles, was ein Mensch verlangen kann. Ein Leben, in dem ich mich täglich übe und täglich wachse, und komme diesmal gesund, ohne Leidenschaft, ohne Verworrenheit, ohne dumpfes Treiben, sondern wie ein von Gott Geliebter, der die Hälfte seines Lebens hingebracht hat und aus vergangnem Leide manches Gute für

die Zukunft hofft und auch für künftiges Leiden die Brust be-
währt hat; wenn ich Euch vergnügt finde, werd ich mit Lust
zurückkehren an die Arbeit und die Mühe des Tags, die mich
erwartet. Antworten Sie mir im ganzen Umfang sogleich — wir
kommen allenfalls in der Hälfte Septembers; das Nähere bis 5
auf den kleinsten Umstand soll Sie wissen, wenn ich nur Antwort
auf dies habe. Aber ein unverbrüchlich Geheimnis vor der Hand
auch gegen den Vater. . . . , allen muß unsere Ankunft Überraschung sein. Ich verlasse mich drauf. Hier vermutet noch niemand nichts.                                                    10

den 9. August 1779.

## An Charlotte v. Stein

Nur einen guten Morgen vorm Angesicht der väterlichen
Sonne. Schreiben kann ich nicht.

Wir sind am schönsten Abend hier angelangt und mit viel
freundlichen Gesichtern empfangen worden. Meine alten Freunde
und Bekannte haben sich sehr gefreut. Den Abend unsrer An- 15
kunft wurden wir von einem Feuerzeichen empfangen, das wir
uns zum allerbesten deuteten. Meinen Vater hab ich verändert
angetroffen, er ist stiller, und sein Gedächtnis nimmt ab, meine
Mutter ist noch in ihrer alten Kraft und Liebe. . . . . .

d. 20. Sept. Frankfurt 79.

September 1779

## An Charlotte von Stein

(25. Sept.?) S e l z (Rheinland), mittags. Ein ungemein schöner 20
Tag, eine glückliche Gegend, noch alles grün, kaum hie und da
ein Buchen- oder Eichenblatt gelb. Die Weiden noch in ihrer
silbernen Schönheit, ein milder willkommner Atem durchs ganze
Land. Trauben mit jedem Schritt und Tage besser. Jedes Bauern-
haus mit Reben bis unters Dach, jeder Hof mit einer großen voll- 25
hängenden Laube. Himmelsluft, weich, warm, feuchtlich, man
wird auch wie die Trauben reif und süß in der Seele. Wollte Gott,
wir wohnten hier zusammen, mancher würde nicht so schnell
im Winter einfrieren und im Sommer austrocknen. Der Rhein und

die klaren Gebirge in der Nähe, die abwechselnden Wälder,
Wiesen und gartenmäßigen Felder machen dem Menschen wohl
und geben mir eine Art Behagens, das ich lange entbehre.

d. 25. Abends ritt ich etwas seitwärts nach Sesenheim, indem
die andern ihre Reise grad fortsetzten, und fand daselbst eine
Familie, wie ich sie vor acht Jahren verlassen hatte, beisammen
und wurde gar freundlich und gut aufgenommen. Da ich jetzt
so rein und still bin wie die Luft, so ist mir der Atem guter und
stiller Menschen sehr willkommen. Die zweite Tochter vom
Hause hatte mich ehmals geliebt, schöner, als ich's verdiente, und
mehr als andre, an die ich viel Leidenschaft und Treue verwendet
habe, ich mußte sie in einem Augenblick verlassen, wo es ihr
fast das Leben kostete, sie ging leise drüber weg mir zu sagen,
was ihr von einer Krankheit jener Zeit noch überbliebe, betrug sich
allerliebst mit soviel herzlicher Freundschaft vom ersten Augenblick, da ich ihr unerwartet auf der Schwelle ins Gesicht trat und
wir mit den Nasen aneinander stießen, daß mir's ganz wohl wurde.
Nachsagen muß ich ihr, daß sie auch nicht durch die leiseste
Berührung irgend ein altes Gefühl in meiner Seele zu wecken
unternahm. Sie führte mich in jede Laube, und da mußt ich sitzen,
und so war's gut. Wir hatten den schönsten Vollmond, ich erkundigte mich nach allem. Ein Nachbar, der uns sonst hatte
künsteln helfen, wurde herbeigerufen und bezeugt', daß er noch
vor acht Tagen nach mir gefragt hatte, der Barbier mußte auch
kommen, ich fand alte Lieder, die ich gestiftet hatte, eine Kutsche,
die ich gemalt hatte, wir erinnerten uns an manche Streiche jener
guten Zeit, und ich fand mein Andenken so lebhaft unter ihnen,
als ob ich kaum ein halb Jahr weg wäre. Die Alten waren treuherzig, man fand, ich sei jünger geworden. Ich blieb die Nacht
und schied den andern Morgen bei Sonnenaufgang, von freundlichen Gesichtern verabschiedet, daß ich nun auch wieder mit
Zufriedenheit an das Eckchen der Welt hindenken und in Friede
mit den Geistern dieser Ausgesöhnten in mir leben kann.

d. 26. Sonntags traf ich wieder mit der Gesellschaft zusammen,
und gegen Mittag waren wir in Straßburg. Ich ging zu Lili und

fand den schönen Grasaffen mit einer Puppe von sieben Wochen
spielen und ihre Mutter bei ihr. Auch da wurde ich mit Ver-
wundrung und Freude empfangen. Erkundigte mich nach allem
und sah in alle Ecken. Da ich denn zu meinem Ergötzen fand,
daß die gute Kreatur recht glücklich verheiratet ist. Ihr Mann, aus 5
allem, was ich höre, scheint brav, vernünftig und beschäftigt zu
sein, er ist wohlhabend, ein schönes Haus, ansehnliche Familie,
einen stattlichen bürgerlichen Rang pp., alles was sie brauchte pp.
Er war abwesend. Ich blieb zu Tische. Ging nach Tisch mit dem
Herzog auf den Münster, abends sahen wir ein Stück *L'Infante de* 10
*Zamora* mit ganz trefflicher Musik von Paesiello.[4] Dann aß ich
wieder bei Lili und ging in schönem Mondschein weg. Die schöne
Empfindung, die mich begleitet, kann ich nicht sagen. . . . . . Un-
getrübt von einer beschränkten Leidenschaft treten nun in meine
Seele die Verhältnisse zu den Menschen, die bleibend sind, meine 15
entfernten Freunde und ihr Schicksal liegen nun vor mir wie ein
Land, in dessen Gegenden man von einem hohen Berge oder im
Vogelflug sieht.

Hier bin ich nun nah am Grabe meiner Schwester, ihr Haushalt
ist mir wie eine Tafel, worauf eine geliebte Gestalt stand, die nun 20
weggelöscht ist. Die an ihre Stelle getretene Fahlmer, mein Schwager, einige Freundinnen sind mir so nah wie sonst. Ihre Kinder
sind schön, munter und gesund. Von hier wird's nun auf Basel
gehen. . . . . .

Oktober 1779

Lauterbrunnen (Schweiz), den 9. Oktbr 1779. Abends halb 7
Uhr

Wir sind halb fünf wirklich hier in der Gegend angelangt, und 25
alles, was ich bisher gewünscht, wir haben den Staubbach bei gutem
Wetter zum erstenmal gesehen, die Wolken der obern Luft waren
gebrochen, und der blaue Himmel schien durch. An den Felswän-
den hielten Wolken, selbst das Haupt, wo der Staubbach herunter
kommt, war leicht bedeckt. Es ist ein sehr erhabener Gegenstand. 30
Und es ist vor ihm wie bei allem Großen, so lang es Bild ist, so
weiß man doch nicht recht, was man will. Es läßt sich von ihm kein
Bild machen, die Sie von ihm gesehen haben, sehen sich mehr oder

weniger ähnlich; aber wenn man drunter ist, wo man weder mehr bilden noch beschreiben kann, dann ist man erst auf dem rechten Fleck. . . .

Thun (Schweiz), d. 14. Oktb. Abends 7. Wir sind glücklich
5 wieder hier angekommen. Diese vier Tage das schönste Wetter, heut und gestern keine Wolke am Himmel, und die merkwürdigsten Gegenden ganz rein in dem himmlischen Licht genossen. Es fällt schwer, nach allem diesem zu schreiben. . . .

Die merkwürdige Tour durch die Bernischen Gletscher ist ge-
10 endigt, wir haben leicht vorübergehend die Blüte abgeschöpft. . . .
Wär ich allein gewesen, ich wäre höher und tiefer gegangen, aber mit dem Herzog muß ich tun, was mäßig ist.[5] . . .

Kein Gedanke, keine Beschreibung noch Erinnerung reicht an die Schönheit und Größe der Gegenstände und ihre Lieblichkeit in
15 solchen Lichtern, Tageszeiten und Standpunkten. . .

Von dem Gesange der Geister habe ich noch wundersame Strophen gehört, kann mich aber kaum beiliegender erinnern. Schreiben Sie doch sie für Knebel ab, mit einem Gruß von mir. Ich habe oft an ihn gedacht.

## Gesang der lieblichen Geister in der Wüste

### ERSTER GEIST
20 Des Menschen Seele
Gleicht dem Wasser
Vom Himmel kommt es
Zum Himmel steigt es

### ZWEITER
Und wieder nieder
25 Zur Erde muß es
Ewig wechselnd.

### ERSTER
Strömt von der hohen
Steilen Felswand
Der reine Strahl

Stäubt er lieblich
In Wolkenwellen
Zum glatten Fels
Und leicht empfangen
Wallt er schleiernd     5
Leisrauschend
Zur Tiefe nieder.

ZWEITER

Ragen Klippen
Dem Sturz entgegen
Schäumt er unmutig     10
Stufenweise
Zum Abgrund.

ERSTER

Im flachen Bette
Schleicht er das Wiestal hin

ZWEITER

Und in dem glatten See     15
Weiden ihr Antlitz
Alle Gestirne.

ERSTER

Wind ist der Welle
Lieblicher Buhler

ZWEITER

Wind mischt von Grund aus     20
Alle die Wogen.

ERSTER

Seele des Menschen
Wie gleichst du dem Wasser

ZWEITER

Schicksal des Menschen
Wie gleichst du dem Wind.     25

November 1779

d. 2. November. Genf 79. . . . .

Daß man bei den Franzosen auch von meinem *Werther* b e -
z a u b e r t ist, hätt ich mir nicht vermutet, man macht mir viel
Komplimente, und ich versichre dagegen, daß es mir unerwartet
ist, man fragt mich, ob ich nicht mehr dergleichen schriebe, und
5 ich sage: Gott möge mich behüten, daß ich nicht je wieder in den
Fall komme, einen zu schreiben und schreiben zu können. Indes
gibt mir dieses Echo aus der Ferne doch einiges Interesse mehr
an meinen Sachen, vielleicht bin ich künftig fleißiger und ver-
passe nicht wie bisher die guten Stunden. Ade.

d. 13. Nov. 79

10    Auf dem Gotthard bei den Kapuzinern.[6]
Glücklich durch eine Kette merkwürdiger Gegenden sind wir
hier angekommen. . . . Hier ist der Herzog mit mir allein und
dem Jäger. Auf dem Gipfel unsrer Reise. . . . Zum zweitenmal
bin ich nun in dieser Stube, auf dieser Höhe, ich sage nicht mit
15 was für Gedanken. Auch jetzt reizt mich Italien nicht. Daß dem
Herzog diese Reise nichts nützen würde jetzt, daß es nicht gut
wäre, länger von Hause zu bleiben, daß ich Euch wiedersehen
werde, alles wendet mein Auge zum zweitenmal vom gelobten
Lande ab, ohne das zu sehen, ich hoffentlich nicht sterben werde,
20 und führt meinen Geist wieder nach meinem armen Dach, wo ich
vergnügter als jemals Euch an meinem Kamin haben und einen
guten Braten auftischen werde. . . .

Im Kurzen nur! Von Genf haben wir die Savoyer Eisgebirge [7]
durchstrichen, sind von da ins Wallis [8] gefallen, haben dieses die
25 ganze Länge hinauf durchzogen und sind endlich über die Furke [8]
auf den Gotthard gekommen. Es ist diese Linie auf dem Papier
geschwind mit dem Finger gefahren, der Reichtum von Gegenständen aber unbeschreiblich und das Glück, in dieser Jahreszeit
seinen Plan rein durchzuführen, über allen Preis. Hier oben ist
30 alles Schnee. Seit gestern früh elf Uhr haben wir keinen Baum gesehen. Es ist grimmig kalt, Himmel und Wolken rein wie Saphir
und Kristall. Der Neumond ist untergegangen mit seltsamem

Lichte auf dem Schnee. Wir stecken im Hause beim Ofen. Morgen
steht uns nun der herrliche Weg den Gotthard hinab noch bevor.
Doch sind wir schon durch so vieles Große durchgegangen, daß
wir wie Leviathane [9] sind, die den Strom trinken und sein nicht
achten. . . . 5

### An C. v. Knebel

Hier bin ich bei Lavater, im reinsten Zusammengenuß des Lebens; in dem Kreise seiner Freunde ist eine Engelsstille und Ruh
bei allem Drange der Welt und ein anhaltendes Mitgenießen von
Freud und Schmerz, da hab ich deutlich gesehen, daß es vorzüglich darin liegt, daß jeder sein Haus, Frau, Kinder und eine rein 10
menschliche Existenz in der nächsten Notdurft hat: das schließt
aneinander und speit, was feindlich ist, sogleich aus. . . . . . .
Zürich, d. 30. Nov. 79

## ZURÜCK IN WEIMAR

Mitte Januar 1780 trafen Goethe und der Herzog „glücklich,
wohl und vergnügt" wieder in Weimar ein. Auf der Rückreise
waren sie auch in Stuttgart gewesen, wo der Herzog von Württem- 15
berg sie eingeladen hatte, an einer Feier in der Militär-Akademie,
der sogenannten Karlsschule, teilzunehmen. Der zwanzigjährige
Schiller war damals Medizinstudent in der Karlsschule; sein Schauspiel *Die Räuber* [1] war heimlich im Entstehen. Für ihn war Goethe
der Dichter des *Götz von Berlichingen,* der ihn begeistert und 20
angeregt hatte, und Goethes Gegenwart war für ihn ein großes
Ereignis, während er selbst natürlich Goethe ganz unbekannt
blieb.

Die folgenden sechs Jahre in Weimar waren für Goethe voll
Arbeit mannigfaltiger Art. Mehr und mehr Verwaltungsaufgaben 25
wurden ihm anvertraut und von ihm, der sich „anschauliche Begriffe" von „allen notwendigen Dingen" bilden wollte, auch gern
übernommen. Daneben ging sein Dichten, seine Beschäftigung
mit der bildenden Kunst, dem Theater, der Musik, sein natur-
wissenschaftliches Studium ununterbrochen weiter. Seine Bezie- 30
hung zu Frau von Stein war im Laufe der Zeit trotz häufiger
Spannungen immer enger und fester geworden. Wenn sie in

Weimar war, sah er sie fast täglich und schickte ihr sonst aus der Nähe und Ferne Nachricht von all seinem Denken und Tun. In seiner Korrespondenz mit ihr und einigen Freunden läßt sich deshalb die allmähliche Entstehung seiner Dichtungen, die Ent-
5 wicklung seiner Weltanschauung, die Ausbreitung seiner Interessen, wenn auch oft nur andeutungsweise, verfolgen.

Da ist vor allem die Arbeit an *Iphigenie* und *Wilhelm Meister*. In der ersteren, so verschieden sie auch der Handlung nach von Goethes Erlebniskreis ist, hat seine Verehrung für Frau von Stein
10 den höchsten künstlerischen Ausdruck gefunden; im letzteren spiegelt sich Goethes eigene Entwicklung. Wie seine Liebe zu Frau von Stein ihn nie zu Ruhe kommen ließ, so arbeitete er an *Iphigenie* unablässig weiter und versuchte ihr die Ruhe und Klarheit zu geben, um die er selbst kämpfte. Erst in Italien, wo er
15 Distanz gewann und sich selbst zurückgegeben war, konnte er ihr die endgültige Fassung geben. Aber wie seine eigene Entwicklung niemals endet, so begleitet ihn auch die Arbeit an *Wilhelm Meister* bis in sein spätes Alter.

Er arbeitet *Werther* um und beginnt *Tasso,* den „gesteigerten
20 Werther".[2] Die Problematik der Wertherzeit ist also nicht abgetan, aber sie wird ihm in steigendem Maße aus einem persönlichen Konflikt zur künstlerischen Aufgabe.

Mit Frau von Stein liest er die *Ethik* des Spinoza,[3] mit Lavater und Fritz Jacobi [4] spricht er sich brieflich über religiöse Probleme
25 aus. Lavater steht ihm menschlich sehr nahe trotz weltanschaulicher Gegensätze. Er vergleicht sich und ihn mit „zwei Schützen, die, mit dem Rücken aneinander lehnend, nach ganz verschiedenen Zielen schießen." Sein Ziel ist pantheistisch im Sinne Spinozas und zugleich christlich im Sinne der christlichen Ethik, „tätige
30 Liebe". Er sucht kein philosophisches System, hält nur eine Ahnung des Weltgeists für möglich. In dem Gedicht *Edel sei der Mensch* gibt er seiner irdisch-menschlichen Religion den vollkommensten Ausdruck.

Goethes politische Erfahrungen und Überzeugungen werden
35 brieflich selten berührt, obwohl sie natürlich in seiner amtlichen Tätigkeit eine große Rolle gespielt haben müssen. Das Jahrzehnt vor der französischen Revolution war voll geheimer Spannungen.

Die Feindschaft zwischen Preußen und Österreich und die wachsende Macht Friedrichs des Großen hatte die kleinen mitteldeutschen Staaten in eine unsichere Lage gebracht, wo politische Klugheit von größter Wichtigkeit war. Da konnte ein Mann in Goethes Stellung politische Fragen brieflich kaum anders behandeln als in versteckten Anspielungen. So muß vielleicht sein Bericht an Frau von Stein über sein Beobachten und Sezieren der Ratten auf Schloß Neuenheiligen (11. März 1881) als ein Gleichnis mit politischem Sinn aufgefaßt werden. Es war unauffällig, weil sich Goethe ja tatsächlich in jener Zeit mit der Untersuchung tierischer Skelette beschäftigte. Auch in seinem Lustspiel *Die Vögel,* einer freien Bearbeitung der gleichnamigen politischen Komödie des Aristophanes,[5] finden sich wohl politische Anspielungen, obwohl es als literarische Satire gilt. Goethe beschäftigte sich damals auch mit einer Biographie des Herzogs Bernhard, der ein Ahnherr Karl Augusts war und im dreißigjährigen Krieg eine Rolle gespielt hatte. Da Goethe geschichtliche Studien um ihrer selbst willen fern lagen, hatte diese Arbeit bestimmt politische Gründe, wie er in einem Brief an Lavater vom 5. Juni 1780 andeutet: „Übrigens versuche ich allerlei Beschwörungen und Hocus pocus, um die Gestalten gleichzeitiger Helden und Lumpen in Nachahmung der Hexe von Endor [6] wenigstens bis an den Gürtel aus dem Grabe zu nötigen und allenfalls irgend einen König, der an Zeichen und Wunder glaubt, ins Bockshorn zu jagen."

In Goethes Kunstanschauung stand damals Albrecht Dürer [7] an erster Stelle. „Ich verehre täglich mehr die mit Gold und Silber nicht zu bezahlende Arbeit des Menschen (d.h. Dürers), der, wenn man ihn recht im Innersten erkennen lernt, an Wahrheit, Erhabenheit und selbst Grazie nur die ersten Italiener zu seinesgleichen hat." (An Lavater, 6. März 1780) Er war darin den meisten seiner Zeit voraus, wurde aber später durch die italienische Reise in anderer Richtung beeinflußt. Interessant ist auch, wie er, trotz seines Strebens nach Genauigkeit und Reinlichkeit der Form, die Skizze schätzt als die „erste, schnellste, unmittelbarste Äußerung des Künstlergeistes".

In Goethes Einstellung zur Natur vollzieht sich in jenen Jahren

eine wesentliche Änderung. „Die Berge und Klüfte sehen . . .
mir nicht mehr so malerisch und poetisch aus, doch ist's eine andere
Art Malerei und Poesie, womit ich sie jetzt besteige," schrieb er
1784 an Frau von Stein. Er meinte damit seine geologischen und
5 botanischen Beobachtungen, die sein Interesse immer mehr in
Anspruch nahmen. Wohl regten ihn Naturstimmungen zu einigen
seiner schönsten Gedichte an, zu *Über allen Gipfeln, Erlkönig, Der
Fischer*. Aber das rein gefühlsmäßige, mystisch-lyrische Naturerlebnis, das in seinen früheren Gedichten und in *Werther* zum
10 Ausdruck kam, war nun durch den Wunsch verdrängt worden,
das Geheimnis der Natur auf wissenschaftlichem Wege zu erforschen.

Die Beschäftigung mit dem Ilmenauer Bergwerk hatte ihn
zuerst zu geologischen Untersuchungen angeregt. Er sammelte
15 Erz und Steine auf jedem Ausflug ins Gebirge, auf einer zweiten
Harzreise, ließ sie sich von seinen Freunden schicken und suchte
den Aufbau der Erdschichten zu verstehen. Allmählich bildete
er sich eine Vorstellung von den großen Prozessen und Zusammen-
hängen der Erdgeschichte, die ihm ein beglückendes Gefühl von
20 Harmonie und Gesetzmäßigkeit gab. Der Granit wurde für ihn
das Urgestein, auf das sich in gesetzmäßiger Folge die übrigen
Gesteinsarten abgelagert hatten, das aber im Hochgebirge unverhüllt zu Tage trat und dessen einzigartigen Charakter bestimmte.
Diese Hypothese begeisterte ihn, sie schien ihm ein der Kunst
25 verwandtes großes Erlebnis. Heute wird sie wissenschaftlich abge-
lehnt. Wie genial Goethe aber in seinen geologischen Beobachtungen und Erklärungen sein konnte, beweisen zwei seiner Ver-
mutungen, die erst später von der Wissenschaft bestätigt wurden:
seine Annahme, daß die versteinerten Tierreste, die sich in ge-
30 wissen Erdschichten finden, Aufschluß über das Alter der Schichten geben, und seine Überzeugung, daß Nord- und Mitteleuropa
durch eine Eiszeit gegangen seien.

An die Geologie reihte sich die Botanik, dann die Osteologie als
Gegenstände seiner Studien. Überall versuchte er sich zuerst
35 durch eigene Beobachtungen eine Meinung zu bilden, ehe er zu
Büchern griff. Die Mathematik, die er als nötiges Hilfsmittel
sich auch anzueignen suchte, lag seinem auf konkreter Anschauung

gegründeten Interesse am fernsten. Was der Granit ihm bedeutete
in der Geologie, das versuchte er mit der Vorstellung der „Urpflanze" für die Botanik zu beweisen: die Existenz einer letzten
Einheit, von der aus sich die Vielfältigkeit der Erscheinungswelt
ableiten und verstehen ließ.                                              5

In dieser gesetzmäßigen Verbundenheit und Entwicklung der
Natur konnte auch der Mensch keine Ausnahme machen. Gerade
das aber wurde zu jener Zeit allgemein angenommen. Das schein-
bare Fehlen des Zwischenkieferknochens beim Menschen, obwohl
er sich bei den Säugetieren findet, galt als Beweis absoluter Ver- 10
schiedenheit des Ursprungs. Goethe wollte das nicht glauben. Er
untersuchte unermüdlich Tier- und Menschenschädel, und es gelang ihm, den Zwischenkieferknochen, das *os intermaxillare*,[8] beim
Menschen zu entdecken. Er war nicht der erste, der diese Entdeckung machte; aber sie war wissenschaftlich noch ganz unbe- 15
kannt, und Goethe konnte sich daher mit Recht als Entdecker
betrachten. Seine Freude war groß; dieser Fund bewies ihm von
neuem die ununterbrochene Linie natürlicher Entwicklung, die
Grundlage seiner Weltanschauung.

Goethes naturwissenschaftliche Studien, die sich auch auf das 20
Wetter, das Licht und vor allem die Farbenbildung erstreckten
und die er sein ganzes Leben fortsetzte, sind im Rahmen seiner
Geistesentwicklung von so großer Bedeutung, weil ihm durch sie
die Verbindung von konkreter Erfahrung und Gedanke immer
mehr zur zweiten Natur wurde. Wie er sich durch Zeichnen „aus 25
der Unbestimmtheit und Dämmerung herauszuarbeiten" suchte
(An Merck, 7. April 1780), so suchte er in jeder möglichen Weise
das unbestimmte Gefühl von der Einheit des Alls und der Verwandtschaft aller Kreatur in faßliche Vorstellungen zu verwandeln. Dadurch erhielt auch seine Dichtung eine Grundlage in der 30
Realität, auf der ihre überzeitliche und allgemeine Bedeutung ruht.

Mai 1780

## Aus dem Tagebuch

d. 2. (Mai) Nach Erfurt, die Straßen zu besichtigen. . . Kam
abends zum Statthalter zurück, und wir durchschwatzten viel

politische, philosophische und poetische Dinge. Tanzten auch einmal beim Grafen Ley. Gute Tage.

Sonnab. d. 6. Mittags wieder zurück. Die Blüten und ersten Blätter sind höchst lieblich, es treibt nach der langen, rauhen Witterung alles auf einmal.

d. 13. Das Grüne ist über die Maßen schön, die Blüten durch den Regen bald vertrieben. War die Zeit mannigfaltig beschäftigt. . . . Hatt ich gute Blicke in Geschäften. Geht das Alltägliche ruhig und rein. War das Theater fertig. . . . Das Theater ist eins von den wenigen Dingen, an denen ich noch Kinder- und Künstlerfreude habe. Händels „Messias" [9] ward oft probiert, gab mir neue Ideen von Deklamation. Ließ mir von Aulhorn [10] die Tanzterminologie erklären. War im Jägerhaus und ließ alles völlig zurecht machen, den Prinzen auf künftigen Winter zu logieren. . . . Verzogen sich einige hypochondrische Gespenster. Es offenbaren sich mir neue Geheimnisse. Es wird mit mir noch bunt gehn. Ich übe mich und bereite das möglichste. In meinem jetzigen Kreis hab ich wenig, fast gar keine Hinderung außer mir. In mir noch viele. Die menschlichen Gebrechen sind rechte Bandwürmer, man reißt wohl einmal ein Stück los, und der Stock bleibt immer sitzen. Ich will doch Herr werden. Niemand, als wer sich ganz verleugnet, ist wert zu herrschen und kann herschen. . . . . Freilich, es ist des Zeugs zu viel von allen Seiten und der Gehilfen wenige. . . . Bei Gott, es ist kein Kanzlist, der nicht in einer Viertelstunde mehr Gescheites reden kann, als ich in einem Vierteljahr, Gott weiß, in zehn Jahren tun kann. Dafür weiß ich auch, was sie alle nicht wissen, und tu, was sie alle nicht wissen oder auch wissen. Ich fühle nach und nach ein allgemeines Zutrauen, und gebe Gott, daß ich's verdienen möge, nicht wie's leicht ist, sondern wie ich's w ü n s c h . Was ich trage an mir und andern, sieht kein Mensch. Das Beste ist die tiefe Stille, in der ich gegen die Welt lebe und wachse und gewinne, was sie mir mit Feuer und Schwert nicht nehmen können. . . .

## An J. C. Kestner [11]

Es ist recht schön, daß wir einander wieder einmal begegnen. Vor einigen Tagen dacht ich an Euch und wollte fragen, wie es stünde. Schon lange hab ich den Plan gemacht Euch zu besuchen, vielleicht gelingt mir's einmal, und ich find Euch und Eure 5 Buben wohl und vergnügt. Es wäre artig, wenn Ihr mir einmal einen Familienbrief schicktet, wo Lotte und, wer von den Kindern schreiben kann, auch einige Zeilen drein schrieben, daß man sich 5 wieder näher rückte. Ich schick Euch auch wohl einmal wieder was, denn ich habe schon mehr Luft an meine Freunde zu denken, ob sich gleich die Arbeit vermehrt.

Außer meiner Geheimratsstelle hab ich noch die Direktion des Kriegsdepartements und des Wegebaus mit den dazu bestimmten 10 Kassen. Ordnung, Präzision, Geschwindigkeit sind Eigenschaften, von denen ich täglich etwas zu erwerben suche. Übrigens steh ich sehr gut mit den Menschen hier, gewinne täglich mehr Liebe und Zutrauen, und es wird nur von mir abhängen, zu nutzen und glücklich zu sein. Ich wohne vor der Stadt in einem sehr schönen 15 Tale, wo der Frühling jetzt sein Meisterstück macht. Auf unsrer letzten Schweizerreise ist alles nach Wunsch gegangen, und wir sind mit vielem Guten beladen zurückgekommen. . . . .

Pfingstsonntag 1780 (Weimar).

Juni 1780

## An Charlotte von Stein

d. 26. Juni

Gestern war ich in Ettersburg und diktierte der Göchhausen mit dem lebhaftesten Mutwillen an unsern *Vögeln,* die Nachricht vom 20 Feuer in Groß Brembach jagte mich fort, und ich war geschwind in den Flammen. Nach so lang trocknem Wetter bei einem unglücklichen Wind war die Gewalt des Feuers unbändig. . . . Ich bin noch zu keinem Feuer in seiner ganzen Aktivität gekommen als zu diesem. Nach der Bauart unsrer Dörfer müssen wir's täglich 25 erwarten. Es ist, als wenn der Mensch genötigt wäre, einen zierlich und künstlich zusammengebauten Holzstoß zu bewohnen, der recht, das Feuer schnell aufzunehmen, zusammengetragen wäre.

Aus dem Teich wollte niemand schöpfen, denn vom Winde getrieben schlug die Flamme der nächsten Häuser wirbelnd hinein. 30

Ich trat dazu und rief: „Es geht, es geht, ihr Kinder," und gleich waren ihrer wieder da, die schöpften, aber bald mußt ich meinen Platz verlassen, weil's allenfalls nur wenig Augenblicke auszuhalten war. Meine Augenbrauen sind versengt, und das Wasser in 5 meinen Schuhen siedend hat mir die Zehen gebrüht; ein wenig zu ruhen, legt ich mich nach Mitternacht, da alles noch brannte und knisterte, im Wirtshaus aufs Bett und ward von Wanzen heimgesucht und versuchte also manch menschlich Elend und Unbequemlichkeit. Der Herzog und der Prinz kamen später und 10 taten das ihrige. Einige ganz gewöhnliche und immer unerkannte Fehler bei solchen Gelegenheiten hab ich bemerkt.

Verzeihen Sie, daß ich mit Bildern und Gestalten des Greuels Sie in Ihre Freuden verfolge. Es fiel mir in der Nacht und den Flammen ein, wie das Schicksal wütet und nun Sizilien wieder 15 bebt und die Berge speien und die Engländer ihre eigne Stadt anzünden,[12] und das alles im aufgeklärten 18. Jahrhundert. . . .

September 1780

d. 6. Sept. 80. Auf dem Gickelhahn, dem höchsten Berg des Reviers . . . . hab ich mich gebettet, um dem Wuste des Städtchens, den Klagen, den Verlangen, der unverbesserlichen Verworrenheit 20 der Menschen auszuweichen. Wenn nur meine Gedanken zusamt von heut aufgeschrieben wären, es sind gute Sachen drunter.

Meine Beste, ich bin in die Hermannsteiner Höhle gestiegen, an den Platz, wo Sie mit mir waren, und habe das S, das so frisch 25 noch wie von gestern angezeichnet steht, geküßt und wieder geküßt, daß der Porphyr seinen ganzen Erdgeruch ausatmete, um mir auf seine Art wenigstens zu antworten. Ich bat den hundertköpfigen Gott,[13] der mich so viel vorgerückt und verändert und mir doch Ihre Liebe und diese Felsen erhalten hat, noch weiter 30 fortzufahren und mich werter zu machen seiner Liebe und der Ihrigen.

Es ist ein ganz reiner Himmel, und ich gehe, des Sonnenuntergangs mich zu freuen. Die Aussicht ist groß, aber einfach.

Die Sonne ist unter. Es ist eben die Gegend, von der ich Ihnen die aufsteigenden Nebel zeichnete; jetzt ist sie so rein und ruhig und so uninteressant als eine große schöne Seele, wenn sie sich am wohlsten befindet. . . . .

(Das folgende Gedicht, eine Beilage des Briefes an Frau von Stein, schrieb Goethe am gleichen Abend auf dem Gickelhahn an die Bretterwand der Jagdhütte, wo er übernachtete)

Über allen Gipfeln
Ist Ruh,
In allen Wipfeln
Spürest du
Kaum einen Hauch;
Die Vögelein schweigen im Walde.
Warte nur, balde
Ruhest du auch.

Ilmenau, d. 7. Abends. Meine Wandrung ist glücklich vollendet, und ich sitze und ruhe. . . . . Wir sind auf die hohen Gipfel gestiegen und in die Tiefen der Erde eingebrochen und möchten gar zu gern der großen formenden Hand nächste Spuren entdecken. Es kommt gewiß noch ein Mensch, der darüber klar sieht. Wir wollen ihm vorarbeiten. Wir haben recht schöne, große Sachen entdeckt, die der Seele einen Schwung geben und sie in der Wahrheit ausweiten. Könnten wir nur auch bald den armen Maulwürfen von hier Beschäftigung und Brot geben. . . . .

d. 8. Sept. . . . . . .
Jetzt leb ich mit Leib und Seel in Stein und Bergen und bin sehr vergnügt über die weiten Aussichten, die sich mir auftun, diese zwei letzten Tage haben wir ein groß Fleck erobert und können auf vieles schließen. Die Welt kriegt mir nun ein neu ungeheuer Ansehn. . . .

d. 9. Sept. . . . . .
Heut früh haben wir alle Mörder, Diebe und Hehler vorführen lassen und sie alle gefragt und konfrontiert. Ich wollte anfangs nicht mit, denn ich fliehe das Unreine — es ist ein groß Studium

der Menschheit und der Physiognomik, wo man gern die Hand
auf den Mund legt und Gott die Ehre gibt, dem allein ist die Kraft
und der Verstand pp. in Ewigkeit, Amen.

Ein Sohn, der sich selbst und seinen Vater des Mords mit allen
5 Umständen beschuldigt. Ein Vater, der dem Sohn ins Gesicht
alles wegleugnet. Ein Mann, der im Elende der Hungersnot seine
Frau neben sich in der Scheune sterben sieht und, weil sie niemand
begraben will, sie selbst einscharren muß, dem dieser Jammer
jetzt noch aufgerechnet wird, als wenn er sie wohl könnte ermordet
10 haben, weil andrer Anzeigen wegen er verdächtig ist pp.

Hernach bin ich wieder auf die Berge gegangen, wir haben gegessen, mit Raubvögeln gespielt, und hab immer schreiben wollen,
bald an Sie, bald an meinem Roman,[14] und bin immer nicht dazu
gekommen. Doch wollt ich, daß ein lang Gespräch mit dem Her-
15 zog für Sie aufgeschrieben wäre, bei Veranlassung der Delinquen-
ten, über den Wert und Unwert menschlicher Taten. Abends setzte
Stein sich zu mir und unterhielt mich hübsch von alten Geschichten, von der Hofmiseria, von Kindern und Frauen pp. Gute
Nacht, Liebste. Dieser Tag dauert mich. Er hätte können besser
20 angewendet werden, doch haben wir auch die Trümmer genutzt.

Stützerbach, d. 10. Abends. . . . .
Heut war's in den Sternen geschrieben, daß ich mich sollte in
Ilmenau rasieren lassen, darüber ging das Pferd erst mit mir durch,
und hernach versank ich in ein Sumpffleck auf der Wiese. Früh
25 hab ich einige Briefe des großen Romans geschrieben. Es wäre
doch gar hübsch, wenn ich nur vier Wochen Ruh hätte, um wenigstens einen Teil zur Probe zu liefern.

Schmalkalden,[15] d. 11. Nachts. Heut war ein schöner und fröh-
licher Tag, wir sind von Stützerbach herübergeritten, unserm
30 Fuhrwerk nur ist es in den Steinwegen elend gegangen. An allen
Felsen ist geklopft worden, Stein entzückt sich über alle Ochsen,
wie wir über die Granite. Der Herzog ist ziemlich passiv in beiden
Liebhabereien, dagegen hat ihm der Anblick so vieler Gewehre
in der Fabrik wieder Lust gemacht. Ich habe jeden Augenblick
35 des Tags genutzt und mir noch zuletzt eine Szene aus einem neuen

Trauerspiel vorgesagt, die ich wohl wieder finden möchte. Gute
Nacht, Gold! . . . . .

Zillbach, d. 12. Nachts. . . .
Wir sind hier spät angekommen, weil Prinzen und Prinzes-
sinnen niemals von einem Ort zur rechten Zeit wegkommen
können, wie Stein bemerkte, als ihm die Zeit lang werden wollte, 5
inzwischen daß Serenissimus Flinten und Pistolen probierte. Ich
hingegen kriegte meinen Euripides [16] hervor und würzte diese
unschmackhafte Viertelstunde.

Dann ist die größte Gabe, für die ich den Göttern danke, daß
ich durch die Schnelligkeit und Mannigfaltigkeit der Gedanken 10
einen solchen heitern Tag in Millionen Teile spalten und eine
kleine Ewigkeit draus bilden kann. . . .

d. 14. Nachts. Endlich, nachdem ich 15 Stunden gelebt habe,
finde ich einen ruhigen Augenblick, Ihnen zu schreiben. Wenn ich
doch einem guten Geist das alles in die Feder diktieren könnte, 15
was ich Ihnen den ganzen Tag sage und erzähle. Abends bin ich
abgetragen, und es fällt mir nicht alles wieder ein. . . . Unter
andern Betrachtungen sind folgende:
Man soll tun, was man kann, einzelne Menschen vom Untergang
zu retten.                                                                      20
Dann ist aber noch wenig getan, vom Elend zum Wohlstand
sind unzählige Grade.
Das Gute, was man in der Welt tun kann, ist ein Minimum pp.
Und dergleichen tausend. Die Sache selbst erzähl ich Ihnen
mündlich. . . . . . In meinem Kopf ist's wie in einer Mühle mit 25
viel Gängen, wo zugleich geschroten, gemahlen, gewalkt und
Öl gestoßen wird.
O thou sweet poetry,[17] rufe ich manchmal und preise den Mark
Antonin [18] glücklich, wie er auch selbst den Göttern dafür dankt,
daß er sich in die Dichtkunst und Beredsamkeit nicht eingelassen. 30
Ich entziehe diesen Springwerken und Kaskaden soviel wie mög-
lich die Wasser und schlage sie auf Mühlen und in die Wässe-
rungen, aber eh ich's mich versehe, zieht ein böser Genius den
Zapfen, und alles springt und sprudelt. Und wenn ich denke, ich

sitze auf meinem Klepper und reite meine pflichtmäßige Station
ab, auf einmal kriegt die Mähre unter mir eine herrliche Gestalt,
unbezwingliche Lust und Flügel und geht mit mir davon. . . .

## An J. K. Lavater

Ostheim vor der Rhön [19] (etwa 20. September)

5 . . . . . Das Tagewerk, das mir aufgetragen ist, das mir leichter
und schwerer wird, erfordert wachend und träumend meine
Gegenwart, diese Pflicht wird mir täglich teurer, und darin
wünscht ich's den größten Menschen gleich zu tun und in nichts
Größerm. Diese Begierde, die Pyramide meines Daseins, deren
10 Basis mir angegeben und gegründet ist, so hoch als möglich in
die Luft zu spitzen, überwiegt alles andre und läßt kaum augen-
blickliches Vergessen zu. Ich darf mich nicht säumen, ich bin
schon weit in Jahren vor, und vielleicht bricht mich das Schicksal
in der Mitte, und der Babylonische Turm bleibt stumpf unvollen-
15 det. Wenigstens soll man sagen, es war kühn entworfen, und
wenn ich lebe, sollen, will's Gott, die Kräfte bis hinauf reichen.

Auch tut der Talisman jener schönen Liebe, womit die Stein
mein Leben würzt, sehr viel. Sie hat meine Mutter, Schwester und
Geliebten nach und nach geerbt, und es hat sich ein Band ge-
20 flochten, wie die Bande der Natur sind. . . .

Hab ich Dir das Wort

*Individuum est ineffabile* [20]

woraus ich eine Welt ableite, schon geschrieben? . . . . .


Oktober 1780

. . . . . Meine *Iphigenie* mag ich nicht gern, wie sie jetzt ist,
25 mehrmals abschreiben lassen und unter die Leute geben, weil ich
beschäftigt bin, ihr noch mehr Harmonie im Stil zu verschaffen,
und also hier und da dran ändere. Sei so gut und sag das den-
jenigen zur Entschuldigung, die eine Abschrift davon verlangten.
Ich habe es schon öfters abgeschlagen. . . . . . .

d. 13. Oktbr. 80.

## An Charlotte von Stein

d. 13. Nachts. Durch die Botin und Stein hab ich etwas von
Ihnen, nun bin ich still und vergnügt, wenn Sie mir etwas sagen.

Es ist wunderbar, und doch ist's so, daß ich eifersüchtig und
dummsinnig bin wie ein kleiner Junge, wenn Sie andern freundlich begegnen. Gute Nacht, Gold. Seit den paar Tagen bin ich 5
noch nicht zur Ruhe gekommen als schlafend, das ist mir aber
am gesundsten. . . . .

Der Mond ist unendlich schön. Ich bin durch die neuen Wege
gelaufen, da sieht die Nacht himmlisch drein. Die Elfen sangen.

> Um Mitternacht, wenn die Menschen erst schlafen, 10
> Dann scheinet uns der Mond,
> Dann leuchtet uns der Stern,
> Wir wandeln und singen
> Und tanzen erst gern.

> Um Mitternacht, 15
> Wenn die Menschen erst schlafen,
> Auf Wiesen an den Erlen
> Wir suchen unsern Raum
> Und wandeln und singen
> Und tanzen einen Traum. 20

Gute Nacht. Meine Feder läuft zu schläfrig.

November 1780

(9. November)

Ich wollte anfragen, ob Sie diesen Nachmittag zu Hause sind?
Ich käme vom Hof herüber und brächte die erste Szene vom
*Tasso* mit. Es scheint mir rätlich zu sein, daß wir uns nach und
nach mit diesem Stück bekannt machen. . . . .[21] 25

Lassen Sie mich, meine Beste, Ihnen einen guten Morgen sagen,
hier draußen ist es wild und trüb, die Wolken liegen der Erde und

dem Geiste schwer auf. Doch ist unter der Hülle mein erster Akt fertig geworden, ich möcht ihn gerne lesen, daß Sie teil an allem hätten, was mich beschäftigt. Sagen Sie mir, daß Sie mich lieben, und ersetzen das Licht der Sonne. Heut ein Jahr waren wir auf
5 dem Gotthard. d. 13. Nov. 80.

Ihr gütigs Zureden und mein Versprechen haben mich heute früh glücklich den II. Akt anfangen machen. Hier ist der I., mög er in der Nähe und bei wiederholtem Lesen seinen Reiz behalten. . . .
    d. 15. Nov. 80.

10 Der Himmel sei mit Ihnen und mache Ihnen recht wohl, aber nicht der untere, der heute sehr leidig ist. Geschrieben ist worden heute früh, wenig, doch stockt's nicht. Behalten Sie den Anteil, den ich oft leider einen Augenblick nicht fühle, an dem, was mich angeht, und helfen mir leben. Und lassen mir den Glauben, daß
15 ich auch etwas zu Ihrer Zufriedenheit beitrage. d. 20. Nov. 80.

Dezember 1780

. . . . . . Wäre nicht schon heute früh des Wesens so viel geworden, hätt ich schon angefragt, ob Sie mich heute zu Tisch haben wollen? Es ist aber auch Sonntags bei mir, als wär's Jahrmarkt. . . . . Mein *Tasso* dauert mich selbst, er liegt auf dem
20 Pult und sieht mich so freundlich an, aber wie will ich zureichen, ich muß auch allen meinen Weizen unter das Kommissbrot backen. . . .
    d. 31. Dez. 80.

Februar 1781

## An J. K. Lavater

. . . . . . Ich lade fast zu viel auf mich, und wieder kann ich nicht anders. Staatssachen sollte der Mensch, der drein versetzt
25 ist, sich ganz widmen, und ich möchte doch so viel anders auch nicht fallen lassen.

d. 19. Febr. 1781

. . . . . Die letzten Tage der vorigen Woche hab ich im Dienste
der Eitelkeit zugebracht. Man übertäubt mit Maskeraden und
glänzenden Erfindungen oft eigne und fremde Not. Ich traktiere
diese Sachen als Künstler, und so geht's noch. . . . Wie Du die
Feste der Gottseligkeit ausschmückst, so schmück ich die Auf- 5
züge der Torheit. Es ist billig, daß beide Damen ihre Hofpoeten
haben. . . . .

März 1781

## An Charlotte von Stein

. . . . Im Zeichnen war ich heute wieder recht unzufrieden mit
mir, es wird eben nichts draus und kann nichts werden. Ich bin
immer so nah und so weit wie einer, der vor einer verschlossenen 10
Türe steht. . . .

Gestern auf dem langen Weg dacht ich unsrer Geschichte nach,
sie ist sonderbar genug. Ich habe mein Herz einem Raubschlosse
verglichen, das Sie nun in Besitz genommen haben, das Gesindel
ist draus vertrieben, nun halten Sie es auch der Wache wert, nur 15
durch Eifersucht auf den Besitz erhält man die Besitztümer.
Machen Sie's gut mit mir und schaffen Sie gottselig den Grimmenstein in Friedenstein um. Sie haben es weder durch Gewalt
noch List, mit dem freiwillig sich Übergebenden muß man aufs
edelste handeln und sein Zutraun belohnen. . . . 20

. . . . . Setzen Sie Ihr gutes Werk fort und lassen Sie mich jedes
Band der Liebe, Freundschaft, Notwendigkeit, Leidenschaft und
Gewohnheit täglich fester an Sie binden. Wir sind in der Tat
unzertrennlich, lassen Sie es uns auch immer glauben und immer
sagen. Gute Nacht. . . . Donnerstag, d. 8. Abends 10 Uhr 25

Neuenheiligen,[22] d. 11. März. . . . .

Gestern haben die Ratten zu maneuvrieren angefangen; da ich
nun auf alle solche in- und ausländische Tiere sehr präpariert bin,
hab ich mich sogleich einiger bemächtigt, sie seziert, um ihren
innern Bau kennen zu lernen, die andern hab ich wohl beobachtet
und ihre Art die Schwänze zu tragen bemerkt, daß ich gute phy- 30

siologische Rechenschaft davon werde geben können. Ich hoffe in
diesen wenigen Tagen noch einige Szenen, um die Erscheinung
recht rund zu kriegen. Ich erstaune, wie das Plumpste so fein und
das Feinste so plump zusammenhängt. So still bin ich lang nicht
5 gewesen, und wenn das Auge Licht ist, wird der ganze Körper
Licht sein *et vice versa.* Die Gräfin [22] hat mir manche neue Begriffe gegeben und alte zusammengerückt. Sie wissen, daß ich
nie etwas als durch Irradiation lerne, daß nur die Natur und die
größten Meister mir etwas begreiflich machen können, und daß
10 im halben oder einzelnen etwas zu fassen, mir ganz unmöglich
ist! — Wie oft hab ich die Worte W e l t , g r o ß e  W e l t , W e l t
h a b e n u.s.w. hören müssen und habe mir nie was dabei denken
können; die meisten Menschen, die sich diese Eigenschaften an-
maßten, verfinsterten mir den Begriff, sie schienen mir wie
15 schlechte Musikanten auf ihren Fiedeln Symphonien abgeschied-
ner Meister zu kreuzigen, ich konnte eine Ahnung davon aus
diesem und jenem einzelnen Liede haben, vergebens sucht ich mir
das zu denken, was mir nicht mit vollem Orchester war produ-
ziert worden.

20    Dieses kleine Wesen hat mich erleuchtet. Diese h a t  W e l t ,
oder vielmehr sie h a t  d i e  W e l t , sie weiß die W e l t  zu b e -
h a n d e l n , sie ist wie Quecksilber, das sich in einem Augenblicke tausendfach teilt und wieder in eine Kugel zusammenläuft.
Sicher ihres Werts, ihres Rangs handelt sie zugleich mit einer
25 Delikatesse und *Aisance,* die man sehn muß, um sie zu denken.
Sie scheint jedem das Seinige zu geben, wenn sie auch nichts gibt,
sie spendet nicht, wie ich andre gesehn habe, nach Standsgebühr
und Würden jedem das eingesiegelte zugedachte Paketchen aus, sie
lebt nur unter den Menschen hin, und daraus entsteht eben die
30 schöne Melodie, die sie spielt, daß sie nicht jeden Ton, sondern nur
die auserwählten berührt. Sie traktiert's mit einer Leichtigkeit
und einer anscheinenden Sorglosigkeit, daß man sie für ein Kind
halten sollte, das nur auf dem Klaviere, ohne auf die Noten zu
sehen, herumruschelt, und doch weiß sie immer, was und wem
35 sie spielt. Was in jeder Kunst das Genie ist, hat sie in der Kunst
des Lebens. Tausend andre kommen mir vor wie Leute, die das
durch Fleiß ersetzen wollen, was ihnen die Natur versagt hat,

noch andre wie Liebhaber, die ihr Konzertchen auswendig gelernt haben und es ängstlich produzieren, noch andre — nun, es wird uns Stoff zur Unterredung genug geben. Sie kennt den größten Teil vom vornehmen, reichen, schönen, verständigen Europa teils durch sich, teils durch andre, das Leben, Treiben, Verhältnis so 5 vieler Menschen ist ihr gegenwärtig im höchsten Sinne des Worts, es kleidet sie alles, was sie sich von jedem zueignet, und was sie jedem gibt, tut ihm wohl. Sie sehen, ich trete geschwind auf alle Seiten, um mit toten Worten, mit einer Folge von Ausdrücken ein einziges lebendiges Bild zu beschreiben. Das beste bleibt immer 10 zurück. Ich habe noch drei Tage und nichts zu tun als sie anzusehn, in der Zeit will ich noch manchen Zug erobern. . . . .

Der Himmel trübt sich, ich werde nicht drüber murren, denn wenn ich bei Dir bin, so ist alles heiter. Den Frauen und Dir besonders hab ich in der Stille des Morgens eine Lobrede gehalten. 15 Eure Neigungen sind immer lebendig und tätig, und ihr könnt nicht lieben und vernachlässigen. Die Offenheit und Ruhe meines Herzens, die Du mir wiedergegeben hast, sei auch für Dich allein, und alles Gute, was anderen und mir draus entspringt, sei auch Dein. Glaub mir, ich fühle mich ganz anders, meine alte Wohl- 20 tätigkeit kehrt zurück und mit ihr die Freude meines Lebens, Du hast mir den Genuß im Gutes tun gegeben, den ich ganz verloren hatte. Ich tat's aus Instinkt, und es ward mir nicht wohl dabei. Adieu. So möcht ich immer fortfahren, und, sei's gegenwärtig oder auf dem Papiere, wie schwer wird mir's, mich von Dir zu 25 scheiden.

d. 27. März 81.

Mai 1781

## An J. K. Lavater

. . . . Ja, lieber Bruder, Du könntest mich schon von manchem fliegenden Fieber des Grimms reinigen, was könnte nicht die Liebe des Alls, wenn es lieben kann, wie wir lieben. In mir reinigt sich's unendlich, und doch gesteh ich gerne, Gott und 30 Satan, Höll und Himmel, die Du so schön bezeichnest, (sind) in mir Einem. Oder vielmehr, mein Lieber, möcht ich das Element, woraus des Menschen Seele gebildet ist und worin sie lebt, ein F e g f e u e r nennen, worin alle höllischen und himmlischen Kräfte durcheinander gehn und wirken. . . .

5 . . . . Der leichtsinnig trunkne Grimm, die mutwillige Herbig- keit, die das h a l b G u t e verfolgen und besonders gegen den Geruch von P r ä t e n s i o n wüten, sind Dir ja in mir zu wohl bekannt. Und die nicht schonenden launigen Momente voriger Zeiten weißt Du auch.

10 Viel von diesem allen wird verschlungen in tätiger Liebe. . . . . d. 7. Mai.

Juni 1781

## An Friedrich Müller [23]

. . . . Ich verkenne in Ihren Sachen den lebhaften Geist nicht, die Imagination und selbst das Nachdenken; doch glaube ich Ihnen nicht genug raten zu können, sich nunmehr jener Rein- lichkeit und Bedächtlichkeit zu befleißigen, wodurch allein, ver- 15 bunden mit dem Geiste, Wahrheit, Leben und Kraft dargestellt werden kann. Wenn jene Sorgfalt, nach der Natur und großen Meistern sich genau zu bilden, ohne Genie zu einer matten Ängst- lichkeit wird, so ist sie es doch auch wieder allein, welche die großen Fähigkeiten ausbildet und den Weg zur Unsterblichkeit 20 mit sicheren Schritten führt. Der feurigste Maler darf nicht sudeln, so wenig als der feurigste Musikus falsch greifen darf. . . . . Fer- ner wünscht' ich, daß Sie auch eine Zeitlang sich aller Götter, Engel, Teufel und Propheten enthielten. . . .

Es kommt nicht darauf an, was für Gegenstände der Künstler 25 bearbeitet, sondern vielmehr, in welchen Gegenständen er nach seiner Natur das innere Leben erkennt, und welche er wieder nach allen Wirkungen ihres Lebens hinstellen kann. . . . .

Suchen Sie sich künftig, wenn Sie meiner Bitte folgen mögen, beschränkte, aber menschlich reiche Gegenstände aus, wo wenig 30 Figuren in einer mannigfaltigen Verknüpfung stehen! Wie sehr wünsche ich, Sie durch das, was ich Ihnen sage, aufmerksam auf sich selbst zu machen, damit Ihre innere Güte und Ihr guter Mut

Sie nicht verführen mögen, sich früher dem Ziele näher zu glauben! Junge Künstler sind wie Dichter oft hierin in großer Gefahr und meist, weil wir den Tadel von Personen, die wir nicht achten, verschmähen, und weil diejenigen, die wir schätzen, gelind und nachsichtig mit uns zu verfahren pflegen. Schreiben 5 Sie mir aufrichtig, was Sie dagegen aufzustellen haben! Wir wollen sehen, ob wir uns vergleichen und zu etwas Gutem ver- einigen können; denn bleiben Sie versichert, daß es mir nur um die Wahrheit zu tun ist und daß ich wünschte, Ihnen nützlich zu sein. . . . 10

Weimar, den 21. Juni 1781.

## An J. K. Lavater

Ehe ich auf einige Zeit von hier weggehe, muß ich Dir noch einmal ausführlich schreiben. Zuförderst dank' ich Dir, Du Menschlichster, für Deine gedruckten Briefe. Es ist natürlich, daß sie das Beste von allen Deinen Schriften sein müssen. . . . . Selbst Deinen Christus hab' ich noch niemals so gern als in diesen Briefen 15 angesehen und bewundert. . . . Bei dem Wunsch und der Be- gierde, in einem Individuum alles zu genießen, und bei der Un- möglichkeit, daß Dir ein Individuum genug tun kann, ist es herr- lich, daß aus alten Zeiten uns ein Bild übrig blieb, in das Du Dein Alles übertragen und, in ihm Dich bespiegelnd, Dich selbst anbeten 20 kannst. Nur das kann ich nicht anders als ungerecht und einen Raub nennen, der sich für Deine gute Sache nicht ziemt, daß Du alle köstlichen Federn der tausendfachen Geflügel unter dem Him- mel ihnen, als wären sie usurpiert, ausraufst, um Deinen Paradies- vogel ausschließlich damit zu schmücken; dieses ist, was uns not- 25 wendig verdrießen und unleidlich scheinen muß, die wir uns einer jeden, durch Menschen und den Menschen offenbarten Weisheit zu Schülern hingeben und als Söhne Gottes ihn in uns selbst und allen seinen Kindern anbeten. Ich weiß wohl, daß Du Dich darin nicht verändern kannst und daß Du vor Dir Recht 30 behältst, doch find' ich es auch nötig, da Du Deinen Glauben und Lehre wiederholend predigst, Dir auch den unsrigen als einen ehernen, bestehenden Fels der Menschheit wiederholt zu zeigen,

den Du und eine ganze Christenheit mit den Wogen Eures Meeres
vielleicht einmal übersprudeln, aber weder überströmen noch in
seinen Tiefen erschüttern könnt. . . .

Weimar, den 22. Juni 1781.

### Die Mutter an Goethe

Frankfurt, den 17. Juni 1781

.... Tausend Dank für Deinen Brief, der hat mir einen
5 herrlichen Donnerstag gemacht, daher auch dieser gute Tag mit
einigen meiner Freunde auf dem Sandhof mit Essen, Trinken,
Tanzen und Jubel fröhlich beschlossen wurde. Da Du aber unmöglich raten kannst, warum gerade dieser Brief mir so viele
Wonne verursacht hat, so lies weiter, und Du wirst verstehen.
10 Am vergangenen Montag, den 11. dieses, kam ich aus meiner Montagsgesellschaft nach Haus, die Mägde sagten, daß Merck dage-
wesen und morgen wieder kommen wollte — Ich kleidete mich
aus, wollte mich eben zu Tische setzen (es war gleich 10 Uhr),
als Merck schon wieder da war — Dieses späte Kommen befrem-
15 dete mich schon etwas — noch unruhiger wurde ich, als er fragte,
ob ich keine g u t e n Nachrichten von Weimar hätte — weiter
erzählte er, daß von Kalb [24] und von Seckendorf wieder hier
wären, er mit ihnen gesprochen und auch noch diesen Abend mit
ihnen speiste. — „Ich habe gar keine Nachrichten von Weimar,
20 Sie wissen, Herr Merck, daß die Leute dort so oft nicht schreiben —
Wenn Sie aber was wissen, so sagen Sie's — Der Doktor ist doch
nicht krank —." „Nein," sagte er, „davon weiß ich nichts — aber
allemal und auf alle Fälle sollten Sie suchen, ihn wieder herzu-
kriegen, das dortige infame Klima ist ihm gewiß nicht zuträglich
25 — Die Hauptsache hat er zustande gebracht — der Herzog ist
nun, wie er sein soll, das andre Dreckwesen — kann ein anderer
tun, dazu ist Goethe zu gut" u.s.w. Nun stelle Dir vor, wie mir
zumute war, zumal da ich fest glaube, daß von Kalb oder Seckendorf etwa schlimme Nachrichten von Weimar gekriegt und sie
30 Merck erzählt hätten. Sobald ich allein war, stiegen mir die Grillen
mächtig zu Kopf. Bald wollte ich an den Herzog, bald an die
Herzogin Mutter, bald an Dich schreiben — und hätte ich Diens-

tags nicht meine Haut voll zu tun gehabt, so wäre gewiß was
passiert, nun aber war der Posttag versäumt. Aber Freitags sollte
es drauflos gehen mit Briefen ohne Zahl — Donnerstags kam nun
Dein lieber Brief meinem Geschreibe zuvor — und da Du schreibst,
daß Du wohl wärst, waren meine Skrupel für diesmal gehoben. 5
Lieber Sohn! Ein Wort für tausend! Du mußt am besten wissen,
was Dir nutzt — da meine Verfassung jetzt so ist, daß ich Herr
und Meister bin und Dir also ungehindert gute und ruhige Tage
verschaffen könnte, so kannst Du leicht denken, wie sehr mich
das schmerzen würde — wenn Du Gesundheit und Kräfte in 10
Deinem Dienste zusetzen (würdest), das schale Bedauern hinten
nach würde mich zuverlässig nicht fett machen. Ich bin keine
Heldin, sondern halte das Leben für gar eine hübsche Sache. Doch
Dich ohne Not aus Deinem Wirkungskreis herausreißen, wäre
auf der andern Seite ebenso töricht — Also Du bist Herr von 15
Deinem Schicksal — prüfe alles und erwähle das beste — ich
will in Zukunft keinen Vorwurf weder so noch so haben — jetzt
weißt Du meine Gedanken — und hiermit punktum. Freilich
wäre es hübsch, wenn Du auf die Herbstmesse kommen könntest
und ich einmal über all das mit Dir reden könnte — doch auch 20
das überlaß ich Dir. . . . .

August 1781

## An die Mutter

. . . . Auf Ihren vorigen lieben Brief zu antworten, hat es mir
bisher an Zeit und Ruhe gefehlt. In demselben Ihre alten und bekannten Gesinnungen wieder einmal ausgedrückt zu sehen und
von Ihrer Hand zu lesen, hat mir eine große Freude gemacht. Ich 25
bitte Sie, um meinetwillen unbesorgt zu sein und sich durch nichts
irre machen zu lassen. Meine Gesundheit ist weit besser, als ich
sie in vorigen Zeiten vermuten und hoffen konnte, und da sie hinreicht, um dasjenige, was mir aufliegt, wenigstens großenteils zu
tun, so habe ich allerdings Ursache, damit zufrieden zu sein. Was 30
meine Lage selbst betrifft, so hat sie, unerachtet großer Beschwer-
nisse, auch sehr viel Erwünschtes für mich, wovon der beste
Beweis ist, daß ich mir keine andere mögliche denken kann, in

die ich gegenwärtig hinübergehen möchte. Denn mit einer hypochondrischen Unbehaglichkeit sich aus seiner Haut heraus in
eine andere sehnen, will sich, dünkt mich, nicht wohl ziemen.
Merck und mehrere beurteilen meinen Zustand ganz falsch, sie
5 sehen das nur, was ich aufopfre, und nicht, was ich gewinne, und
sie können nicht begreifen, daß ich täglich reicher werde, indem
ich täglich soviel hingebe. Sie erinnern sich der letzten Zeiten, die
ich bei Ihnen, eh ich hierher ging, zubrachte; unter solchen fort-
währenden Umständen würde ich gewiß zugrunde gegangen
10 sein. Das Unverhältnis des engen und langsam bewegten bürgerlichen Kreises zu der Weite und Geschwindigkeit meines Wesens
hätte mich rasend gemacht. Bei der lebhaften Einbildung und
Ahnung menschlicher Dinge wäre ich doch immer unbekannt
mit der Welt und in einer ewigen Kindheit geblieben, welche meist
15 durch Eigendünkel und alle verwandten Fehler sich und andern
unerträglich wird. Wieviel glücklicher war es, mich in ein Verhältnis gesetzt zu sehen, dem ich von keiner Seite gewachsen war,
wo ich durch manche Fehler des Unbegriffs und der Übereilung,
mich und andere kennen zu lernen Gelegenheit genug hatte, wo
20 ich, mich selbst und dem Schicksal überlassen, durch so viele
Prüfungen ging, die vielen hundert Menschen nicht nötig sein
mögen, deren ich aber zu meiner Ausbildung äußerst bedürftig
war. Und noch jetzt, wie könnte ich mir, nach meiner Art zu sein,
einen glücklichern Zustand wünschen als einen, der für mich etwas
25 Unendliches hat. Denn wenn sich auch in mir täglich neue Fähigkeiten entwickelten, meine Begriffe sich immer aufhellten, meine
Kraft sich vermehrte, meine Kenntnisse sich erweiterten, meine
Unterscheidung sich berichtigte und mein Mut lebhafter würde,
so fände ich doch täglich Gelegenheit, alle diese Eigenschaften bald
30 im Großen, bald im Kleinen anzuwenden. Sie sehen, wie entfernt
ich von der hypochondrischen Unbehaglichkeit bin, die so viele
Menschen mit ihrer Lage entzweit, und daß nur die wichtigsten
Betrachtungen oder ganz sonderbare, mir unerwartete Fälle mich
bewegen könnten, meinen Posten zu verlassen; und unverantwort-
35 lich wäre es auch gegen mich selbst, wenn ich zu einer Zeit, da
die gepflanzten Bäume zu wachsen anfangen und da man hoffen

kann, bei der Ernte das Unkraut vom Weizen zu sondern, aus
irgend einer Unbehaglichkeit davon ginge und mich selbst um
Schatten, Früchte und Ernte bringen wollte. Indes glauben Sie
mir, daß ein großer Teil des guten Muts, womit ich trage und
wirke, aus dem Gedanken quillt, daß alle diese Aufopferungen 5
freiwillig sind und daß ich nur dürfte Postpferde anspannen lassen,
um das Notdürftige und Angenehme des Lebens mit einer unbe-
dingten Ruhe bei Ihnen wiederzufinden. Denn ohne diese Aussicht, und wenn ich mich in Stunden des Verdrusses als Leib-
eignen und Tagelöhner um der Bedürfnisse willen ansehen 10
müßte, würde mir manches viel saurer werden. . . . . Es ist mir
nicht wahrscheinlich, daß ich auf diesen Herbst mich werde von
hier entfernen können, auf alle Fälle nicht vor Ende September,
doch würde ich suchen zur Weinlese bei Ihnen zu sein. . . .

Weimar, d. 11. Aug. 1781.

November 1781

## An Merck

d. 14. Nov. 81

. . . . . Diesen Winter habe ich mir vorgenommen, mit den 15
Lehrern und Schülern unserer Zeichenakademie den Knochenbau
des menschlichen Körpers durchzugehen, sowohl um ihnen als
mir zu nutzen, sie auf das Merkwürdige dieser einzigen Gestalt
zu führen und sie dadurch auf die erste Stufe zu stellen, das Bedeutende in der Nachahmung sinnlicher Dinge zu erkennen zu 20
suchen. Zugleich behandle ich die Knochen als einen Text, woran
sich alles Leben und alles Menschliche anhängen läßt, habe dabei den Vorteil, zweimal die Woche öffentlich zu reden und
mich über Dinge, die mir wert sind, mit aufmerksamen Menschen zu unterhalten, ein Vergnügen, welchem man in unserm 25
gewöhnlichen Welt- Geschäfts- und Hofleben gänzlich entsagen
muß. . . . .

Dezember 1781

## An C. v. Knebel

. . . . . . Das Bedürfnis meiner Natur zwingt mich zu einer vermannigfaltigten Tätigkeit, und ich würde in dem geringsten Dorfe und auf einer wüsten Insel ebenso betriebsam sein müssen, um nur zu leben. Sind denn auch Dinge, die mir nicht anstehen,
5 so komme ich darüber gar leicht weg, weil es ein Artikel meines Glaubens ist, daß wir durch Standhaftigkeit und Treue in dem gegenwärtigen Zustande ganz allein der höheren Stufe eines folgenden wert und, sie zu betreten, fähig werden, es sei nun hier zeitlich oder dort ewig. . . .

    Weimar, d. 3. Dez. 1781.

März 1782

## An Charlotte von Stein

                  Buttstädt, d. 20. März. Abends

10 . . . . . Zum *Egmont* habe ich Hoffnung, doch wird's langsamer gehn, als ich dachte. Es ist ein wunderbares Stück. Wenn ich's noch zu schreiben hätte, schrieb' ich es anders und vielleicht gar nicht. Da es nun aber da steht, so mag es stehen, ich will nur das Allzuaufgeknöpfte, Studentenhafte der Manier zu tilgen suchen,
15 das der Würde des Gegenstands widerspricht. . . . .

April 1782

                  Meiningen,[25] d. 12. Apr.

. . . . O liebe Lotte, was sind die meisten Menschen so übel dran! Wie eng ist ihr Lebenskreis, und wo läuft es hinaus! Wir beide haben dagegen Schätze, daß wir Könige auskaufen könnten, laß uns im stillen des Bescherten genießen.
20 Stein wird schwer geheilt werden, du dauerst mich. Wenn du noch von dieser Seite beruhigt wärest, so würden wir die Last der Welt wenig fühlen. Ich habe mich diese Tage her recht bemüht, meine Gedanken auf die Erdschollen zu konzentrieren,

und bin nur überzeugter, daß ein Mensch, der seine Lebzeit am Spieltisch zugebracht hat, nicht ein Bauer werden kann. Man muß ganz nah an der Erde geboren und erzogen sein, um ihr etwas abzugewinnen.

Es ist ein erhabnes, wundervolles Schauspiel, wenn ich nun 5 über Berge und Felder reite, da mir die Entstehung und Bildung der Oberfläche unsrer Erde und die Nahrung, welche Menschen draus ziehen, zu gleicher Zeit deutlich und anschaulich wird; erlaube, wenn ich zurückkomme, daß ich Dich nach meiner Art auf den Gipfel des Felsens führe und Dir die Reiche der Welt und 10 ihre Herrlichkeit zeige. . . .[26]

August 1782

Heute früh habe ich das Kapitel im *Wilhelm* geendigt, wovon ich Dir den Anfang diktierte. Es machte mir eine gute Stunde. Eigentlich bin ich zum Schriftsteller geboren. Es gewährt mir eine reinere Freude als jemals, wenn ich etwas nach meinen Gedanken 15 gut geschrieben habe. Lebe wohl. Erhalte mir die Seele meines Lebens, Treibens und Schreibens.
d. 10. Aug. 82.

November 1782

## An C. v. Knebel

. . . . . Seit einiger Zeit lebe ich sehr glücklich. Ich komme fast nicht aus dem Hause, versehe meine Arbeiten und schreibe in guten Stunden die Märchen auf, die ich mir selbst zu erzählen 20 von jeher gewohnt bin. Du sollst bald die drei ersten Bücher der *Theatralischen Sendung* haben. Sie werden abgeschrieben.

Meinen *Werther* hab ich durchgegangen und lasse ihn wieder ins Manuskript schreiben, er kehrt in seiner Mutter Leib zurück, Du sollst ihn nach seiner Wiedergeburt sehen. Da ich sehr gesam- 25 melt bin, so fühle ich mich zu so einer delikaten und gefährlichen Arbeit geschickt.

Alle Briefe an mich seit 72 und viele Papiere jener Zeiten lagen bei mir in Packen ziemlich ordentlich gebunden, ich sondre sie ab und lasse sie heften. Welch ein Anblick! mir wird's doch manch- 30 mal heiß dabei. Aber ich lasse nicht ab, ich will diese zehn Jahre vor mir liegen sehen, wie ein langes, durchwandertes Tal vom Hügel gesehn wird.

..... Ich sehe fast niemand, außer wer mich in Geschäften
5 zu sprechen hat, ich habe mein politisches und gesellschaftliches Leben ganz von meinem moralischen und poetischen getrennt (äußerlich, versteht sich) und so befinde ich mich am besten. Alle Woche gebe ich einen großen Tee, wovon niemand ausgeschlossen ist, und entledige mich dadurch meiner Pflichten gegen
10 die Sozietät aufs wohlfeilste. Meine vielen Arbeiten, von denen ich dem Publikum noch einen größeren Begriff erlaube, entschuldigen mich, daß ich zu niemand komme. Abends bin ich bei der Stein und habe nichts Verborgnes vor ihr. Die Herzogin Mutter seh ich manchmal u.s.w.

15 Der Herzog hat seine Existenz im Hetzen und Jagen. Der Schlendrian der Geschäfte geht ordentlich, er nimmt einen willigen und leidlichen Teil dran und läßt sich hie und da ein Gutes angelegen sein, pflanzt und reißt aus pp. Die Herzogin ist still, lebt das Hofleben, beide seh ich selten.

20 Und so fange ich an, mir selber wieder zu leben und mich wieder zu erkennen. Der Wahn, die schönen Körner, die in meinem und meiner Freunde Dasein reifen, müßten auf diesen Boden gesät und jene himmlischen Juwelen könnten in die irdischen Kronen dieser Fürsten gefaßt werden, hat mich ganz verlassen,
25 und ich finde mein jugendliches Glück wiederhergestellt. Wie ich mir in meinem väterlichen Hause nicht einfallen ließ, die Erscheinungen der Geister und die juristische Praxis zu verbinden, ebenso getrennt laß ich jetzt den Geheimrat und mein andres Selbst, ohne das ein Geheimrat sehr gut bestehen kann. Nur im
30 Innersten meiner Pläne und Vorsätze und Unternehmungen bleib ich mir geheimnisvoll selbst getreu und knüpfe so wieder mein gesellschaftliches, politisches, moralisches und poetisches Leben in einen verborgenen Knoten zusammen. . .

. . . Lebe wohl. Oeser[27] war hier. Ich lerne ihn erst recht ken-
35 nen. Ein Mann voll Geschmack und Geist und stiller Künstler- und Weltmanns-Klugheit. . . .

d. 21. Nov. 82.

## Der Sänger

(Aus: *Wilhelm Meisters Theatralische Sendung*)

Was hör' ich draußen vor dem Tor?
Was schallet auf der Brücken?
Es dringet bis zu meinem Ohr
Die Stimme voll Entzücken.
Der König sprach's, der Page lief,                    5
Der Knabe kam, der König rief:
Laßt ihn herein, den Alten.

Gegrüßet seid, ihr hohe Herrn,
Gegrüßt, ihr schöne Damen!
Welch reicher Himmel, Stern bei Stern!                10
Wer kennet ihre Namen?
Im Saal voll Pracht und Herrlichkeit
Schließt, Augen, euch, hier ist nicht Zeit
Sich staunend zu ergötzen.

Der Sänger drückt' die Augen ein                      15
Und schlug in vollen Tönen;
Die Ritter schauten mutig drein
Und in den Schoß die Schönen.
Der Fürst, dem es so wohl gefiel,
Ließ, ihn zu lohnen für das Spiel,                    20
Ein' goldne Kette holen.

Die goldne Kette gib mir nicht,
Die Kette gib den Rittern,
Vor deren kühnem Angesicht
Der Feinde Lanzen splittern;                          25
Gib sie dem Kanzler, den du hast,
Und laß ihn noch die goldne Last
Zu andern Lasten tragen.

Ich singe, wie der Vogel singt,
Der in den Zweigen wohnet,                            30

Das Lied, das aus der Kehle dringt,
Ist Lohn, der reichlich lohnet;
Doch darf ich bitten, bitt' ich eins,
Laß mir den besten Becher Weins
5 In purem Golde reichen!

Er setzt' ihn an, er trank ihn aus:
O Trank von süßer Labe!
Er rief: O hochbeglücktes Haus,
Wo das ist kleine Gabe!
10 Ergeht's euch wohl, so denkt an mich
Und danket Gott, so warm als ich
Für diesen Trunk euch danke!

Dezember 1782

## An Charlotte von Stein

(Leipzig) den ersten Christtag abends.
Ich habe meine Zeit heute recht sehr vergnügt zugebracht, nur
unterbrochen durch die Nachricht, daß Du nicht wohl bist. Wie
15 erfreulich war mir der Anblick Deines Briefs, wie traurig der
Inhalt. Laß mich Dich wieder wohl finden und schone Dich.
Wie süß ist es, mit einem richtigen, verständigen, klugen Menschen umgehn, der weiß, wie es auf der Welt aussieht und was er
will, und der, um dieses Leben anmutig zu genießen, keine super-
20 lunarischen Aufschwünge nötig hat, sondern in dem reinen
Kreise sittlicher und sinnlicher Reize lebt. Denke Dir hinzu, daß
der Mann ein Künstler ist, hervorbringen, nachahmen und die
Werke andrer doppelt und dreifach genießen kann; so wirst Du
wohl nicht einen glücklichern denken können. So ist Oeser . . .

April 1783

25 . . . . . Heute Nacht sah ich ein Nordlicht in Südost, wenn
nur nicht wieder ein Erdbeben gewesen ist, denn es ist eine außerordentliche Erscheinung.
d. 6. Apr. 83.

## Goethes Diener erzählt:

Einst klingelte er mitten in der Nacht, und als ich zu ihm in die Kammer trete, hat er sein eisernes Rollbett vom untersten Ende der Kammer herauf bis ans Fenster gerollt und liegt und beobachtet den Himmel. „Hast du nichts am Himmel gesehen?" fragte er mich, und als ich dies verneinte: „so laufe einmal nach 5 der Wache und frage den Posten, ob der nichts gesehen." Ich lief hin, der Posten hatte aber nichts gesehen, welches ich meinem Herrn meldete, der noch ebenso lag und den Himmel unverwandt beobachtete. „Höre," sagte er dann zu mir, „wir sind in einem bedeutenden Moment, entweder wir haben in diesem 10 Augenblick ein Erdbeben, oder wir bekommen eins." Und nun mußte ich mich zu ihm aufs Bett setzen, und er demonstrierte mir, aus welchen Merkmalen er das abnehme.

. . . . Es war sehr wolkig, und dabei regte sich kein Lüftchen, es war sehr still und schwül. 15

. . . . Am nächsten Tage erzählte mein Herr seine Beobachtungen bei Hofe, wobei eine Dame ihrer Nachbarin ins Ohr flüsterte: „Höre! Goethe schwärmt!" Der Herzog aber und die übrigen Männer glaubten an Goethe, und es wies sich bald aus, daß er recht gesehen; denn nach einigen Wochen kam die Nach- 20 richt, daß in derselbigen Nacht ein Teil von Messina durch ein Erdbeben zerstört worden.

(Aus Eckermanns Gesprächen mit Goethe)

November 1783

## An Charlotte von Stein

Meine Lotte sollte mir wirklich auf einige Zeit Urlaub geben und mich nicht immer enger und enger an sich ziehen und befestigen. Du Beste, ich habe Dir mit jedem guten Morgen für 25 den guten Abend zu danken, den Du mir gemacht hast.

Schicke mir doch die Ode wieder, ich will sie ins Tiefurter Journal [28] geben, Du kannst sie immer wieder haben. . . .

d. 19. Nov. 83.

## Ode

Edel sei der Mensch,
Hilfreich und gut!
Denn das allein
Unterscheidet ihn
5    Von allen Wesen,
Die wir kennen.

Heil den unbekannten
Höhern Wesen,
Die wir ahnen!
10   Ihnen gleiche der Mensch;
Sein Beispiel lehr' uns
Jene glauben.

Denn unfühlend
Ist die Natur:
15   Es leuchtet die Sonne
Über Bös' und Gute,
Und dem Verbrecher
Glänzen, wie dem Besten,
Der Mond und die Sterne.

20   Wind und Ströme,
Donner und Hagel
Rauschen ihren Weg
Und ergreifen,
Vorüber eilend,
25   Einen um den andern.

Auch so das Glück
Tappt unter die Menge,
Faßt bald des Knaben
Lockige Unschuld,
30   Bald auch den kahlen,
Schuldigen Scheitel.

Nach ewigen, ehrnen,
Großen Gesetzen
Müssen wir alle
Unseres Daseins
Kreise vollenden.                     5

Nur allein der Mensch
Vermag das Unmögliche:
Er unterscheidet,
Wählet und richtet;
Er kann dem Augenblick               10
Dauer verleihen.

Er allein darf
Den Guten lohnen,
Den Bösen strafen,
Heilen und retten,                   15
Alles Irrende, Schweifende
Nützlich verbinden.

Und wir verehren
Die Unsterblichen,
Als wären sie Menschen,              20
Täten im Großen,
Was der Beste im Kleinen
Tut oder möchte.

Der edle Mensch
Sei hilfreich und gut!               25
Unermüdet schaff' er
Das Nützliche, Rechte,
Sei uns ein Vorbild
Jener geahneten Wesen!

März 1784

## An Charlotte von Stein

Zum guten Morgen meiner Lotte ein paar Zeilen, da ich ihr leider nicht einmal werde guten Abend sagen können.

Es ist mir ein köstliches Vergnügen geworden, ich habe eine anatomische Entdeckung gemacht, die wichtig und schön ist. Du
5 sollst auch Dein Teil dran haben. Sage aber niemand ein Wort. Herder kündigt's auch ein Brief unter dem Siegel der Verschwiegenheit an. Ich habe eine solche Freude, daß sich mir alle Eingeweide bewegen. . . .

## An J. G. Herder

(Jena, 27. März.)

Nach Anleitung des Evangeliums muß ich Dich auf das eiligste
10 mit einem Glücke bekannt machen, das mir zugestoßen ist. Ich habe gefunden — weder Gold noch Silber, aber was mir eine unsägliche Freude macht —

das *os intermaxillare* am Menschen!

Ich verglich mit Loder [29] Menschen- und Tierschädel, kam auf
15 die Spur, und siehe, da ist es. Nur bitt' ich Dich, laß Dich nichts merken, denn es muß geheim behandelt werden. Es soll Dich auch recht herzlich freuen, denn es ist wie der Schlußstein zum Menschen, fehlt nicht, ist auch da! Aber wie! Ich habe mir's auch in Verbindung mit Deinem Ganzen [30] gedacht, wie schön es da
20 wird. Lebe wohl! Sonntag Abend bin ich bei Dir. . . .

Juni 1784

## An Charlotte von Stein

Eisenach, d. 7. Juni 84

In Gotha [31] ist es mir recht gut gegangen, und es hat mir sehr wohl getan, meine Seele auch nur auf einige Tage ausgespannt zu haben. Einigemal überfiel mich ein recht schmerzliches Verlangen nach Dir und nahm mir den Genuß des gegenwärtigen
25 Guten.

Hier habe ich's gefunden, wie es zu erwarten war. Die Hofleute
klagen über Langeweile, über stehen, gehen, fahren, Staub, Hitze,
Berge u.s.w. Loben die Gegend außerordentlich und haben keinen
Genuß davon. Die Herzogin sieht munter aus und ist von den
Menschen seckiert. Der Herzog streicht in der Gegend herum pp. 5

Ich bin mit der größten Gelassenheit angelangt und werde alles
ebenso gleichmütig abwarten. Wie unterschieden von dem törich-
ten dunkeln Streben und Suchen vor vier Jahren, ob ich gleich
manche anmutige Empfindung voriger Zeiten vermisse.

Die Berge und Klüfte versprechen mir viel Unterhaltung, sie 10
sehen mir zwar nicht mehr so malerisch und poetisch aus, doch
ist's eine andre Art Malerei und Poesie, womit ich sie jetzt besteige. . . .

Zu meiner großen Freude ist der Elephantenschädel von Kassel [32] hier angekommen, und, was ich suche, ist über meine Er- 15
wartung daran sichtbar. Ich halte ihn im innersten Zimmerchen
versteckt, damit man mich nicht für toll halte. Meine Hauswirtin
glaubt, es sei Porzellan in der ungeheuren Kiste.

Wir sind sehr schön und bequem einquartiert. Fritz ist sehr
vergnügt und wohl. Die Prinzen haben ihm in Gotha einen 20
großen Drachen geschenkt, den wir in dem Wagen mitnahmen.

Zum Schrecken aller Wohlgesinnten geht die Rede, als sollten
die *Memoires* des Voltaire,[33] von denen ich schrieb, gedruckt
werden, mir macht es ein großes Vergnügen, damit Du sie lesen
kannst. Ich soll eins der ersten Exemplare erhalten, und ich 25
schicke Dir es gleich.

Du wirst finden, es ist, als wenn ein Gott, aber eine Kanaille
von einem Gotte, über einen König [33] und über das Hohe der
Welt schriebe. Dies ist überhaupt der Charakter aller Voltairischen
Witzprodukte, der bei diesen Bogen recht auffällt. Kein mensch- 30
licher Blutstropfen, kein Funke Mitgefühl und Honnettetät. Dagegen eine Leichtigkeit, H ö h e des Geistes, Sicherheit, die entzücken. Ich sage Höhe des Geistes, nicht Hoheit. Man kann ihn
einem Luftballon vergleichen, der sich durch eine eigne Luftart
über alles wegschwingt und da Flächen unter sich sieht, wo wir 35
Berge sehn.

Lebe wohl, liebe Lotte. Einige Stunden werden nun aus Pflicht

verdorben, dann hoffe ich gegen Abend einen anmutigen Spaziergang, wo ich Dein mehr gedenken werde, als mir gut ist.

Du fühlst doch, wie ich Dich liebe.

Jeder Buchstabe diese Briefes wird es Dir sagen.

den 15. Juni

5 . . . . An *Wilhelm* habe ich hier und da eingeschaltet und am
Stile gekünstelt, daß er recht natürlich werde, und habe nun den
Schluß des Buchs (5. Buch der *Theatralischen Sendung*) recht
gegenwärtig. Wenn ich wieder zu Dir komme, wollen wir es
schließen. Ich habe Liebe zu dem Werklein, weil ich denke, es
10 macht Dir Freude. . .

d. 17. Juni 84

. . . . . Meine Nähe zu Dir fühl ich immer, Deine Gegenwart
verläßt mich nie. Durch Dich habe ich einen Maßstab für alle
Frauen, ja für alle Menschen, durch Deine Liebe einen Maßstab
für alles Schicksal. Nicht daß sie mir die übrige Welt verdunkelt,
15 sie macht mir vielmehr die übrige Welt recht klar, ich sehe recht
deutlich, wie die Menschen sind, was sie sinnen, wünschen, treiben und genießen, ich gönne jedem das seinige und freue mich
heimlich in der Vergleichung, einen so unzerstörlichen Schatz
zu besitzen. . . .

20 An *Wilhelm* habe ich nicht weiter geschrieben. Manchmal geh
ich das Geschriebene durch und arbeite es aus, manchmal bereit
ich das Folgende. Wenn ich wieder diktieren kann, soll dieses
Buch bald fertig sein. . . . .

Fritz ist glücklich und gut. Er wird, ohne es zu merken, in die
25 Welt hineingeführt und wird damit bekannt sein, ohne es zu
wissen. Er spielt noch mit allem, gestern ließ ich ihn Suppliken
lesen und sie mir referieren. Er wollte sich zu Tode lachen und
gar nicht glauben, daß Menschen so übel dran sein könnten, wie
es die Bittenden vorstellten. . . .

November 1784

## An C. v. Knebel

. . . . . . Ich lese mit der Frau v. Stein die *Ethik* des Spinoza. Ich fühle mich ihm sehr nahe, obgleich sein Geist viel tiefer und reiner ist als der meinige. . . .

d. 11. Nov. 1784

(17. November)

Hier schicke ich Dir endlich die Abhandlung aus dem Kno-chenreiche[8] und bitte um Deine Gedanken drüber. Ich habe mich 5 enthalten, das Resultat, worauf schon Herder in seinen *Ideen* deutet, schon jetzt merken zu lassen, daß man nämlich den Unter-schied des Menschen vom Tier in nichts Einzelnem finden könne. Vielmehr ist der Mensch aufs nächste mit den Tieren verwandt. Die Übereinstimmung des Ganzen macht ein jedes Geschöpf zu 10 dem, was es ist, und der Mensch ist so gut durch die Gestalt und Natur seiner obern Kinnlade als durch Gestalt und Natur des letzten Gliedes seiner kleinen Zehe M e n s c h . Und so ist wieder jede Kreatur nur ein Ton, eine Schattierung einer großen Har-monie, die man auch im Ganzen und Großen studieren muß, sonst 15 ist jedes einzelne ein toter Buchstabe. Aus diesem Gesichtspunkte ist diese kleine Schrift geschrieben, und das ist eigentlich das Interesse, das darin verborgen liegt. . . . . .

Schreibe mir von Deinen Studien. . . . Ich wünsche Dir im-mer mehr Lust und Liebe zur Erkenntnis natürlicher Dinge. 20

Wie es vor alten Zeiten, da die Menschen an der Erde lagen, eine Wohltat war, ihnen auf den Himmel zu deuten und sie aufs Geistige aufmerksam zu machen, so ist's jetzt eine größere, sie nach der Erde zurückzuführen und die Elastizität ihrer angefes-selten Ballons ein wenig zu vermindern. . . . 25

Juni 1785

## An Fritz Jacobi

. . . . . . Du erkennst die höchste Realität an, welche der Grund des ganzen Spinozismus ist, worauf alles übrige ruht, woraus alles übrige fließt. Er beweist nicht das Dasein Gottes, das Dasein ist Gott. Und wenn ihn andre deshalb *Atheum* schelten, so möchte ich ihn *theissimum,* ja *christianissimum* [34] nennen und preisen.

Schon vor vierzehn Tagen hatte ich angefangen Dir zu schreiben, ich nahm eine Kopie Deiner Abhandlung [35] mit nach Ilmenau, wo ich noch manchmal hineingesehen habe und immer wie beim Ärmel gehalten wurde, daß ich Dir nichts drüber sagen konnte. . . .

Vergib mir, daß ich so gerne schweige, wenn von einem göttlichen Wesen die Rede ist, das ich nur in und aus den *rebus singularibus* [36] erkenne, zu deren nähern und tiefern Betrachtung niemand mehr aufmuntern kann als Spinoza selbst, obgleich vor seinem Blicke alle einzelnen Dinge zu verschwinden scheinen.

Ich kann nicht sagen, daß ich jemals die Schriften dieses trefflichen Mannes in einer Folge gelesen habe, daß mir jemals das ganze Gebäude seiner Gedanken völlig überschaulich vor der Seele gestanden hätte. Meine Vorstellungs- und Lebensart erlauben's nicht. Aber wenn ich hineinsehe, glaub ich ihn zu verstehen, das heißt: er ist mir nie mit sich selbst in Widerspruch, und ich kann für meine Sinnes- und Handelsweise sehr heilsame Einflüsse daher nehmen. . . . .

Hier bin ich auf und unter Bergen, suche das Göttliche in *herbis et lapidibus.*[37] . . . . .

Ilmenau, d. 9. Juni 85.

## An Charlotte von Stein

. . . . . Hierbei ein Liedchen von Mignon aus dem sechsten Buche (von *Wilhelm Meister*). Ein Lied, das nun auch mein ist. Weimar, d. 20. Juni 1785.

Nur wer die Sehnsucht kennt,
Weiß, was ich leide!
Allein und abgetrennt
Von aller Freude,
Seh' ich ans Firmament
Nach jener Seite.
Ach! der mich liebt und kennt,

Ist in der Weite.
Es schwindelt mir, es brennt
Mein Eingeweide.
Nur wer die Sehnsucht kennt,
Weiß, was ich leide!                                          5

November 1785

d. 8. Nov.

. . . . Hier schicke ich Dir vom allerschönsten Moos das artig-
ste und beste Stückchen. Wie Albertingen[38] nach Karlsruhe
ging, fand ich so ein Stück und schenkte es ihr als Zierat auf den
schwarzen Hut. Seit der Zeit habe ich es nicht wieder finden
können. Jetzt erscheint's auf einmal. Wahrscheinlich sind die Tel- 10
lerchen eine Art Befruchtung, die in diesem Monat vorgeht, in
welchem ich seit mehreren Jahren nicht hier war.

Gute eßbare Schwämme bringe ich getrocknet mit, Du siehst,
in welchen Klassen der Vegetation ich hier lebe.

Ich habe Linnés Botanische Philosophie[39] bei mir und hoffe, 15
sie in dieser Einsamkeit endlich einmal in der Folge zu lesen, ich
habe immer nur so dran gekostet.

Ich habe wieder einige artige botanische Ideen und habe ein
Gelübde getan, diesmal keinen Stein anzurühren. . . . .

Ilmenau, d. 9. Nov. 85.

Hier ist der völlige Winter eingetreten und hat die ganze Ge- 20
gend in sein weißes Kleid gehüllt. Man sieht keinen Berg vor
Wolken, und es wäre recht heimlich, wenn man nicht so allein
wäre. . . .

Ich lese im Linné fort, denn ich muß wohl, ich habe kein anderes
Buch. Es ist das die beste Art, ein Buch gewiß zu lesen, die ich 25
öfters praktizieren muß, besonders da ich nicht leicht ein Buch
auslese. Dieses ist aber vorzüglich nicht zum Lesen, sondern zum
Rekapitulieren gemacht und tut mir nun treffliche Dienste, da
ich über die meisten Punkte selbst gedacht habe.

Noch finde ich in meinen Angelegenheiten hier[40] nichts, als 30 was mir Freude machen könnte. Es geht gut, was ich angelegt habe, und wird jährlich besser werden. Wenn ich noch eine Zeitlang dauere und aushalte, dann kann es wieder eine Weile von selbst gehn. Ach, meine Liebe, wie viel wäre zu tun, und wie 5 wenig tun wir.

Heute habe ich ein Kapitel an *Wilhelm* geschrieben, und nun noch eins, dann ist der Teil geschlossen. Wie freue ich mich, Euch diesen Abschnitt vorzulesen. Es soll Tee gemacht werden und Kaminfeuer, damit es an Dekoration und Accompagnement nicht 10 fehle.

### Januar 1786

. . . . Auf den Abend steht mir die Freude bevor, an Deiner Seite den *Hamlet* [41] durchzugehn und Dir auszulegen, was Du lange besser weißt. Liebe mich. Immer dein.

d. 8. Jan. 86.

### Mai 1786

. . . . Ich habe einige Geschäfte besorgt und den Wissenschaften 15 obgelegen. Algebra ist angefangen worden, sie macht noch ein grimmig Gesicht, doch denke ich, es soll mir auch ein Geist aus diesen Chiffern sprechen, und wenn ich den nur einmal vernehme, so wollen wir uns schon durchhelfen. Einige botanische Kenntnisse sind auch zugewachsen, und so geht's dann immer wei- 20 ter. . . . .

Jena, d. 21. Mai 86.

Ich muß noch einige Tage bleiben, es ist mir so ruhig und still hier, und ich möchte doch die 4 Spezies in der Algebra [42] durchbringen. Es wird alles darauf ankommen, daß ich mir selbst einen Weg suche, über diese steilen Mauern zu kommen. Viel- 25 leicht treff ich irgendwo eine Lücke, durch die ich mich einschleiche. . . .

Jena, d. 23. Mai 86.

. . . . Wir haben die vier Spezies durch und wollen nun sehen, was geblieben ist; soviel merke ich, es wird historische Kenntnis

bleiben, und ich werde es zu meinem Wesen nicht brauchen
können, da das Handwerk ganz außer meiner Sphäre liegt. Doch
ohne Nutzen wird es nicht sein. . . .
Gründonnerstag 86.


Juni 1786

. . . . . Wie lesbar mir das Buch der Natur wird, kann ich Dir
nicht ausdrücken, mein langes Buchstabieren hat mir geholfen, 5
jetzt ruckt's auf einmal, und meine stille Freude ist unaussprechlich. So viel Neues ich finde, find ich doch nichts Unerwartetes,
es paßt alles und schließt sich an, weil ich kein System habe und
nichts will als die Wahrheit um ihrer selbst willen. . . . .
d. 15. Juni 86.


## An F. J. Bertuch und G. J. Göschen [43]

(Ende Juni)

. . . . Ihnen sind die Ursachen bekannt, welche mich endlich 10
nötigen, eine Sammlung meiner sämtlichen Schriften, sowohl der
schon gedruckten als auch der noch ungedruckten, herauszugeben.

Von der einen Seite droht wieder eine neue Auflage, welche,
wie die vorigen, ohne mein Wissen und Willen veranstaltet zu 15
werden scheint und jenen wohl an Druckfehlern and andern
Mängeln und Unschicklichkeiten ähnlich werden möchte; von
der andern Seite fängt man an, meine ungedruckten Schriften,
wovon ich Freunden manchmal eine Kopie mitteilte, stückweise
ins Publikum zu bringen. . . .                              20

Sie erhalten in dieser Absicht eine Verteilung meiner sämtlichen Arbeiten in acht Bänden. . . .


## An Charlotte von Stein

. . . . Ich korrigiere am *Werther* und finde immer, daß der
Verfasser übel getan hat, sich nicht nach geendigter Schrift zu
erschießen.                                                25

Heute Mittag ißt Wieland mit mir, es wird über *Iphigenie* Gericht gehalten. . . . .

d. 25. Juni 86.

Juli 1786

 . . . . Mit Göschen bin ich wegen meiner Schriften einig. . . . Herder hat den *Werther* recht sentiert und genau herausgefunden, 5 wo es mit der Komposition nicht just ist. Wir hatten eine gute Szene, seine Frau wollte nichts auf das Buch kommen lassen und verteidigte es aufs beste.

 Wieland geht die Sachen auch fleißig durch, und so wird es mir sehr leicht, wenigstens die vier ersten Bände in Ordnung zu 10 bringen, die vier letzten werden mehr Mühe machen. . . .

W. d. 6. Juli 86.

 . . . Am meisten freut mich jetzt das Pflanzenwesen. . . . Wenn ich nur jemand den Blick und die Freude mitteilen könnte, es ist aber nicht möglich. Und es ist kein Traum, keine Phantasie; es ist ein Gewahrwerden der wesentlichen Form, mit der die 15 Natur gleichsam nur immer spielt und spielend das mannigfaltige Leben hervorbringt. Hätt ich Zeit in dem kurzen Lebensraum, so getraut ich mich, es auf alle Reiche der Natur — auf ihr ganzes Reich — auszudehnen. . . .

d. 10. Juli 86.

August 1786

(Karlsbad) d. 23. Aug.

 Gestern Abend ward *Iphigenie* gelesen und gut sentiert. Dem 20 Herzog ward's wunderlich dabei zumute. Jetzt, da sie in Verse geschnitten ist, macht sie mir neue Freude, man sieht auch eher, was noch Verbesserung bedarf. Ich arbeite dran und denke morgen fertig zu werden. Auf alle Fälle muß ich noch eine Woche bleiben, dann wird aber auch alles so sanft endigen, und die 25 Früchte (werden) reif abfallen.

 Und dann werde ich in der freien Welt mit D i r leben und in glücklicher Einsamkeit, ohne Namen und Stand, der Erde näher kommen, aus der wir genommen sind. . . .

September 1786

Nur noch ein Lebewohl von Karlsbad [44] aus, die Waldner [45] soll Dir dieses mitbringen; von allem, was sie erzählen kann, sag ich nichts; das wiederhol ich Dir aber, daß ich Dich herzlich liebe, daß unsre letzte Fahrt nach Schneeberg mich recht glücklich gemacht hat und daß Deine Versicherung: daß Dir wieder Freude ₅ zu meiner Liebe aufgeht, mir ganz allein Freude ins Leben bringen kann. Ich habe bisher im stillen gar mancherlei getragen und nichts so sehnlich gewünscht, als daß unser Verhältnis sich so herstellen möge, daß keine Gewalt ihm etwas anhaben könne. Sonst mag ich nicht in Deiner Nähe wohnen, und ich will lieber ₁₀ in der Einsamkeit der Welt bleiben, in die ich jetzt hinausgehe. Wenn meine Rechnung nicht trügt, kannst Du Ende September ein Röllchen Zeichnungen von mir haben, die Du aber niemand auf der Welt zeigen mußt. Du sollst alsdann erfahren, wohin Du mir schreiben kannst. Lebe wohl! Gib Fritz Inliegendes. Grüße ₁₅ Ernst, Stein, die Schwester und laß niemand merken, daß ich länger außenbleibe. Liebe mich und sage mir's, damit ich mich des Lebens freuen könne.

Den 1. September 1786.

Die vier ersten Bände recht auszuputzen hat noch viele Mühe gemacht; sogar *Iphigenie* nehm ich noch auf die Reise mit. . . . . ₂₀

## An den Herzog Karl August

Verzeihen Sie, daß ich beim Abschiede von meinem Reisen und Außenbleiben nur unbestimmt sprach, selbst jetzt weiß ich noch nicht, was aus mir werden soll.

Sie sind glücklich, Sie gehen einer gewünschten und gewählten Bestimmung entgegen, [46] Ihre häuslichen Angelegenheiten sind ₂₅ in guter Ordnung, auf gutem Wege, und ich weiß, Sie erlauben mir auch, daß ich nun an mich denke, ja Sie haben mich selbst oft dazu aufgefordert. Im allgemeinen bin ich in diesem Augenblicke gewiß entbehrlich, und was die besonderen Geschäfte betrifft, die mir aufgetragen sind, diese hab ich so gestellt, daß sie ₃₀ eine Zeitlang bequem ohne mich fortgehen können; ja ich dürfte sterben, und es würde keinen Ruck tun. Noch viele Zusammenstimmungen dieser Konstellation übergehe ich und bitte Sie nur um einen unbestimmten Urlaub. Durch den zweijährigen Gebrauch des Bades hat meine Gesundheit viel gewonnen, und ich hoffe auch für die Elastizität meines Geistes das Beste, wenn er, 5 eine Zeitlang sich selbst gelassen, der freien Welt genießen kann.

Die vier ersten Bände sind endlich in Ordnung, Herder hat mir unermüdlich treu beigestanden, zu den vier letzten bedarf ich Muße und Stimmung; ich habe die Sache zu leicht genommen und sehe jetzt erst, was zu tun ist, wenn es keine Sudelei werden 10 soll. Dieses alles und noch viele zusammentreffende Umstände dringen und zwingen mich in Gegenden der Welt mich zu verlieren, wo ich ganz unbekannt bin, ich gehe ganz allein unter einem fremden Namen und hoffe von dieser etwas sonderbar scheinenden Unternehmung das Beste. Nur bitt ich, lassen Sie 15 niemand nichts merken, daß ich außenbleibe. Alle, die mir mit- und untergeordnet sind oder sonst mit mir in Verhältnis stehen, erwarten mich von Woche zu Woche, und es ist gut, daß das also bleibe und ich auch abwesend als ein immer Erwarteter wirke.

Leben Sie wohl, das wünsch ich herzlich, behalten Sie mich lieb 20 und glauben Sie, daß, wenn ich wünsche, meine Existenz ganzer zu machen, ich dabei nur hoffe, sie mit Ihnen und in dem Ihrigen besser als bisher zu genießen. . . . . .

Karlsbad, den 2. September 1786.

BRIEF GOETHES AN FRAU VON STEIN
11. Februar 1776

# II

## DIE ITALIENISCHE REISE

*September 1786 bis Juni 1788*

IN TIVOLI
Aquarellierte Zeichnung von Goethe (1787)

ALS GOETHE im Juli 1786 Weimar verließ und zur Kur nach Karlsbad fuhr, schien es nur auf einige Wochen. Aber von Karlsbad fuhr er am 3. September weiter nach Italien und kam erst fast zwei Jahre später nach Weimar zurück. Er selbst nannte diese Reise einmal einen *salto mortale,* also ein verzweifeltes 5 Wagnis. Ehe er nach Karlsbad fuhr, schrieb er an den Herzog: „Ich gehe, allerlei Mängel zu verbessern und allerlei Lücken auszufüllen, stehe mir der gesunde Geist der Welt bei!" Das klingt viel bedeutsamer, als man gewöhnlich eine Badereise erklärt. Er hatte wohl damals schon vor, so bald nicht zurückzu- 10 kommen.

Vieles erschwerte ihm seit langem das Leben in Weimar. Seine Beziehung zu Frau von Stein hatte sich in zehn Jahren nicht ruhig und harmonisch gestalten lassen. Auf Zeiten des Glücks und Vertrauens folgten immer wieder Verstimmung und Spannung. 15 Immer von neuem mußte er um ihre Liebe werben, sich immer bestenfalls geduldet sehen; eine sichere, offene Lebensgemeinschaft war und blieb unmöglich. Dieser Zustand widersprach endlich Goethes innerstem Wesen, das sich nach klaren, festen, gesunden Verhältnissen sehnte. Man spricht von Goethes „Flucht" nach 20 Italien. Aber seine herzlichen Briefe an Charlotte von Stein und die Tatsache, daß er ihr sein Tagebuch schickte, um sie an allem teilnehmen zu lassen, beweisen, daß er ihr nicht entfliehen, sondern sich ihre Freundschaft erhalten wollte. Nur hoffte er wohl, daß sich in der Ferne sein Gefühl für sie — da es nicht Liebe sein 25 durfte — zu der entsagenden Freundschaft beruhigen würde, die sie von ihm verlangte.

Dieses Wertherproblem, immer ein Hauptproblem seines Lebens, war es aber nicht allein, was ihm Weimar allmählich verleidete. Die amtliche Arbeitslast wurde ihm zu schwer, besonders 30 da die Zusammenarbeit mit dem Herzog nicht immer so harmonisch und fruchtbringend war, wie er sie viele Jahre später be-

schrieb.[1] Neben der Arbeit raubte ihm das gesellschaftliche Leben mehr Zeit, als es ihm wert war. Er hatte so viele Pläne, Wünsche, Interessen, die er jahrelang hatte zurückdrängen müssen oder nur kümmerlich nebenbei befriedigen konnte. Immer stärker wurde
5 deshalb das Bedürfnis in ihm sich hier loszumachen, irgendwo anders, wo ihn niemand kannte, „von vorn" anzufangen und dem, was hier Nebensache war, seine Zeit und Kraft ganz zu widmen.

Er sorgte sich auch um seine Gesundheit. Nun ging er schon
10 zum zweitenmal nach Karlsbad zur Kur. Oft litt er an Erkältungen, die ihn tagelang ans Haus fesselten. Er haßte den „nordischen" Herbst und Winter, den Nebel, den häufigen Regen. Er war überzeugt, daß ihm dieses Klima geistig und körperlich schade. Bald kam nun wieder der Herbst. Warum sollte er ihm
15 nicht entgehen?

Italien erschien ihm dagegen als das Land der Verheißung, voll Sonne, Freiheit, Schönheit. In seiner Kindheit hatte er den Vater begeistert von seiner italienischen Reise erzählen hören. Sie war ein Höhepunkt in seines Vaters Leben gewesen. Er selbst
20 war 1775 schon auf dem Weg nach Italien, weil des Herzogs Einladung nach Weimar nicht ernst gemeint schien. Dann kam der verspätete herzogliche Wagen, der ihn abholen sollte; er sah darin einen Wink des Schicksals und kehrte um, fuhr nach Weimar. Sein Leben hätte sich anders gestaltet, wenn er damals weiterge-
25 fahren wäre. Ließ sich davon nichts nachholen?

So drängten ihn Umstände, unerfüllte Hoffnungen und das Gefühl, in einer Krise seines Lebens zu stehen, zu dieser Reise, die vielleicht nur ein paar Monate dauern, vielleicht aber auch ein Abschied auf immer sein würde. Darüber war er sich selbst nicht
30 klar und konnte sich deshalb auch seinen nächsten Freunden nicht anvertrauen. Er bat den Herzog um Urlaub für unbestimmte Zeit und fuhr allein, unter angenommenem Namen, nach Süden. Erst als seine Briefe und Reisetagebücher ankamen, erfuhren seine Freunde, daß er in Italien war.
35 Die Freude, endlich frei zu sein und ins Ungewisse zu fahren, spricht aus jedem seiner Briefe und vor allem aus dem Tagebuch: „Daß ich mich selbst bediene, immer aufmerksam, immer gegen-

wärtig sein muß, gibt mir eine ganz andere Elastizität des Geistes."
„Mir ist's wie einem Kinde, das erst wieder leben lernen muß."
Alles interessiert ihn, gibt ihm zu denken: das Wetter, der geo-
logische sowohl wie der ästhetische Charakter der Landschaft,
die Erscheinung und Tätigkeit der Bewohner. Als er von fern die 5
Schneeberge sieht, greift er an den Hut, sie zu grüßen; an der
italienischen Sprachgrenze freut er sich, „die geliebte Sprache"
nun endlich gebrauchen zu können; am Gardasee [2] begrüßt er
die Feigen- und Olivenbäume und genießt das Bewußtsein, zum
erstenmal den Gegenstand eines Verses von Vergil [3] mit eigenen 10
Augen zu schauen. Der Katholizismus als Volksreligion in all
seinen Wirkungen auf das Leben und die Kunst wird ihn während
seiner ganzen Reise beschäftigen. Manches darin zieht ihn an,
vor allem „der Genius des katholischen äußern Gottesdienstes".
Vieles stößt ihn ab, wie ihn ja überhaupt die Intoleranz religiöser 15
Prinzipien und Konventionen zum Widerspruch reizt.

Das milde Klima ist ihm ein wunderbares Geschenk der Natur.
Aus ihm erklärt und entschuldigt er „die Unreinlichkeit und
wenige Bequemlichkeit der Häuser": „alles, was nur kann, ist
unter freiem Himmel," „in ihrer Sorglosigkeit denken sie an 20
nichts." Die Lebendigkeit und Öffentlichkeit des Volkslebens,
die ihm später manchmal auf die Nerven geht, genießt er zuerst
wie ein Schauspiel: „Übrigens schreien, singen und schäkern sie
den ganzen Tag, balgen sich, werfen sich, jauchzen und lachen
unaufhörlich." Im Gegensatz zu seiner zweiten italienischen Reise, 25
wo er sich nach Hause sehnt und deshalb alles viel kritischer
beurteilt, liebt er jetzt diese „recht gute Nation", und es macht ihm
großes Vergnügen, vor allem die Kinder und „gemeinen Leute"
zu beobachten und ihre Lebensumstände kennen zu lernen. Je
weiter er nach Süden fährt, umso stärker wird dieses Interesse, 30
und seine Schilderungen des Volkslebens in Neapel und auf Sizilien sind so lebendig und anschaulich miterlebt wie selten die
Reiseerfahrungen eines Fremden.

Mit den Kunstschätzen Italiens war Goethe seit seiner Kindheit
durch Abbildungen bekannt. Nun werden „alle diese Gegen- 35
stände, die schon über 30 Jahre auf meine Imagination abwesend
gewirkt haben und also alle zu hoch stehn, in den ordentlichen

K a m m e r - und H a u s ton der Coexistenz heruntergestimmt."⁴
Das bedeutet aber nicht, daß er sie nun weniger schätzt. Im
Gegenteil, das, was er wirklich erlebt, wird ihm gerade dadurch
wichtig und interessant. „Man muß wieder und wieder sehn,
5 wenn man einen reinen Eindruck der Gegenstände gewinnen
will. Es ist ein sonderbares Ding um den ersten Eindruck, er ist
immer ein Gemisch von Wahrheit und Lüge im hohen Grade, ich
kann noch nicht recht herauskriegen, wie es damit ist." Mit gut-
mütigem Spott betrachtet er die Touristen, „die sehn und gehn".
10   Wie sich seine Eindrücke unter dem Einfluß seines geduldigen
Studiums ändern und entwickeln, so ändert sich auch sein Urteil
über sich selbst, sein Verstehen und Wissen. Anfangs fühlt er
sich sicher: „Was mich freut, ist, daß keine von meinen alten
Grundideen verrückt und verändert wird, es bestimmt sich nur
15 alles mehr, entwickelt sich und wächst mir entgegen." Bald aber
fühlt er sich verwirrt: „Die Baukunst steht noch unendlich weit
von mir ab, es ist sonderbar, wie mir alles darin so fremd, so
entfernt ist, ohne mir neu zu sein. Ich hoffe aber auch diesmal
wenigstens in ihre Vorhöfe gelassen zu werden." Bescheiden
20 nennt er nun seine Gedanken „Einfälle" und bereitet sich, lange
zu sehen und zu denken, ehe er hoffen dürfe, ein gültiges Urteil
zu haben. „Die Revolution, die ich voraussah und die jetzt in
mir vorgeht, ist die in jedem Künstler entstand, der lang emsig
der Natur treu gewesen und nun die Überbleibsel des alten großen
25 Geistes erblickte: die Seele quoll auf, und er fühlte eine innere
Art von Verklärung seiner selbst, ein Gefühl von freierem Leben,
höherer Existenz, Leichtigkeit und Grazie." Als ihm, kurz vor
seinem Abschied von Italien, die Malerin Angelika Kauffmann,⁵
von deren Urteil er sehr viel hält, erklärt, sie kenne wenige, die
30 sich mit ihm an Kunstverständnis vergleichen ließen, macht ihn
dieses Lob sehr glücklich.

Andererseits aber hat er mitten im Genuß und Studium der
Kunst ein eigentümliches Gefühl, daß sie den Sinn seiner Zeit
nicht mehr ausdrücke: „Auf dieser Reise hoff ich, will ich mein
35 Gemüt über die schönen Künste beruhigen, ihr heilig Bild mir
recht in die Seele prägen und zum stillen Genuß bewahren. Dann
aber mich zu den Handwerkern wenden und, wenn ich zurück-

komme, Chemie und Mechanik studieren. Denn die Zeit des
Schönen ist vorüber, nur die Not und das strenge Bedürfnis erfordern unsre Tage." Wenn Goethe diesen Entschluß auch glücklicherweise nicht wörtlich ausgeführt hat, so ist er doch ein erneuter Beweis, daß ihm das umfassende Verständnis der Wirk- 5
lichkeit mehr bedeutete als das Nur-Künstlertum. Und es bleibt
erstaunlich, daß er am Ende des achtzehnten Jahrhunderts, vor
der französischen Revolution, die Richtung der modernen Entwicklung so klar und scharf erkannt und ausgesprochen hat wie
wenig kritische Geister viel späterer Generationen.                    10

Dieser Erkenntnis gemäß suchte er auch während der ganzen
Reise seine naturwissenschaftlichen Kenntnisse zu erweitern. Er
sah das Meer zum erstenmal. Aber es interessierte ihn fast mehr
seiner Tiere und Pflanzen wegen als vom ästhetischen Gesichtspunkt. Die Muscheln und Krebse, der Seetang gaben ihm neuen 15
Aufschluß über die Anpassungsfähigkeit der Natur. „Was ist
doch ein L e b e n d i g e s für ein köstlich herrliches Ding. Wie
abgemessen zu seinem Zustande, wie wahr! wie seiend!" Und
wieder: „Wie wohl wird's mir, daß das nun Welt und Natur wird
und aufhört, Cabinet zu sein." Seine Vorstellung von der Ur- 20
pflanze entwickelte sich unter dem Einfluß neuer Entdeckungen
zu einem Entwicklungsprinzip des Lebens, das er später in seiner
Schrift *Die Metamorphose der Pflanzen* [6] beschrieb, das aber für
ihn eine weit über die Pflanzenwelt hinausreichende fundamentale
Bedeutung hatte. —                                                     25

Der Eindruck, den Rom auf Goethe machte, war so groß und
vielseitig, daß er Goethes aufs höchste gespannte Erwartung nicht
nur befriedigte, sondern sogar übertraf. Rom war für ihn eine
Welt. Hier waren die vergangene klassische Kunst, das vergangene große klassische Lebensgefühl in Werken des Altertums und 30
der Renaissance noch gegenwärtig für den, der sie suchte und begreifen lernte. Aber das war schwer. Es war kein Genuß·im gewöhnlichen Sinn, es forderte Anstrengung und erregte ein Gefühl
der Trauer. „Gewiß man muß sich einen eignen Sinn machen,
Rom zu sehn, alles ist nur Trümmer, und doch, wer diese Trüm- 35
mer nicht gesehn hat, kann sich von Größe keinen Begriff
machen." „Das seltsamste und schwerste in der Betrachtung ist:

wie Rom auf Rom folgt und nicht allein das neue aufs alte, sondern die verschiedenen Epochen des alten selbst aufeinander. Man
müßte Jahre hier bleiben, um den Begriff recht lebendig zu haben,
ich fühle nur die verborgenen und halb sichtbaren Punkte."

5   Goethe hatte nicht Jahre, sondern bestenfalls ein Jahr, um Rom
kennen zu lernen, denn er wollte ja auch Süditalien sehn, wo ihn
vor allem der Vesuv und die Insel Sizilien interessierten. Deshalb
war er froh, bei seinen Kunststudien die Teilnahme, das Vorbild
und den Rat einiger Künstler zu besitzen, mit denen er sich
10 in Rom befreundet hatte. Als Herder zwei Jahre später auch nach
Rom kam und Goethes Freundeskreis kennen lernte, sprach er
sich ziemlich geringschätzig über sie aus: „Von Goethes Gesellen
habe ich eigentlich wenig; es sind junge Maler, mit denen am
Ende doch nicht viel zu tun ist, geschweige, daß ich mit ihnen
15 Jahre lang leben sollte. Goethe wohnte unter ihnen und wußte
sie zu brauchen; wie er sie auch durch Arbeiten, die er für die
Herzogin Mutter bestellen und machen ließ, zu belohnen wußte.
Das alles kann ich nun nicht. Sie sind alle gutwillige Leute, die
aber von meinem Kreise zu fern abliegen." Herder wollte schön-
20 geistige Diskussionen, Philosophie; Goethe aber wollte die Kunst,
wie sie der schaffende Künstler erlebt. Er wollte selbst zeichnen,
malen, im Handwerklichen der Künste vorwärtskommen. Deshalb war es ihm wertvoll, zu sehen, wie es andere machten, die
Künstler von Beruf waren. Herder wollte mit Leuten von Ansehn
25 und Rang verkehren; Goethe wollte sie meiden und ganz still
unter einfachen Menschen leben. Herder wollte Rom als Bildungserlebnis, Goethe wollte womöglich sogar die Kunst zu einem
Naturerlebnis machen. Das schloß aber ästhetische und philosophische Betrachtungen keineswegs aus. Nichts lag Goethe ferner
30 als der naive Kunstgenuß des Touristen, der sich aus einem Reiseführer über den Wert der Sehenswürdigkeiten unterrichtet. Er
las, was andere vor ihm in Rom gesehn und gedacht hatten, verglich und klärte dadurch seine eigenen Anschauungen. Besonders
wurde ihm Winckelmanns Werk [7] nun wichtig und sinnvoll.
35 Freunde wie der junge Dichter und Kunstgelehrte Karl Philipp
Moritz [8] und Angelika Kauffmann halfen ihm technische Kennt-

nisse und Fortschritte ästhetisch vertiefen. Er beschäftigte sich fast
täglich weiter mit eigenen Dichtungen, mit der Umarbeitung
und Vollendung früherer Werke, mit neuen Entwürfen, wodurch
die neuen Einsichten sich mit seinen früheren Gedanken ver-
knüpften und auf sein ganzes Wesen wirkten. So konnte er an 5
Frau von Stein berichten, daß er sich nicht nur künstlerisch, sondern auch „moralisch" entwickle, daß ihm die Größe der Kunst
in Rom und die reiche Fülle und Natürlichkeit des südlichen
Lebens eine innere Freiheit und Gesundung schenkten, die nach
seiner Rückkehr ihr gemeinsames Dasein in Weimar schöner und 10
glücklicher machen würden. Sein Schauspiel *Iphigenie,* das er
damals vollendete und von dem Schiller sagte, es enthalte eigentlich nur eine seelische Handlung, gestaltet dieses verinnerlichte
Kunsterlebnis, worin moralische Größe, „reine Menschlichkeit",
sich mit klassisch schöner Form vereint.                                    15

Goethes Briefe aus Italien und vor allem sein Reisetagebuch —
er hat beides später zusammengefaßt in seiner Schrift *Die italienische Reise* [9] — sind erfüllt von dem Willen, seine Freunde in
Deutschland an seinen Erlebnissen teilnehmen zu lassen, sie nicht
nur über sein Leben und Treiben zu informieren. Obgleich er 20
daran verzweifelt, durch Beschreibung die unmittelbar erlebte
Gegenwart irgendwie zu ersetzen, versucht er es auf jede Weise:
durch Lebendigkeit, Atmosphäre, Wärme, gedankliche Formulierung. Dadurch entsteht ein Eindruck von Intensität, von Sammlung und Energie und zugleich ein Bild Italiens voll Interesse 25
und Leben. Nirgends sonst in Goethes Werk läßt sich ein wesent-
liches Stück seiner geistigen Entwicklung in einer so kurzen
Zeitspanne so deutlich und eingehend verfolgen.

## An den Freundeskreis in Weimar

Rom, d. 1. Nov. 1786.

Endlich bin ich in dieser Hauptstadt der alten Welt angelangt!
. . . Über das Tiroler Gebirg bin ich gleichsam weggeflogen, 30
Verona, Vicenz, Padua, Venedig habe ich gut, Ferrara, Cento, Bo-
logna flüchtig und Florenz kaum gesehn. Die Begierde nach Rom

zu kommen war so groß, wuchs so sehr mit jedem Augenblicke, daß kein Bleibens mehr war und ich mich nur drei Stunden in Florenz aufhielt.

Nun bin ich hier und ruhig und, wie es scheint, auf mein 5 ganzes Leben beruhigt.

Denn es geht, man darf wohl sagen, ein neues Leben an, wenn man das Ganze mit Augen sieht, das man teilweise in- und auswendig kennt. Alle Träume meiner Jugend seh ich nun lebendig, die ersten Kupferbilder, deren ich mich erinnre (mein Vater 10 hatte die Prospekte von Rom auf einem Vorsaale aufgehängt) seh ich nun in Wahrheit, und alles, was ich in Gemälden und Zeichnungen, Kupfern und Holzschnitten, in Gips und Kork schon lange gekannt, steht nun beisammen vor mir; wohin ich gehe, find ich eine Bekanntschaft in einer neuen Welt, es ist alles, 15 wie ich mir's dachte, und alles neu.

Ebenso kann ich von meinen Beobachtungen, von meinen Ideen sagen. Ich habe keinen ganz neuen Gedanken gehabt, nichts ganz fremd gefunden, aber die alten sind so bestimmt, so lebendig, so zusammenhängend geworden, daß sie für neu gelten können. . . .

20    Für mich ist es ein Glück, daß Tischbein [10] ein schönes Quartier hat, wo er mit noch einigen Malern lebt. Ich wohne bei ihm und bin in ihre eingerichtete Haushaltung miteingetreten, wodurch ich Ruh und häuslichen Frieden in einem fremden Lande genieße. Die Hausleute sind ein redliches altes Paar, die alles selbst 25 machen und für uns wie für Kinder sorgen. Sie waren gestern untröstlich, als ich von der Zwiebelsuppe nicht aß, wollten gleich eine andre machen u.s.w. Wie wohl mir dies aufs italienische Wirtshausleben tut, fühlt nur der, der es versucht hat. Das Haus liegt am *Corso,* keine 300 Schritte von der *Porta del Popolo.* [11]

30    Die merkwürdigsten Ruinen des alten Roms, St. Peter, die Plätze, den Papst und die Kardinäle in der Pauls Kapelle am heutigen Feste, die *Villa Borghese* [11] habe ich gesehen, und nun soll täglich etwas Neues vorgenommen werden. . . .

## An den Herzog Karl August

Rom, d. 3. Nov.

Endlich kann ich den Mund auftun und Sie mit Freuden begrüßen, verzeihen Sie das Geheimnis und die gleichsam unterirdische Reise hierher. Kaum wagte ich mir selbst zu sagen, wohin ich ging, selbst unterwegs fürchtete ich noch, und nur unter der *Porta del Popolo* war ich mir gewiß, Rom zu haben. . . .     5

Jetzt darf ich es gestehen, zuletzt durft ich kein lateinisch Buch mehr ansehn, keine Zeichnung einer italienischen Gegend. Die Begierde, dieses Land zu sehn, war überreif, da sie befriedigt ist, werden mir Freunde und Vaterland erst wieder recht aus dem Grunde lieb und die Rückkehr wünschenswert. . .     10

Die Dauer meines gegenwärtigen Aufenthalts wird von Ihren Winken, von den Nachrichten von Hause abhängen; bin ich einige Zeit entbehrlich, so lassen Sie mich das gut vollenden, was gut angefangen ist und was jetzt mit Einstimmung des Himmels getan scheint. . . .     15

## J. H. W. Tischbein an Lavater

. . . . Stellen Sie sich meine unbeschreibliche Freude vor, welche ich vor einigen Wochen hatte, Goethe kam, mir unverhofft, hierher, und jetzt wohnt er in meiner Stube neben mir; ich genieße also von des Morgens bis zur Nacht den Umgang dieses so seltenen, klugen Mannes. Was das für ein Vergnügen für mich ist, 20 können Sie sich leicht denken, indem Sie Goethens Wert und meine Hochachtung gegen große Männer kennen. — Goethe ist ein wirklicher Mann, wie ich in meinen ausschweifenden Gedanken ihn zu sehen mir wünschte. Ich habe sein Portrait angefangen und werde es in Lebensgröße machen, wie er auf den Ruinen sitzt 25 und über das Schicksal der menschlichen Werke nachdenkt. — Habe ihn ebenso gefunden, wie ich mir ihn dachte. Nur die große Gesetztheit und Ruhe hätte ich mir in dem lebhaften Empfinder nicht denken können, und daß er sich in allen Fällen so bekannt und zu Hause findet. Was mich noch sehr an ihm freut, ist sein 30 einfaches Leben. Er begehrte von mir ein klein Stübchen, worin

er schlafen und ungehindert arbeiten könnte, und ein ganz einfaches Essen, das ich ihm leicht verschaffen konnte, weil er mit
so wenigem begnügt ist. Da sitzt er nun jetzt und arbeitet des
Morgens, um seine *Iphigenie* fertig zu machen, bis um 9 Uhr,
5 dann geht er aus und sieht die großen hiesigen Kunstwerke. Mit
was für einem Auge und Kenntnis er alles sieht, werden Sie sich
leicht denken können, indem Sie wissen, wie wahr er denkt.
Er läßt sich wenig von den großen Weltmenschen stören, gibt und
nimmt keinen Besuch außer von Künstlern an. Man wollte ihm
10 eine Ehre antun, was man den großen Dichtern, die vor ihm hier
waren, getan hatte; er verbat sich es aber und schützte Zeitverlust
vor und wandte auf eine höfliche Art den Schein der Eitelkeit von
sich ab. Das ihm gewiß so viel Ehre macht, als wenn er wirklich
auf dem Kapitol [11] gekrönt worden wäre.

## An den Freundeskreis in Weimar

Rom, d. 22. Nov. 86.

15 Das Andenken dieses glücklichen Tages muß ich durch einige
Zeilen lebhafter erhalten und, was ich genossen, wenigstens historisch mitteilen. Es war das schönste, ruhigste Wetter, ein ganz
heitrer Himmel und warme Sonne. Ich ging mit Tischbein nach
dem Petersplatze, wo wir erst auf und ab gehend und, wenn es
20 uns zu warm wurde, im Schatten des großen Obelisks, der eben
für zwei breit genug geworfen wird, spazierten und Trauben
verzehrten, die wir in der Nähe gekauft hatten.

Dann gingen wir in die Sixtinische Kapelle,[12] die wir auch
hell und heiter, die Gemälde wohl erleuchtet fanden. Das jüngste
25 Gericht und die mannigfaltigen Gemälde der Decke von Michelangelo [13] teilten unsre Bewunderung. Ich konnte nur sehen und
anstaunen. Die innre große Sicherheit und Männlichkeit des
Meisters, seine Großheit geht über allen Ausdruck. Nachdem wir
alles wieder und wieder gesehn, verließen wir dieses Heiligtum
30 und gingen nach der Peterskirche, die von dem heitern Himmel
das schönste Licht empfing und in allen Teilen hell und klar
war. Wir ergötzten uns als genießende Menschen an der Größe

und Pracht, ohne durch allzu eklen und zu verständigen Geschmack uns diesmal irre machen zu lassen, und unterdrückten jedes schärfere Urteil. Wir erfreuten uns des Erfreulichen. . . . .

Rom, d. 2. Dezemb. 86.

Von dem Guten, das ich genieße, läßt sich durch Worte so wenig mitteilen. . . . . 5

d. 28. Nov. Kehrten wir zur Sixtinischen Kapelle zurück, ließen die Gallerie aufschließen, wo man den Plafond näher sehen kann, man drängt sich zwar, da sie sehr eng ist, mit einiger Beschwerlichkeit und mit anscheinender Gefahr an den eisernen Stäben weg, deswegen auch die Schwindligen zurückblieben; alles wird 10 aber durch den Anblick des größten Meisterstückes ersetzt. Und ich bin in dem Augenblicke so für Michelangelo eingenommen, daß mir nicht einmal die Natur auf ihn schmeckt, da ich sie doch nicht mit so großen Augen wie er sehen kann. Wäre nur ein Mittel, sich solche Bilder in der Seele recht zu fixieren. Wenigstens 15 was ich von Kupfern und Zeichnungen nach ihm erobern kann, bring ich mit.

Wir gingen von da auf die Logen Raphaels,[14] und kaum darf ich sagen, daß man diese nicht ansehn durfte. Das Auge war von jenen großen Formen so ausgeweitet, daß man die geistreichen 20 Spielereien der Arabesken nicht ansehn mochte, und die biblischen Geschichten, so schön sie sind, hielten auf jene nicht Stich.

Diese Werke nun öfter gegen einander zu sehn, mit mehr Muße und ohne Vorurteil zu vergleichen, muß eine große Freude gewähren. . . . 25

Überhaupt ist mit dem neuen Leben, das einem nachdenkenden Menschen die Betrachtung eines neuen Landes gewährt, nichts zu vergleichen. Ob ich gleich noch immer derselbe bin, so mein ich, bis aufs innerste Knochenmark verändert zu sein.

Für diesmal schließ ich und werde das nächste Blatt einmal ganz 30 von Unheil, Mord, Erdbeben und Unglück anfüllen, daß doch auch Schatten in meine Gemälde komme. . . . . .

## An Charlotte von Stein

Rom, d. 8. Dez. 86.

.... Wir waren am Meere und hatten einen schönen Tag. Abends beim Hereinreiten brach der gute Moritz, indem sein Pferd auf dem glatten römischen Pflaster ausglitschte, den Arm, das zerstörte die genoßne Freude und hat auch unsre

5 — Soweit war ich am 9. Dez., als ich einen Brief von Seidel [15] erhalte und ein Zettelchen drinnen von Deiner Hand. Das war also alles, was Du einem Freunde, einem Geliebten zu sagen hattest, der sich so lange nach einem guten Worte von Dir sehnt. Der keinen Tag, ja keine Stunde gelebt hat, seit er Dich verließ,

10 ohne an Dich zu denken.

Möge doch bald mein Paket,[16] das ich von Venedig abschickte, ankommen und Dir ein Zeugnis geben, wie sehr ich Dich liebe.

Heut Abend kann ich nichts mehr sagen, dieses Blatt muß fort. . . .

## An Herders

Rom, d. 13. Dez. 86.

15 Wie herzlich freut es mich, daß Ihr mein Verschwinden so ganz, wie ich wünschte, genommen. Versöhnt mir Frau von Stein und den Herzog, ich habe niemand kränken wollen und kann nun auch nichts sagen, um mich zu rechtfertigen. . .

Ich erhole mich nun hier nach und nach von meinem *Salto*

20 *mortale* und studiere mehr, als daß ich genieße. Rom ist eine Welt, und man brauchte Jahre, um sich nur erst drin gewahr zu werden. Wie glücklich find ich die Reisenden, die sehen und gehn.

Heute früh fielen mir Winckelmanns Briefe, die er aus Italien schrieb, in die Hand. Mit welcher Rührung hab ich sie zu lesen

25 angefangen! Vor 31 Jahren in derselben Jahreszeit kam er, ein noch ärmerer Narr als ich, hierher, ihm war es auch so deutsch ernst um das Gründliche und Sichre der Altertümer und der Kunst. Wie brav und gut arbeitete er sich durch! Und was ist mir nun das Andenken dieses Mannes auf diesem Platze! . . . . . .

## An Charlotte von Stein

Rom, d. 13. Dez. 86.

Könnt ich doch, meine Geliebteste, jedes gute, wahre, süße Wort der Liebe und Freundschaft auf dieses Blatt fassen, Dir sagen und versichern, daß ich Dir nah, ganz nah bin und daß ich mich nur um Deinetwillen des Daseins freue.

Dein Zettelchen hat mich geschmerzt, aber am meisten darum, daß ich Dir Schmerzen verursacht habe. Du willst mir schweigen? Du willst die Zeugnisse Deiner Liebe zurücknehmen? Das kannst Du nicht, ohne viel zu leiden, und ich bin schuld daran. Doch vielleicht ist ein Brief von Dir unterwegs, der mich aufrichtet und tröstet, vielleicht ist mein Tagebuch angekommen und hat Dich zur guten Stunde erfreut. Ich fahre fort Dir zu schreiben, Dir das Merkwürdigste zu melden und Dich meiner Liebe zu versichern. . . . .

d. 14. Dez. 86.

Was ich auf der vorigen Seite schrieb, sieht so ruhig aus, ich bin es nicht und muß Dir, liebe Vertraute, alles vertrauen.

Seitdem ich in Rom bin, hab ich unermüdet alles Sehnswürdige gesehen und meinen Geist recht damit überfüllt; in der Zeit, da sich manches zu setzen und aufzuklären schien, kam Dein Zettelchen und brach mir alles ab. . . .

Moritz, der an seinem Armbruch noch im Bette liegt, erzählte mir, wenn ich bei ihm war, Stücke aus seinem Leben, und ich erstaunte über die Ähnlichkeit mit dem meinigen. Er ist wie ein jüngerer Bruder von mir, von derselben Art, nur da vom Schicksal verwahrlost und beschädigt, wo ich begünstigt und vorgezogen bin. Das machte mir einen sonderbaren Rückblick in mich selbst. Besonders da er mir zuletzt gestand, daß er durch seine Entfernung von Berlin eine Herzensfreundin betrübt. — Nicht genug! Ich las Tischbein meine *Iphigenie* vor, die nun bald fertig ist. Die sonderbare, originale Art, wie dieser das Stück ansah und mich über den Zustand, in welchem ich es geschrieben, aufklärte, erschreckte mich. Es sind keine Worte, wie fein und tief er den Menschen unter dieser Heldenmaske empfunden.

Setzest Du nun dazu, daß ich gezwungen bin, an meine übrigen
Schriften zu denken und zu sinnen, wie ich sie enden und stellen
will, und daß ich dadurch genötigt werde, in tausend vergangne
Situationen meines Lebens zurückzukehren, und daß das alles
5 in wenigen Tagen auf mich zu dringt in der merkwürdigsten
Stadt der Welt, die allein hinreicht einen Ankömmling verwirrt
zu machen, so wirst Du denken können, in welcher Lage ich mich
befinde. Ich denke nun auch nicht auf die nächste Stunde, ich
will so hingehn, das Notwendige tun, und tragen, was ich muß,
10 und abwarten, wie sich das alles entwickelt.

Kannst Du etwas für mich tun, so tu es! Unendlich wird mich
jedes Wort von Dir erfreuen und aufrichten. . . .

## An die Herzogin Luise

. . . . . Ich habe nun den ersten flüchtigen Lauf durch Rom
beinahe geendigt, ich kenne die Stadt und ihre Lage, die Ruinen,
15 Villen, Palläste, Gallerien und Museen. Wie leicht ist es, bei
einer solchen Fülle von Gegenständen etwas zu denken, zu empfinden, zu phantasieren. Aber wenn es nun darauf ankommt, die
Sachen um ihrer selbst willen zu sehen, den Künsten aufs Mark
zu dringen, das Gebildete und Hervorgebrachte nicht nach dem
20 Effekt, den es auf uns macht, sondern nach seinem innern Wert
zu beurteilen, dann fühlt man erst, wie schwer die Aufgabe ist,
und wünscht mehr Zeit und ernsthaftere Betrachtung diesen
schätzbaren Denkmalen menschlichen Geistes und menschlicher
Bemühungen widmen zu können.

25   Um nichts zu versäumen, habe ich gleich einen Teil des ersten
Genusses aufgeopfert und habe die Ruinen in Gesellschaft von
Baukünstlern, die übrigen Kunstwerke mit andern Künstlern gesehen und dabei bemerken können, daß ein Leben voll Tätigkeit
und Übung kaum hinreicht, unsre Kenntnis auf den höchsten
30 Punkt der Reinheit zu bringen. Und doch wäre nur diese Sicherheit und Gewißheit, die Dinge für das zu nehmen, was sie sind,
selbst die besten Sachen einander subordinieren zu können, jedes
im Verhältnisse zum andern zu betrachten, der größte Genuß,
nach dem wir im Kunst-, wie im Natur- und Lebenssinne streben
35 sollten. Indessen sehe ich fleißig, ohne mich aufzuspannen, und

freue mich, wenn mir von Zeit zu Zeit ein neues Licht erscheint.
Hier kann ich eine Betrachtung nicht verschweigen, die ich
gemacht habe: daß es nämlich bequemer und leichter sei, die Natur als die Kunst zu beobachten und zu schätzen. Das geringste
Produkt der Natur hat den Kreis seiner Vollkommenheit in sich, 5
und ich darf nur Augen haben, um zu sehen, so kann ich die Verhältnisse entdecken; ich bin sicher, daß innerhalb eines kleinen
Zirkels eine ganze wahre Existenz beschlossen ist. Ein Kunstwerk
hingegen hat seine Vollkommenheit außer sich: das „B e s t e" in
der Idee des Künstlers, die er selten oder nie erreicht, die f o l g e n - 10
d e n in gewissen angenommenen Gesetzen, welche zwar aus der
Natur der Kunst und des Handwerks hergeleitet, aber doch nicht
so leicht zu verstehen und zu entziffern sind als die Gesetze der
lebendigen Natur. Es ist viel Tradition bei den Kunstwerken, die
Naturwerke sind immer wie ein erstausgesprochnes Wort Gottes. 15
Kommen nun gar noch handwerksmäßige Kopisten hinzu, so
entsteht eine neue Verwirrung, und wer nicht sehr geübt ist, weiß
sich nicht zu finden. . . .
Rom, d. 23. Dez. 86.

## An Charlotte von Stein

Rom, d. 20. Dez. 86.

Noch ist kein Brief von Dir angekommen, und es wird mir immer wahrscheinlicher, daß Du vorsätzlich schweigst, ich will auch 20
das tragen und will denken: Hab ich doch das Beispiel gegeben,
hab ich sie doch schweigen gelehrt, es ist das erste nicht, was ich
zu meinem Schaden lehre. . .

d. 23. Dez. Abends.

Laß mich Dir nur noch für Deinen Brief danken! Laß mich
einen Augenblick vergessen, was er Schmerzliches enthält. . . . 25
sieh mich nicht von Dir geschieden an, nichts in der Welt kann
mir ersetzen, was ich an Dir, was ich an meinen Verhältnissen
dort verlöre. Möge ich doch Kraft, alles Widrige männlicher zu
tragen, mitbringen. . . .
Daß Du krank, durch meine Schuld krank warst, engt mir 30

das Herz so zusammen, daß ich Dir's nicht ausdrücke. Verzeih
mir, ich kämpfte selbst mit Tod und Leben, und keine Zunge
spricht aus, was in mir vorging; dieser Sturz hat mich zu mir
selbst gebracht. Meine Liebe! meine Liebe!

## An J. G. Herder

Rom, d. 29. Dez. 86.

5    Endlich kann ich Dir mit Freuden melden, daß meine *Iphigenie*
fertig ist, daß zwei Abschriften davon auf meinem Tische liegen. . .

Ich hab zeither eine Pause im S e h e n gemacht, um das G e -
s e h n e wirken zu lassen. Nun fang ich wieder an, und es geht
10 trefflich. Das gesteh ich aber auch, daß ich mich aller alten Ideen,
alles eignen Willens entäußere, um recht wiedergeboren und neu
gebildet zu werden. . . .

Wieviel Versuche man übrigens macht, mich aus meiner Dunkelheit hervorzuziehen, wie die Poeten mir schon ihre Sachen vor-
15 lesen oder vorlesen lassen, wie es nur von mir abhinge, eine Rolle
zu spielen, da ich nun klüglich erst abgepaßt habe, wo es in Rom
hinauswill, das alles erzähl ich Euch einmal, und es wird Euch
unterhalten.

Aber es ist hier wie allenthalben, und alles, was hier geschehen
20 könnte, ennüiert mich schon voraus. Man muß sich zu einer Partei
schlagen, ihre Leidenschaften und Kabalen mit verfechten helfen,
die Künstler und Dilettanten loben, den Großen schmeicheln.
Und das sollte ich hier? Da ich's zu Hause nicht mag, und ohne
Zweck?

25   Nein! ich gehe nicht tiefer, als nur um das auch zu kennen. . .
Ich will Rom sehn, das bestehende, nicht das mit jedem Jahrzehnt
vorübergehende. Hätte ich Zeit, ich wollte sie zu was anders
anwenden. Besonders liest sich Geschichte von hier aus ganz anders als in einem jeden andern Orte der Welt. Man meint, man
30 sähe alles, alles reiht sich.

Tischbein kann ich nicht genug loben, wie original er sich aus
sich selbst heraus gebildet hat. Er wird Euch recht aus Herzens-
grund freuen, wenn Ihr ihn dereinst sehen werdet.

Er hat gar freundschaftlich für mich auch in Kunstsachen gesorgt und mir eine Reihe Studien nach den besten Meistern gezeichnet und zeichnen lassen, die in Deutschland für mich einen
großen Wert haben und mein Zimmerlein zu einem Schatzkästchen machen werden.

Nun ist mir, Du lieber alter Freund, Baukunst und Bildhauerkunst und Malerei wie Mineralogie, Botanik und Zoologie. Auch
hab ich die Künste nun recht gepackt, ich lasse sie nun nicht
fahren und weiß doch gewiß, daß ich nach keinem Phantom
hasche. . . .

Am ersten Festtage sah ich den Papst mit der ganzen Klerisei
in der Peterskirche, da er vom Throne herab das hohe Amt hielt.
Es ist ein einziges Schauspiel in seiner Art, ich bin aber doch im
Diogenismus [17] zu alt geworden, daß es mir von irgendeiner Seite
hätte imponieren können. . .

### An Charlotte von Stein

Rom, d. 6. Jan. 87.

Eben komme ich von Moritz, dessen zerbrochner Arm heute
aufgebunden worden. Es geht und steht recht gut. Was ich diese
40 Tage bei diesem Leidenden als Beichtvater und Vertrauter, als
Finanzminister und geheimer Sekretär pp gelernt, soll auch Dir,
hoff ich, in der Folge zugute kommen.

Heute früh erhielt ich Deinen bitter süßen Brief vom 18. Dez.
Unsre Korrespondenz geht gut und regelmäßig, daß sie nun nicht
wieder unterbrochen werde, solang wir leben.

Ich kann zu den Schmerzen, die ich Dir verursacht, nichts sagen
als: v e r g i b ! Ich verstocke mein Herz nicht und bin bereit alles
dahin zu geben, um gesund zu werden für mich und die meinigen.
Vor allen Dingen soll ein ganz reines Vertrauen, eine immer
gleiche Offenheit mich aufs neue mit Dir verbinden. . . .

### Karl Philipp Moritz über Goethe [18]

Was nun während der vierzig Tage, die ich unter fast unauf-
hörlichen Schmerzen unbeweglich auf einem Fleck habe liegen
müssen, der edle, menschenfreundliche Goethe für mich getan

hat, kann ich ihm nie danken, wenigstens aber werde ich es nie
vergessen; er ist mir in dieser fürchterlichen Lage, wo sich also
alles zusammenfand, um die unsäglichen Schmerzen, die ich litt,
noch zu vermehren und meinen Zustand zugleich gefahrvoll und
5 trostlos zu machen, alles gewesen, was ein Mensch einem Menschen nur sein kann. Täglich hat er mich mehr als einmal besucht
und mehrere Nächte bei mir gewacht. Um alle Kleinigkeiten, die
zu meiner Hilfe und Erleichterung dienen konnten, ist er unaufhörlich besorgt gewesen und hat alles hervorgesucht, was nur
10 irgend dazu abzwecken konnte, mich bei gutem Mute zu erhalten.
Und wie oft, wenn ich unter meinem Schmerz erliegen und verzagen wollte, habe ich in seiner Gegenwart wieder neuen Mut
gefaßt, und weil ich gern standhaft vor ihm erscheinen wollte, bin
ich oft dadurch wirklich standhaft geworden.

15    Er lenkte zugleich den guten Willen meiner hiesigen deutschen
Landsleute, deren jetzt eine starke Anzahl ist und deren freund-
schaftliches Betragen gegen mich mir nie aus dem Gedächtnis
kommen wird. Sie waren den andern Tag fast alle bei mir; sie er-
boten sich alle bei mir zu wachen. Goethe ließ sie losen, wie sie der
20 Reihe nach bei mir wachen sollten, und sogleich waren alle Nächte
besetzt. . . .

## An J. G. Herder

Hier, lieber Bruder, die *Iphigenie*. . . . Du hast nun auch hier
einmal wieder mehr, was ich gewollt, als was ich getan habe!
Wenn ich nur dem Bilde, das Du Dir von diesem Kunstwerke
25 machtest, näher gekommen bin. Denn ich fühlte wohl bei Deinen
freundschaftlichen Bemühungen um dieses Stück, daß Du mehr
das daran schätztest, was es sein könnte, als was es war.

Möge es Dir nun harmonischer entgegenkommen. Lies es zuerst
als ein ganz neues, ohne Vergleichung, dann halt es mit dem alten
30 zusammen, wenn Du willst. Vorzüglich bitt ich Dich, hier und
da dem Wohlklange nachzuhelfen. Auf den Blättern, die mit
resp. Ohren bezeichnet sind, finden sich Verse mit Bleistift an-
gestrichen, die mir nicht gefallen und die ich doch jetzt nicht
ändern kann. Ich habe mich an dem Stücke so müde gearbeitet.
35 Du verbesserst das mit einem Federzuge. Ich gebe Dir volle

Macht und Gewalt. . . Lies es mit der Frau, laß es Frau von
Stein sehen und gebt euren Segen dazu. Auch wünscht ich, daß
es Wieland ansähe, der zuerst die schlotternde Prosa in einen
gemeßnern Schritt richten wollte und mir die Unvollkommen-
heit des Werks nur desto lebendiger fühlen ließ. . .                    5

d. 13. Jan. 87. Rom.

### An Charlotte von Stein

Rom, d. 25. Jan. 87.

. . . . . . Wenn ich gedenke, was für schöne Sachen in Deutschland in unsrer Nähe sind, die mir nun erst alle genießbar werden,
so freu ich mich recht auf nach Hause. Wie hab ich in allen diesen
Sachen herumgetappt, nun erscheint mir das liebe Licht, und wie
freut mich's, daß ich Dir's bringen kann. Ich erinnere mich noch 10
wohl, wie einem alle Menschen bis zur Verzweiflung imponieren,
die aus Italien kommen, ich will euch keine Schmerzen, sondern
Freuden, keine dunklen, sondern klare Begriffe mitbringen, euch
nicht nur sagen: ich hab es gesehn, sondern es euch sehen machen.

Du kommst meiner Bitte zuvor, die ich tun wollte, meine Mut- 15
ter an dem, was ich schreibe und schicke, teilnehmen zu lassen. . . .

Meine Existenz hat nun einen Ballast bekommen, der ihr die
gehörige Schwere gibt; ich fürchte mich nun vor den Gespenstern
nicht mehr, die so oft mit mir gespielt haben. . . . .[19]

Rom, d. (7.–10.?) Febr. 87.

. . . . . . Heute hab ich den ganzen Tag gezeichnet. Dieses 20
Verlangen arbeitete schon lang in mir. Die Landschaft sieht man
hier so subaltern an, man mag kaum daran denken, jetzt aber
mit dem schönen Wetter kommt die Liebhaberei wieder. Wenn es
glückt, so erhältst Du . . . ein Dutzend kleine Stückchen, Versuche in einer neuen Manier. Es kostet mich Aufpassens, bis ich 25
meine kleinliche deutsche Art abschaffe. Ich sehe lang, was gut
und besser ist; aber das Rechte in der Natur zu finden und nach-
zuahmen, ist schwer, schwer. Nur durch Übung kann man vor-
wärts kommen, und ich habe keine Zeit, ein einzeln Fach zu bearbeiten.                                                               30

Indessen ist mir das armselige bißchen Zeichnen unschätzbar, es erleichtert mir jede Vorstellung von sinnlichen Dingen, und das Gemüt wird schneller zum Allgemeinen erhoben, wenn man die Gegenstände genauer und schärfer betrachtet. Fritz soll ja
5 brav zeichnen, was ihm vorkommt. Ich freue mich recht sehr, daß mir im Zeichnen ein Licht aufgeht, eh ich nach Neapel reise, ich hatte schon Angst, ich würde von dem Anschauen der großen Kunstwerke erdrückt werden und mir nicht mehr getrauen einen Bleistift anzusetzen. Aber die Natur hat für ihre Kinder gesorgt,
10 der Geringste wird durch das Dasein des Trefflichsten nicht an seinem Dasein gehindert, oder wie der Dichter sich ausdrückt: Ein kleiner Mann ist auch ein Mann.
. . . . . .

Rom. d. 21. Febr. 87.

. . . . . An Dir häng ich mit allen Fasern meines Wesens. Es ist entsetzlich, was mich oft Erinnerungen zerreißen. Ach, liebe
15 Lotte, Du weißt nicht, welche Gewalt ich mir angetan habe und antue und daß der Gedanke, Dich nicht zu besitzen, mich doch im Grunde, ich mag's nehmen und stellen und legen, wie ich will, aufreibt und aufzehrt. Ich mag meiner Liebe zu Dir Formen geben, welche ich will, immer, immer — Verzeih mir, daß ich Dir
20 wieder einmal sage, was so lange stockt und verstummt. Wenn ich Dir meine Gesinnungen, meine Gedanken der Tage, der einsamsten Stunden sagen könnte. Leb wohl. Ich bin heute konfus und fast schwach. Leb wohl, liebe mich, ich gehe nun weiter, und Du hörst bald von mir und sollst durch mich noch ein Stück
25 Welt weiter kennen lernen.

Rom, d. 8. Juni.

Nun kann ich Dir wieder aus dieser alten Hauptstadt einen Gruß bieten. . . . Die letzten Tage in Neapel wurde ich immer mehr unter die Menschen gezogen, es reut mich nicht, denn ich habe interessante Personen kennen lernen. . . Der Vesuv, der
30 seit meiner Rückkehr von Sizilien stark gebrannt hatte, floß endlich den 1. Juni von einer starken Lava über. So hab ich denn auch

dieses Naturschauspiel, obgleich nur von weitem, gesehn. Es
ist ein großer Anblick. Einige Abende, als ich aus dem Opern-
hause ging, das nahe am Molo liegt, ging ich noch auf den Molo
spazieren. Dort sah ich mit einem Blick den Mond, den Schein
des Monds auf den Wolkensäumen, den Schein des Monds im 5
Meere und auf dem Saum der nächsten Wellen, die Lampen des
Leuchtturms, das Feuer des Vesuvs, den Widerschein davon im
Wasser und die Lichter auf den Schiffen. Diese Mannigfaltigkeit
von Licht machte ein einziges Schauspiel. . . .

Ich muß nun mit Gewalt an die vier letzten Bände, und wie 10
ich Dir schon schrieb, müssen sie in Ordnung sein, ehe ich zu
euch zurückkehre; auch haben sich neue Sujets zugedrängt, die
ich ausführen muß, denn das Leben ist kurz; wo ich nun sitze,
hier oder in Frankfurt, das ist eins, und Rom ist der einzige Ort
in der Welt für den Künstler, und ich bin doch einmal nichts an- 15
ders. Wäre nur die Rückreise im Winter oder gegen den Winter
nicht zu beschwerlich. Doch es mag werden.

Übrigens habe ich glückliche Menschen kennen lernen, die es
nur sind, weil sie g a n z sind; auch der Geringste, wenn er ganz
ist, kann glücklich und in seiner Art vollkommen sein, das will 20
und muß ich nun auch erlangen, und ich kann's, wenigstens weiß
ich, wo es liegt und wie es steht, ich habe mich auf dieser Reise
unsäglich kennen lernen. . . . .

Sage Herder, daß ich dem Geheimnis der Pflanzenzeugung und
Organisation ganz nah bin und daß es das Einfachste ist, was 25
nur gedacht werden kann. Unter diesem Himmel kann man die
schönsten Beobachtungen machen. Sage ihm, daß ich den Hauptpunkt, wo der Keim steckt, ganz klar und zweifellos entdeckt
habe, daß ich alles übrige auch schon im ganzen übersehe, und
nur noch einige Punkte bestimmter werden müssen. Die Ur- 30
pflanze wird das wunderlichste Geschöpf von der Welt, über
welches mich die Natur selbst beneiden soll. Mit diesem Modell
und dem Schlüssel dazu kann man alsdann noch Pflanzen ins
unendliche erfinden, die konsequent sein müssen, das heißt: die,
wenn sie auch nicht existieren, doch existieren könnten und nicht 35
etwa malerische oder dichterische Schatten und Scheine sind, son-

dern eine innerliche Wahrheit und Notwendigkeit haben. Dasselbe Gesetz wird sich auf alles übrige Lebendige anwenden
lassen. . . .

## An den Herzog Karl August

Für Ihren lieben werten Brief, mit dem Sie mich erfreut haben,
5 danke ich auf das herzlichste. Sie krönen dadurch das Glück, das
ich hier genieße, und beruhigen mich auf alle Weise. Sie geben
mir Raum, daß ich erst recht mein werden kann, und sondern
mich von Ihrem Schicksal nicht ab, möge sich Ihnen alles zum
besten wenden. Ich erwartete Ihr Schreiben, um über meinen fer-
10 neren Aufenthalt etwas Festes zu beschließen, nun glaube ich nicht
zu fehlen, wenn ich Sie ersuche, mich noch bis Ostern in Italien
zu lassen. Mein Gemüt ist fähig, in der Kunstkenntnis weit zu
gehen, auch werde ich von allen Seiten aufgemuntert, mein eignes
kleines Zeichentalentchen auszubilden, und so möchten diese Mo-
15 nate eben hinreichen, meine Einsicht und Fertigkeit vollkommner
zu machen. . . . .

Dieses macht den Aufenthalt in Rom so angenehm, weil so
viele Menschen sich hier aufhalten, die sich mit Denken über
Kunst, mit Ausübung derselben zeitlebens beschäftigen, und wohl
20 kein Punkt sein kann, über den man nicht von einem oder dem
andern Belehrung erwarten könnte. Noch eine andre Epoche
denke ich mit Ostern zu schließen: meine erste (oder eigentlich
meine zweite) Schriftsteller-Epoche. *Egmont* ist fertig, und ich
hoffe bis Neujahr den *Tasso,* bis Ostern *Faust* ausgearbeitet zu
25 haben, welches mir nur in dieser Abgeschiedenheit möglich wird.
Zugleich hoffe ich, sollen die kleinen Sachen, welche den fünften,
sechsten und siebenten Band füllen, fertig werden und mir bei
meiner Rückkehr ins Vaterland nichts übrig bleiben, als den achten
zu sammeln und zu ordnen. Somit werde ich auch diese Verbind-
30 lichkeit los und kann an etwas Neues, kann mit Ernst an *Wilhelm*
gehn, den ich Ihnen recht zu erb und eigen schreiben möchte.

Daß ich meine älteren Sachen fertig arbeite, dient mir erstau-
nend. Es ist eine Rekapitulation meines Lebens und meiner Kunst,
und indem ich gezwungen bin, mich und meine jetzige Denkart,
35 meine neuere Manier nach meiner ersten zurückzubilden, das, was

ich nur entworfen hatte, nun auszuführen, so lern ich mich selbst und meine Engen und Weiten recht kennen. . . .
Rom, d. 11. Aug. 87.

Rom, d. 8. Dez. 87.

. . . . An *Faust* gehe ich ganz zuletzt, wenn ich alles andre hinter mir habe. Um das Stück zu vollenden, werd ich mich sonderbar zusammennehmen müssen. Ich muß einen magischen Kreis um mich ziehen, wozu mir das günstige Glück eine eigne Stätte bereiten möge. . . . .

## An Seidel

Du tust sehr wohl, mein Lieber, Dich mit Betrachtung der Natur zu beschäftigen. Wie der natürlichste Genuß der beste ist, so ist auch die natürlichste Betrachtung die beste. Deine Beobachtungen sind recht gut. Du bist auch auf einem guten Wege zu beobachten. Nur mußt Du Dich in acht nehmen, daß Du Deinen Folgerungen nicht zu viel Wert gebest. Ich will nicht sagen, daß Du keine Folgerungen machen müßtest, denn das ist die Natur der Seele. Nur mußt Du immer Deine M e i n u n g geringer halten als Dein A u g e. So nützen mir zum Exempel Deine Beobachtungen recht wohl, wenn ich Dir in Meinungen und Kombinationen überlegen bin. Aber Du mußt durch alle diese Wege gehen, und die F r e u d e, die Du über eine solche Entdeckung hast, ist das wahre Kennzeichen, daß Du weiter und weiter gehen wirst. Schreibe mir alles, was Du auf diesem Wege triffst. Mich interessiert's sehr, und ich lerne immer. Lebe wohl. . . . .
d. 21. Dez. 87.

## An den Herzog Karl August

Rom, den 25. Jan. 88.

Welche Freude und Zufriedenheit mir Ihr Brief an einem schönen Tage gebracht hat, kann ich Ihnen nicht ausdrücken, und hätte die Sorge für Ihre Gesundheit mich nicht wieder herabgestimmt, so könnte ich den gestrigen Tag als den fröhlichsten ansehn, den ich in Rom erlebt habe. Ich lief gleich nach erhaltnem

Briefe ins Weite, denn wie Tristram [20] die horizontale Lage für
diejenige hält, in welcher man Freude und Schmerz am besten
genießt und trägt, so ist es bei mir das Wandeln in freier Luft. . .

Die Hauptabsicht meiner Reise war: mich von den physisch-
5 moralischen Übeln zu heilen, die mich in Deutschland quälten
und mich zuletzt unbrauchbar machten; sodann den heißen Durst
nach wahrer Kunst zu stillen; das erste ist mir ziemlich, das letzte
ganz geglückt.

Da ich ganz frei war, ganz nach meinem Wunsch und Willen
10 lebte, so konnte ich nichts auf andre, nichts auf Umstände, Zwang
oder Verhältnisse schieben, alles kehrte unmittelbar auf mich zurück, und ich habe mich recht durchaus kennen lernen, und unter
manchen Mängeln und Fehlern ist der, welchen Sie rügen, nicht
der letzte. Ganz unter fremden Menschen, in einem fremden
15 Lande zu leben, auch nicht einen bekannten Bedienten zu haben,
an den man sich hätte anlehnen können, hat mich aus manchen
Träumen geweckt, ich habe an munterm und resolutem Leben
viel gewonnen. Als ich zuerst nach Rom kam, bemerkt ich bald,
daß ich von Kunst eigentlich gar nichts verstand und daß ich
20 bis dahin nur den allgemeinen Abglanz der Natur in den Kunstwerken bewundert und genossen hatte; hier tat sich eine andre
Natur, ein weiteres Feld der Kunst vor mir auf, ja ein Abgrund
der Kunst, in den ich mit desto mehr Freude hineinschaute, als
ich meinen Blick an die Abgründe der Natur gewöhnt hatte. Ich
25 überließ mich gelassen den sinnlichen Eindrücken, so sah ich
Rom, Neapel, Sizilien und kam auf *Corpus Domini* [21] nach Rom
zurück. Die großen Szenen der Natur hatten mein Gemüt ausgeweitet und alle Falten herausgeglättet, von der Würde der Land-
schaftsmalerei hatte ich einen Begriff erlangt, ich sah Claude und
30 Poussin [22] mit andern Augen . . . dann sperrte mich die Hitze
zwei Monate in das Haus, ich machte *Egmont* fertig und fing
an, Perspektive zu treiben und ein wenig mit Farben zu spielen.
So kam der September heran, ich ging nach Fraskati, von da nach
Castello und zeichnete nach der Natur und konnte nun leicht
35 bemerken, was mir fehlte. Gegen Ende Oktober kam ich wieder
in die Stadt, und da ging eine neue Epoche an. Die Menschenge-
stalt zog nunmehr meine Blicke auf sich, und wie ich vorher

gleichsam wie von dem Glanz der Sonne meine Augen von ihr weggewendet, so konnte ich nun mit Entzücken sie betrachten und auf ihr verweilen. Ich begab mich in die Schule, lernte den Kopf mit seinen Teilen zeichnen, und nun fing ich erst an, die Antiken zu verstehen. Damit brachte ich November und Dezem- 5 ber hin und schrieb indessen *Erwin und Elmire,*[23] auch die Hälfte von *Claudine.*[23] Mit dem ersten Januar stieg ich vom Angesicht aufs Schlüsselbein, verbreitete mich auf die Brust und so weiter, alles von innen heraus, den Knochenbau, die Muskeln wohl studiert und überlegt, dann die antiken Formen betrachtet, mit der 10 Natur verglichen und das Charakteristische sich wohl eingeprägt. Meine sorgfältigen ehmaligen Studien der Osteologie und der Körper überhaupt sind mir sehr zustatten gekommen, und ich habe gestern die Hand als den letzten Teil, der mir übrigblieb, absolviert. Die nächste Woche werden nun die vorzüglichsten 15 Statuen und Gemälde Roms mit frisch gewaschnen Augen besehen.

Diesen Kursus habe ich an der Hand eines Schweizers namens Meyer,[24] eines gar verständigen und guten Künstlers, gemacht, und ein junger Hanauer namens Büry,[25] der mit mir zusammen 20 wohnt und ein gar resolutes, gutes Wesen ist, hat mir nicht wenig geholfen. . . .

Gar manches macht mir den Rückweg nach Hause reizend. Ohne Ihren Umgang, den Umgang geprüfter Freunde länger zu leben, ist denn doch so eine Sache. Das Herz wird in einem frem- 25 den Lande, merk ich, leicht kalt und frech, weil Liebe und Zutrauen selten angewandt ist. Ich habe nun soviel in Kunst- und Naturkenntnis profitiert, daß ein weiteres Studium durch die Nähe unsrer Akademie in Jena sehr erleichtert werden würde. Hier ist man gar zu sehr von Hilfsmitteln entblößt. Dann hoffte 30 ich auch, meine Schriften mit mehr Muße und Ruhe zu endigen als in einem Lande, wo alles einen außer sich ruft. Besonders wenn es mir nun Pflicht wird, der Welt zu leben. . . .

Als Goethe im Juni 1788 aus Italien zurückkehrte, fanden ihn seine Weimarer Freunde verändert. Äußerlich schien er sich 35

verjüngt zu haben, war magerer, sonnenverbrannt, fröhlich und
gesprächig; innerlich aber war er ihnen entfremdet. Seine Beteiligung am Staatsdienst war geringer als früher, denn der Herzog
hatte ihn von allen Ämtern befreit, die seinen künstlerischen und
5 wissenschaftlichen Interessen fern lagen. Trotzdem fiel es ihm
schwer, sich in Weimar wieder einzuleben; Italien beherrschte
seine Gedanken. Die Briefe seiner neuen Freunde in Rom bewiesen, wie sehr auch sie ihn vermißten, und im Vergleich damit
verstimmte ihn die kühlere Haltung seiner nächsten Weimarer
10 Freunde, die an seinen italienischen Erinnerungen nicht teilhatten
und ihrerseits seine frühere volle Teilnahme erwarteten. So lockerte
sich allmählich die Beziehung zu Herder, und die Freundschaft
mit Charlotte von Stein ging zu Ende.

Frau von Stein hatte ihm die italienische Reise nie ganz ver-
15 ziehen. Nun konnte sie die innere Unabhängigkeit, die sich
Goethe in Italien erworben hatte, mit ihrer Freundschaft nicht
in Einklang bringen. Sie klagte über seine Kälte, fand seine Gesellschaft sogar langweilig. Nach einigen Monaten peinlicher
Spannung, unter der beide litten, nach einer brieflichen Aus-
20 sprache, die nur die beiderseitige Bitterkeit zum Ausdruck brachte,
erfolgte ein Bruch, der nicht wieder ausheilte, wenn sich auch in
späteren Jahren ein konventionell freundliches Verhältnis zwischen
ihnen herstellte. Eines der Epigramme, die Goethe 1790 in Venedig schrieb, wo er die Herzogin Mutter erwartete,[26] ist wie ein
25 Abschiedsgruß für diese menschlich und künstlerisch so wichtige
Beziehung seines Lebens:

Eine Liebe hatt' ich: sie war mir lieber als alles!
Aber ich hab' sie nicht mehr! Schweig' und ertrag' den Verlust!

Dieses Epigramm steht im Gegensatz zu den meisten anderen,
30 die ein fröhlich spielender, selbstsicherer Geist erfüllt. Denn
Goethe fühlte sich zu jener Zeit in gewisser Hinsicht glücklicher
als je: Er hatte eine Geliebte und ein Kind, die er, wie er Herder
gestand, „leidenschaftlich liebte".

Christiane Vulpius, „sein kleines Naturwesen", war jung, le-
35 bensfroh und hatte einen heiteren, hellen Verstand, obwohl sie

wenig Bildung besaß und aus einer verarmten Familie stammte. Für den Dichter Goethe hatte sie wenig Verständnis. Aber Goethe freute sich an ihrem gesunden, lebhaften Wesen, ihrer Häuslichkeit. Daß sie ein Kind des Volkes war, daß sie ganz von ihm abhing, gab ihm ein Gefühl der Verantwortlichkeit, das seine Liebe festigte. Er brachte sie nach Frankfurt zu seiner Mutter, die sie als Tochter froh und herzlich empfing.[27] Er half ihrer armen Familie und nahm sie und sein Kind zu sich ins Haus, ohne sich um die Entrüstung der Weimarer Hofgesellschaft zu kümmern. Sein unkonventionelles Liebesverhältnis hatte viel zu Frau von Steins Verstimmung gegen ihn beigetragen. Aber Goethe verstand den Wert oder Unwert menschlicher Beziehungen in einem freieren Sinne, dem er in der Gestalt Klärchens in *Egmont* Ausdruck verliehen hatte. Jahrelang hielt er treu zu Christiane, ohne sich gesetzlich an sie zu binden. Erst als im Kriegsjahr 1806 französische Soldaten in sein Haus eindrangen und Christianes Geistesgegenwart und Mut ihm ihren Wert erneut bewiesen, gab ihm dieses Erlebnis den Anlaß, sie auch gesetzlich zu seiner Frau zu machen. Die Stellung Christianens und ihres Sohnes August in Weimar wurde dadurch sehr erleichtert, obgleich sich in ihrer Beziehung zu Goethe dadurch nichts änderte. Denn schon im Jahre 1790 hatte Goethe einem Bekannten, der ihn zum Heiraten überreden wollte, die Antwort gegeben: „Ich bin verheiratet, nur nicht mit Zeremonie." Und als er nun, sechzehn Jahre später, seine Frau einer Dame der Weimarer Gesellschaft vorstellte, tat er es mit den Worten: „Ich empfehle Ihnen meine Frau mit dem Zeugnisse, daß, seit sie ihren ersten Schritt in mein Haus tat, ich ihr nur Freuden zu danken habe."

# III

## GOETHE UND SCHILLER

*1794–1805*

SCHILLER
Ölgemälde von Ludovika Simanovicz (1793)

AM 21. Juli 1787 kam Friedrich Schiller nach Weimar. Sein Ruf als Dichter, die Freundschaft einer Dame der Weimarer Gesellschaft und eine flüchtige Bekanntschaft mit Herzog Karl August hatten ihm Hoffnung gemacht, dort vielleicht eine Anstellung und dauernde Heimat zu finden. Er besuchte Wieland und Herder, die ihn mit freundlicher Zurückhaltung begrüßten. Er lernte Knebel und Frau von Stein kennen — Goethe war in Italien. Die Enttäuschung, die er darüber empfand, war umso größer, als der Eindruck von Goethes Persönlichkeit ihm überall begegnete. „Goethe wird von sehr vielen Menschen mit einer Art Anbetung genannt und mehr noch als Mensch denn als Schriftsteller geliebt und bewundert," schrieb er an seinen Freund Körner in Dresden. „Herder gibt ihm einen klaren universellen Verstand, das wahrste und innigste Gefühl, die größte Reinheit des Herzens. . . . Ihm ist er ein allumfassender Geist."

Die allgemeine Verehrung Goethes erregte schließlich Schillers Eifersucht. Seine eigene unsichere Lage, die Begrenztheit seines Wissens, die Einseitigkeit seiner rein philosophisch-poetischen Begabung kam ihm durch den Gegensatz zu Goethes glücklicherem Los scharf zum Bewußtsein. „Er ist mir im Wege," schrieb er an Körner. Trotzdem interessierte ihn Goethe „wie wenig Sterbliche".

Als Goethe aus Italien zurückkam, war Schiller aufs Land gezogen. Goethe machte keinen Versuch, ihn kennen zu lernen. Denn Schillers Jugendwerke stießen ihn ab durch ihre ungezügelte Subjektivität, und er überlegte nicht, daß sich Schiller inzwischen weiter entwickelt hatte und ihm wohl nicht mehr so fern stand, wie er glaubte. Bei gemeinsamen Freunden lernten sie sich trotzdem 1788 flüchtig kennen. Schiller berichtete darüber an Körner: „Im ganzen genommen ist meine in der Tat große Idee von ihm nach dieser persönlichen Bekanntschaft nicht vermindert worden, aber ich zweifle, ob wir einander je sehr nahe rücken werden. . . Er

ist mir (an Jahren weniger als an Lebenserfahrungen und Selbstentwicklung) so weit voraus, daß wir unterwegs nie mehr zusammenkommen werden. . . Indessen schließt sich's aus e i n e r
solchen Zusammenkunft nicht sicher und gründlich. Die Zeit
5 wird das Weitere lehren." Eines der philosophischen Gedichte
Schillers, *Die Götter Griechenlands,* machte Eindruck auf Goethe,
Schillers Besprechung von *Egmont* in einer Zeitschrift interessierte ihn. In beiden Fällen war er anderer Meinung, aber er
würdigte Schillers Talent und Urteil, und als er Gelegenheit
10 hatte, Schiller zu einer Stellung zu verhelfen, verwandte er sich
für ihn: auf Goethes Empfehlung bekam Schiller einen Lehrauftrag für Geschichte an der Universität Jena, der ihm, zwar anfangs kein Gehalt, aber die Möglichkeit bot, aus dem „literarischen
Vagabundentum", wie Schiller seine Existenz nannte, in einen
15 Beruf zu kommen. Trotzdem dauerte es noch mehrere Jahre,
bis sie sich persönlich näher kamen.

Es waren für beide bedeutungsvolle Jahre. Schillers Gesundheit, schon früher durch Überanstrengung und Entbehrungen er-
schüttert, nahm ab. Er hatte geheiratet, und der Unterhalt seiner
20 Familie machte ihm Sorgen. Aber seine geistige Entwicklung
wurde dadurch nicht aufgehalten. Er versenkte sich in das Studium der Geschichte und Philosophie und gewann eine Objek-
tivität und Reife, die sich mit Goethes Einsicht und Erfahrung
wohl messen konnte.

25 Für Goethe, der in der ersten Zeit nach seiner Rückkehr aus
Italien ganz in der Erinnerung und Pflege der dort erworbenen
Kenntnisse lebte, war der Ausbruch der französischen Revolution
eine Erschütterung, die viel tiefer und nachhaltiger war, als er
sich anmerken ließ. Er war der nächste Freund eines Fürsten; die
30 Vorteile der besitzenden Klasse, Bildung, Muße, Reisen, hatten
sein Leben und seine geistige Entwicklung in hohem Grade bestimmt. Wie konnte er anders als erschrecken vor einem radikalen
Umsturz? Andererseits hatte er durch seine frühere amtliche
Tätigkeit die Armut und Unterdrücktheit der unteren Stände
35 kennen gelernt und wußte, wie langsam und schwer soziale Re-
formen sich durchsetzen. Er haßte jede Art von Unterdrückung
—*Egmont* gibt davon ein beredtes Zeugnis—aber ebenso sehr

mißtraute er der unvernünftigen Gewalt der Massen, die zerstört, ohne eine klare Vorstellung von Wiederaufbau zu haben. Als die Nachbarstaaten Frankreichs im Jahre 1792 der Revolution durch Einmarsch ein Ende machen wollten,[1] nahm Goethe als Begleiter Karl Augusts am Feldzug teil und sah mit eigenen Augen die 5 Zerstörung und das Elend, die Krieg und Umsturz mit sich bringen. Das war ein krasser Gegensatz zu dem, womit er sich sein Leben lang und vor allem seit der italienischen Reise beschäftigt hatte: zu dem stillen Bemühen um die Geheimnisse der Kunst und Natur. Seinem Wesen gemäß versuchte er auch die 10 Eindrücke, Gedanken und Gefühle, die diese Jahre brachten, dichterisch zu verwerten; aber erst ein späteres Werk, *Hermann und Dorothea,* enthält sie in reinster Form. Mit der wachsenden Maßlosigkeit der Revolution wuchs seine Ablehnung, ohne daß ihn doch die Gegenpartei ganz befriedigen konnte. So wurde ihm 15 die immer mehr um sich greifende politische Verwirrung und Aufregung der Zeit ein Grund, sich auf seine naturwissenschaftlichen Studien und die Aufgaben zu konzentrieren, die ihm als oberstem Beamten für die Pflege von Kunst und Wissenschaft im Herzogtum oblagen. Häusliches Glück mit Christiane Vulpius 20 und seinem Söhnchen August, das freilich durch den Tod von zwei jüngeren Kindern getrübt wurde, gab ihm ein Gefühl von Verwurzelung in Weimar, das er vorher nicht besessen hatte. Aber er konnte sich nicht verhehlen, daß er geistig zu vereinsamen drohte und daß seine poetische Schaffenslust „stockte". Er brauchte 25 die herzliche, verständnisvolle Teilnahme, die er einst bei Frau von Stein gefunden hatte, die ihm aber jetzt, bei der viel objektiveren Art seines Strebens, nur ein im gleichen Sinne Schaffender geben konnte: Schiller.

Die Freundschaft zwischen Goethe und Schiller begann im 30 Jahre 1794 und dauerte ohne Unterbrechung bis zu Schillers Tod, elf Jahre später. Sie entstand fast zufällig durch ein Gespräch, das in beiden sofort ein Gefühl des Vertrauens und der Zusammengehörigkeit erweckte. Für Goethe, der als verschlossen und schwer zu kennen galt, war es eine Überraschung, daß der zehn Jahre 35 jüngere Dichter intuitiv sein Wesen und seine Entwicklung begriff: nur durch eine echte Geistesverwandtschaft ließ sich das er-

klären. Mit ganzer Seele erwiderte er Schillers Interesse. Schillers philosophische Schulung, verbunden mit feinstem Gefühl und genialem Blick für ästhetische Probleme, Schillers Energie, die dem kranken Körper immer neue geistige Schöpfungen abge-
5 wann, erregte seine Bewunderung. Seine Fähigkeit und Lust von andern zu lernen und sich andern mitzuteilen, eine wesentliche Quelle seiner Kunst, fand Antrieb und reiche Nahrung zum er- stenmal seit seiner Rückkehr aus Italien. Für Schiller andererseits bedeutete die Freundschaft mit Goethe eine notwendige, lang er-
10 sehnte Erweiterung seiner Welt. Durch seine Krankheit, aber ebenso sehr durch die spekulative Richtung seines Geistes war er abgeschnitten von der Fülle der Wirklichkeit und Natur. Wie er selbst gestand, mußte er sich zwischen seinen vier Wänden „seine Gegenstände aus den Nägeln saugen". Seine reiche Phantasie, sein
15 durchdringender Verstand brauchten deshalb die Ergänzung durch Goethes Erfahrungen und Beobachtungen, Goethes siche- res, vielseitiges Wissen, Goethes praktische Tätigkeit. Auch für ihn wie für Goethe begann „ein neuer Frühling".

Der Briefwechsel zwischen Goethe und Schiller, der vor allem
20 in den ersten Jahren, ehe Schiller wieder nach Weimar zog und sie sich häufig sehen konnten, die Geschichte ihrer Freundschaft erzählt, ist eine wichtige Quelle für das Verständnis ihres Schaf- fens. Das gemeinsame leidenschaftliche Interesse an Problemen der Philosophie und Kunst hatte sie einander nahe gebracht, es
25 bleibt auch der Inhalt und Ansporn ihrer Korrespondenz. Schiller gab einige Jahre die Zeitschrift *Die Horen* [2] heraus, und Goethe war sein treuster Mitarbeiter. Goethe zu dichterischer Arbeit an- zuregen, war also Schillers größter Wunsch. Er tat es durch leb- hafte Teilnahme, freudiges Lob, konstruktive Kritik, Nachfrage,
30 eigene Vorschläge. Er wußte, daß Goethe ungern über seine Ar- beiten sprach, so lange sie noch ganz im Werden waren. Er wußte aber auch, daß bei der Überfülle von Goethes Dasein viel Wert- volles zurückgedrängt wurde und nicht zur Entwicklung kam, wenn er nicht daran erinnert, darum gebeten wurde. Deshalb
35 fragte er nach *Faust* und ließ sich durch Goethes anfängliche Ab- wehr nicht abschrecken. Zusammen arbeiteten sie für das Weimarer Theater, das Goethe leitete: überarbeiteten, übersetzten fremde

Werke und machten durch gegenseitige Kritik ihre eigenen dramatisch wirksamer. Auf seiner dritten Schweizer Reise (1797) kam Goethe auf den Gedanken, ein Epos *Wilhelm Tell* zu schreiben. Später überließ er Schiller das Thema, der daraus sein beliebtestes Schauspiel schuf. 5

Ein unaufhörliches Geben und Nehmen, ein fröhliches Bündnis zum Nutzen der Freunde, aber auch zum Schaden der Feinde — wie die *Xenien* [3] beweisen — ein unermüdliches Verstehen-Wollen und Können macht diese Briefe zu einem der bedeutendsten Zeugnisse einer Dichterfreundschaft in der Weltliteratur. 10

## Erste Bekanntschaft mit Schiller [4]

### (1794)

Nach meiner Rückkunft aus Italien, wo ich mich zu größerer Bestimmtheit und Reinheit in allen Kunstfächern auszubilden gesucht hatte, unbekümmert, was während der Zeit in Deutschland vorgegangen, fand ich neuere und ältere Dichterwerke in großem Ansehen, von ausgebreiteter Wirkung, leider solche, die 15 mich äußerst anwiderten; ich nenne nur Heinses *Ardinghello* [5] und Schillers *Räuber*. Jener war mir verhaßt, weil er Sinnlichkeit und abstruse Denkweisen durch bildende Kunst zu veredeln und aufzustutzen unternahm; dieser, weil ein kraftvolles, aber unreifes Talent gerade die ethischen und theatralischen Paradoxen, von 20 denen ich mich zu reinigen gestrebt, recht im vollen, hinreißenden Strome über das Vaterland ausgegossen hatte.

Beiden Männern von Talent verargte ich nicht, was sie unter-

---

Upon my return from Italy where I had sought greater precision and purity in all matters of art, unconcerned about developments in Germany during that time, I discovered more recent and older literary works to be in high esteem and of wide-spread influence, works which, unfortunately, repelled me in the extreme; I mention only Heinse's *Ardinghello* and Schiller's *Robbers*. I hated the former because it attempted to ennoble and embellish sensuality and obscure reasoning by means of the visual arts; the latter, because a vigorous and talented, yet immature, writer had poured out over my country a rushing torrent of precisely those ethical and theatrical paradoxes from which I, myself, had striven to be free.

I did not blame these men, talented as they were, for what they had

nommen und geleistet: denn der Mensch kann sich nicht versagen, nach seiner Art wirken zu wollen, er versucht es erst unbewußt, ungebildet, dann auf jeder Stufe der Bildung immer
bewußter; daher denn so viel Treffliches und Albernes sich über
5 die Welt verbreitet und Verwirrung aus Verwirrung sich entwickelt.

Das Rumoren aber, das im Vaterland dadurch erregt, der Beifall, der jenen wunderlichen Ausgeburten allgemein, so von
wilden Studenten als von der gebildeten Hofdame, gezollt ward,
10 der erschreckte mich, denn ich glaubte all mein Bemühen völlig
verloren zu sehen: die Gegenstände, zu welchen, die Art und
Weise, wie ich mich gebildet hatte, schien mir beseitigt und ge-
lähmt. Und was mich am meisten schmerzte, alle mit mir ver-
bundenen Freunde, Heinrich Meyer und Moritz, so wie die
15 im gleichen Sinne fortwaltenden Künstler Tischbein und Bury
schienen mir gleichfalls gefährdet; ich war sehr betroffen. Die
Betrachtung der bildenden Kunst, die Ausübung der Dichtkunst
hätte ich gerne völlig aufgegeben, wenn es möglich gewesen wäre;
denn wo war eine Aussicht, jene Produktionen von genialem Wert
20 und wilder Form zu überbieten? Man denke sich meinen Zustand!
Die reinsten Anschauungen suchte ich zu nähren und mitzuteilen,

---

done and achieved, for man cannot deny himself the wish to be effective
according to his nature; he tries unconsciously at first, unaware of himself,
then more and more consciously as he progresses in his development
from one phase to the next. For this reason, so much that is excellent and so
much that is foolish spreads through the world, and confusion gives birth
to further confusion.

The clamor which had arisen in my country, the applause which those
peculiar creations received generally, from undisciplined students as well
as refined ladies at court, startled me, for it gave me the impression that
all my endeavors had been completely in vain: the subjects which I had
educated myself to appreciate, the manner in which I had done so, seemed
to me completely negated and rendered ineffective. And what pained me
most was that all friends allied with me, Heinrich Meyer and Moritz, as
well as the artists Tischbein and Bury whose work continued in the same
spirit, seemed equally endangered. I was deeply disturbed; I should have
liked to give up entirely the study of the visual arts, the production of poetical works, if it had been possible; for where was the chance to surpass those
brilliant, yet undisciplined creations? Imagine my position! I tried to sus-

und nun fand ich mich zwischen Ardinghello und Franz Moor eingeklemmt.

Moritz, der aus Italien gleichfalls zurückkam und eine Zeitlang bei mir verweilte, bestärkte sich mit mir leidenschaftlich in diesen Gesinnungen; ich vermied Schiller, der, sich in Weimar auf- 5 haltend, in meiner Nachbarschaft wohnte.[6] Die Erscheinung des *Don Carlos*[7] war nicht geeignet, mich ihm näher zu führen, alle Versuche von Personen, die ihm und mir gleich nahe standen, lehnte ich ab, und so lebten wir eine Zeitlang nebeneinander fort. . . . . 10

Schiller zog nach Jena, wo ich ihn ebenfalls nicht sah. Zu gleicher Zeit hatte Batsch[8] durch unglaubliche Regsamkeit eine Natur-forschende Gesellschaft in Tätigkeit gesetzt, auf schöne Samm-lungen, auf bedeutenden Apparat gegründet. Ihren periodischen Sitzungen wohnte ich gewöhnlich bei; einstmals fand ich Schiller 15 daselbst, wir gingen zufällig beide zugleich heraus, ein Gespräch knüpfte sich an, er schien an dem Vorgetragenen teilzunehmen, bemerkte aber sehr verständig und einsichtig und mir sehr will-kommen, wie eine so zerstückelte Art, die Natur zu behandeln, den Laien, der sich gern darauf einließe, keineswegs anmuten 20 könne.

---

tain and communicate the purest conceptions and found myself caught between Ardinghello and Franz Moor.

Moritz, who had also returned from Italy and stayed with me for a while, confirmed me passionately in my attitude; I avoided Schiller who, while staying in Weimar, lived in my neighborhood. The publication of *Don Carlos* was not helpful in bringing us closer together; I declined all sug-gestions from persons who were his friends as well as mine; and we continued to live for some time as neighbors, but without seeing each other. . . .

Schiller went to Jena, where I did not see him either. At the same time, Batsch, with incredible industry, had started a scientific society based on beautiful collections and interesting apparatus. I usually attended the peri-odic meetings of the society. Once I found Schiller there; by chance we both came out together; we entered into conversation; he seemed to sympathize with the paper that had been read, but remarked, very intelligently and understandingly and very much to my liking, that such a piecemeal method of treating nature could by no means interest the layman who felt dis-posed to be interested.

Ich erwiderte darauf: daß sie den Eingeweihten selbst vielleicht
unheimlich bleibe, und daß es doch wohl noch eine andere Weise
geben könne, die Natur nicht gesondert und vereinzelt vorzu-
nehmen, sondern sie wirkend und lebendig, aus dem Ganzen in
5 die Teile strebend, darzustellen. Er wünschte hierüber aufgeklärt
zu sein, verbarg aber seine Zweifel nicht; er konnte nicht einge-
stehen, daß ein solches, wie ich behauptete, schon aus der Erfahrung hervorgehe.

Wir gelangten zu seinem Hause, das Gespräch lockte mich
10 hinein; da trug ich die Metamorphose der Pflanzen lebhaft vor
und ließ, mit manchen charakteristischen Federstrichen, eine sym-
bolische Pflanze vor seinen Augen entstehen. Er vernahm und
schaute das alles mit großer Teilnahme, mit entschiedner Fas-
sungskraft; als ich aber geendet, schüttelte er den Kopf und sagte:
15 Das ist keine Erfahrung, das ist eine Idee. Ich stutzte, verdrießlich
einigermaßen: denn der Punkt, der uns trennte, war dadurch
aufs strengste bezeichnet. . . . der alte Groll wollte sich regen, ich
nahm mich aber zusammen und versetzte: Das kann mir sehr
lieb sein, daß ich Ideen habe, ohne es zu wissen, und sie sogar
20 mit Augen sehe.

Schiller, der viel mehr Lebensklugheit und Lebensart hatte als

---

I answered to this that it was perhaps even disagreeable to the initiated,
and that there must surely be some method of representing nature, which
would not regard it as consisting of so many separated and isolated phenomena, but as working and living, striving from the whole to the parts.
He desired to be enlightened upon this point, but did not conceal his
doubts; he could not admit that such a method as I described was really
based upon experience.

We reached his house and the conversation enticed me in; then I
explained to him in a vivid fashion the metamorphosis of plants, and built
up before his eyes with a few characteristic strokes a symbolic plant. He
listened and saw everything with great interest and a decided power of
comprehension; but when I had finished, he shook his head and said: That
is no experience, that is an idea. I started, feeling somewhat annoyed, for
the point which separated us was most accurately characterized in this way
. . . the old resentment began to stir in me, but I pulled myself together
and replied: I am very pleased to think that I have ideas without knowing
it, and can even see them with my eyes.

Schiller, who had much more tact than I, and who desired to attract

ich und mich auch wegen der *Horen,* die er herauszugeben im Begriff stand, mehr anzuziehen als abzustoßen gedachte, erwiderte darauf als ein gebildeter Kantianer; und als aus meinem hart-näckigen Realismus mancher Anlaß zu lebhaftem Widerspruch entstand, so ward viel gekämpft und dann Stillstand gemacht: 5 keiner von beiden konnte sich für den Sieger halten, beide hielten sich für unüberwindlich. Sätze wie folgender machten mich ganz unglücklich: „Wie kann jemals Erfahrung gegeben werden, die einer Idee angemessen sein sollte? Denn darin besteht eben das Eigentümliche der letzteren, daß ihr niemals eine Erfahrung kon- 10 gruieren könne." Wenn er das für eine Idee hielt, was ich als Erfahrung aussprach, so mußte doch zwischen beiden irgend et-was Vermittelndes, Bezügliches obwalten! Der erste Schritt war jedoch getan. Schillers Anziehungskraft war groß, er hielt alle fest, die sich ihm näherten; ich nahm teil an seinen Absichten und 15 versprach, zu den *Horen* manches, was bei mir verborgen lag, herzugeben. Seine Gattin, die ich von ihrer Kindheit auf zu lieben und zu schätzen gewohnt war, trug das ihrige bei zu dauerndem Verständnis; alle beiderseitigen Freunde waren froh, und so besiegelten wir durch den größten, vielleicht nie ganz zu schlich- 20 tenden Wettkampf zwischen Objekt und Subjekt einen Bund,

---

rather than repel me on account of the *Horen,* which he was about to bring out, answered like a trained Kantian. As frequent occasion for emphatic contradiction arose from my obstinate realism, we argued a long time and finally stopped: neither of us could consider himself the victor, and yet each believed himself invincible. Statements like the following made me quite unhappy: "How can there ever be an experience which could be equal to an idea? For the peculiarity of the latter consists in the very fact that an experience can never measure up to it." If he considered an idea that which I called experience, then some connection, some relation between both conceptions had to exist! However, the first step was taken. Schiller's power of attraction was great; he held fast all who approached him. I interested myself in his plans and promised to contribute to the *Horen* some writings which I had not yet offered for publication. His wife, whom I had been accustomed to love and esteem since her childhood, contributed her share to bring about our lasting understanding; all our mutual friends were glad, and thus by means of the basic controversy concerning object and subject, which perhaps can never be completely resolved, we established

der ununterbrochen gedauert und für uns und andere manches Gute gewirkt hat.

Für mich insbesondere war es ein neuer Frühling, in welchem alles froh nebeneinander keimte und aus aufgeschlossenen Samen 5 und Zweigen hervorging. Unsere beiderseitigen Briefe geben davon das unmittelbarste, reinste und vollständigste Zeugnis.

### Schiller an Goethe

Jena, den 23. August 1794

Man brachte mir gestern die angenehme Nachricht, daß Sie von Ihrer Reise wieder zurückgekommen seien. Wir haben also wieder Hoffnung, Sie vielleicht bald einmal bei uns zu sehen, welches 10 ich an meinem Teil herzlich wünsche. Die neulichen Unterhaltungen mit Ihnen haben meine ganze Ideenmasse in Bewegung gebracht, denn sie betrafen einen Gegenstand, der mich seit etlichen Jahren lebhaft beschäftigt. Über so manches, worüber ich mit mir selbst nicht recht einig werden konnte, hat die An-15 schauung Ihres Geistes (denn so muß ich den Totaleindruck Ihrer Ideen auf mich nennen) ein unerwartetes Licht in mir angesteckt. Mir fehlte das Objekt, der Körper, zu mehreren spekulativischen Ideen, und Sie brachten mich auf die Spur davon. Ihr beobachtender Blick, der so still und rein auf den Dingen ruht,

---

an alliance which has lasted uninterruptedly and produced many a good result for us and others.

For me, especially, it meant a new spring, in which everything sprouted happily from growing seeds and buds. Our reciprocal letters furnish the most direct, the clearest, and the most complete testimony of this.

### Schiller to Goethe

Yesterday I received the welcome news that you had returned from your journey. We may therefore hope to see you with us again soon, which I, on my part, most sincerely wish. My recent conversations with you have put the whole store of my ideas in motion, for they concern a subject which has greatly occupied my mind for some years. Many things, about which I could not come to a satisfactory understanding with myself, have received a new and unexpected clarification from your mind's intuitive perception (for so I must call the total impression of your ideas upon me). I was in need of the object, the body correlated to some of my speculative ideas, and you have put me on the track of finding it. Your calm and clear way of

setzt Sie nie in Gefahr, auf den Abweg zu geraten, in den sowohl
die Spekulation als die willkürliche und bloß sich selbst gehor-
chende Einbildungskraft sich so leicht verirrt. In Ihrer richtigen
Intuition liegt alles und weit vollständiger, was die Analysis mühsam sucht, und nur, weil es als ein Ganzes in Ihnen liegt, ist Ihnen 5
Ihr eigener Reichtum verborgen; denn leider wissen wir nur
das, was wir scheiden. Geister Ihrer Art wissen daher selten, wie
weit sie gedrungen sind und wie wenig Ursache sie haben, von
der Philosophie zu borgen, die nur von ihnen lernen kann. Diese
kann bloß zergliedern, was ihr gegeben wird, aber das Geben 10
selbst ist nicht die Sache des Analytikers sondern des Genies,
welches unter dem dunkeln, aber sichern Einfluß reiner Vernunft
nach objektiven Gesetzen verbindet.

Lange schon habe ich, obgleich aus ziemlicher Ferne, dem Gang
Ihres Geistes zugesehen und den Weg, den Sie sich vorgezeichnet 15
haben, mit immer erneuerter Bewunderung bemerkt. Sie suchen
das Notwendige der Natur, aber Sie suchen es auf dem schwersten
Wege, vor welchem jede schwächere Kraft sich wohl hüten wird.
Sie nehmen die ganze Natur zusammen, um über das Einzelne
Licht zu bekommen; in der Allheit ihrer Erscheinungsarten 20

---

observing reality never tempts you onto the by-roads, where speculation
as well as arbitrary imagination — which merely follows its own whims —
are so apt to lead us astray. Your correct intuition grasps all things far more
comprehensively than the laborious search by analysis; and it is only because you conceive of them as a whole, that you remain unaware of the
wealth of your own mind; for unfortunately we recognize only that which
is differentiated and distinguishable by its parts. Minds like yours, therefore, seldom know how far they have penetrated, and how little cause
they have to borrow from philosophy, which, on the contrary, can learn
from them. Philosophy can only dissect what is given it; the giving itself is
not the work of the analytical mind but of the genius, who combines things
according to objective laws under the mysterious but infallible influence of
pure reason.

For a long time, although from quite a distance, I have watched the
course which your mind has pursued, and observed the path which you
have marked out for yourself, with ever renewed admiration. You seek
the Necessary in nature; but you seek it by the most difficult route, which
all weaker minds would take care to avoid. You consider Nature as a whole
when seeking to understand its individual part; you look for the explana-

suchen Sie den Erklärungsgrund für das Individuum auf. Von
der einfachen Organisation steigen Sie Schritt für Schritt zu der
mehr verwickelten hinauf, um endlich die verwickeltste von allen,
den Menschen, genetisch aus den Materialien des ganzen Natur-
5 gebäudes zu erbauen. Dadurch, daß Sie ihn der Natur gleichsam
nacherschaffen, suchen Sie in seine verborgene Technik einzu-
dringen. Eine große und wahrhaft heldenmäßige Idee, die zur
Genüge zeigt, wie sehr Ihr Geist das reiche Ganze seiner Vorstellungen in einer schönen Einheit zusammenhält. Sie können nie-
10 mals gehofft haben, daß Ihr Leben zu einem solchen Ziele zu-
reichen werde, aber einen solchen Weg auch nur einzuschlagen,
ist mehr wert als jeden andern zu endigen, — und Sie haben gewählt, wie Achill in der Ilias, zwischen Phthia [9] und der Unsterblichkeit. Wären Sie als ein Grieche, ja nur als ein Italiener
15 geboren worden und hätte schon von der Wiege an eine auser-
lesene Natur und eine idealisierende Kunst Sie umgeben, so wäre
Ihr Weg unendlich verkürzt, vielleicht ganz überflüssig gemacht
worden. Schon in die erste Anschauung der Dinge hätten Sie dann
die Form des Notwendigen aufgenommen, und mit Ihren ersten
20 Erfahrungen hätte sich der große Stil in Ihnen entwickelt. Nun,
da Sie ein Deutscher geboren sind, da Ihr griechischer Geist in

---

tion of the individual by observing the totality of Nature's manifestations.
From simple structures you ascend step by step to those that are more complex, and finally you reconstruct man, the most complex organism of all,
genetically, out of all the materials of nature. Thus, as it were, by imitating
nature in creating him, you try to penetrate into his hidden structure. This
is a great and truly heroic idea which shows clearly how your mind fuses
the wealth of its conceptions into a beautiful whole. You can never
have hoped that your life would suffice to attain such an end; but to have
chosen such a path at all is worth more than reaching the end of any
other — and you, like Achilles in the Iliad, made your choice between
Phthia and immortality. Had you been born a Greek or even an Italian,
and placed, from infancy, in the midst of choice natural surroundings and
an idealizing art, your course of development would have been infinitely
shortened, perhaps even rendered entirely superfluous. You would then
have recognized the essential forms already in your first perception of
things, and the great style would have begun to develop in you with your
first experiences. But being born a German and your Grecian spirit having
been cast amidst this northern world, you had no other choice but either

diese nordische Schöpfung geworfen wurde, so blieb Ihnen keine
andere Wahl, als entweder selbst zum nordischen Künstler zu
werden oder Ihrer Imagination das, was ihr die Wirklichkeit
vorenthielt, durch Nachhilfe der Denkkraft zu ersetzen und so
gleichsam von i n n e n heraus und auf einem rationalen Wege 5
ein Griechenland zu gebären. In derjenigen Lebensepoche, wo die
Seele sich aus der äußern Welt ihre innere bildet, von mangelhaften Gestalten umringt, hatten Sie schon eine wilde und nordische Natur in sich aufgenommen, als Ihr siegendes, seinem
Material überlegenes Genie diesen Mangel von innen entdeckte 10
und von außen her durch die Bekanntschaft mit der griechischen
Natur davon vergewissert wurde. Jetzt mußten Sie die alte, Ihrer
Einbildungskraft schon aufgedrungene schlechtere Natur nach
dem besseren Muster, das Ihr bildender Geist sich erschuf, kor-
rigieren, und das kann nun freilich nicht anders als nach leitenden 15
Begriffen vonstatten gehen. Aber diese logische Richtung, welche
der Geist bei der Reflexion zu nehmen genötigt ist, verträgt sich
nicht wohl mit der ästhetischen, durch welche allein er bildet. Sie
hatten also eine Arbeit mehr: denn so wie Sie von der Anschauung
zur Abstraktion übergingen, so mußten Sie nun rückwärts Be- 20
griffe wieder in Intuitionen umsetzen und Gedanken in Gefühle
verwandeln, weil nur durch diese das Genie hervorbringen kann.

---

to become a northern artist, or, by the help of the power of thought, to
supply your imagination with what reality withheld from it, and thus, as it
were, to create Greece from within by a process of reasoning. At that period
of life when the soul constructs its own inner life in the image of the outer
world, you, surrounded by imperfect forms, had already adapted yourself
to a wild and northern nature; but your victorious genius, superior to its
materials, discovered this defect from within, and then was confirmed in
this from without through your acquaintance with Greek nature. Now,
you had to correct the imperfect image of nature which had been previ-
ously impressed upon your imagination by learning from the better model
which your creative mind conceived, and this, it is true, can only be ac-
complished under the guidance of ideas. However, this logical attitude
which the mind must assume in reflection, is not compatible with the
esthetic approach by which alone it becomes creative. Therefore you had
one more task: for just as your mind had passed from perception to ab-
straction, now, in reverse, you had to transform ideas into intuitions,
thoughts into feelings, because only through these can genius create.

So ungefähr beurteile ich den Gang Ihres Geistes, und ob ich recht habe, werden Sie selbst am besten wissen. Was Sie aber schwerlich wissen können (weil das Genie sich immer selbst das größte Geheimnis ist), ist die schöne Übereinstimmung Ihres
5 philosophischen Instinktes mit den reinsten Resultaten der spekulierenden Vernunft. Beim ersten Anblicke zwar scheint es, als könnte es keine größeren Opposita geben als den spekulativen Geist, der von der Einheit, und den intuitiven, der von der Mannigfaltigkeit ausgeht. Sucht aber der erste mit keuschem und
10 treuem Sinn die Erfahrung und sucht der letzte mit selbsttätiger freier Denkkraft das Gesetz, so kann es gar nicht fehlen, daß nicht beide einander auf halbem Wege begegnen werden. Zwar hat der intuitive Geist nur mit Individuen und der spekulative nur mit Gattungen zu tun. Ist aber der intuitive genialisch und
15 sucht er in dem Empirischen den Charakter der Notwendigkeit auf, so wird er zwar immer Individuen, aber mit dem Charakter der Gattung erzeugen; und ist der spekulative Geist genialisch und verliert er, indem er sich darüber erhebt, die Erfahrung nicht, so wird er zwar immer nur Gattungen, aber mit der Mög-
20 lichkeit des Lebens und mit gegründeter Beziehung auf wirkliche Objekte erzeugen.

---

Somewhat in this manner do I reconstruct the course pursued by your mind; and whether I am right, you yourself will know best. However, what you yourself can scarcely be aware of (as genius ever remains the greatest mystery to itself) is the beautiful harmony between your philosophical instinct and the purest results of speculative reason. At a first glance it seems, indeed, as if there could be no greater opposites than the speculative mind, which proceeds from unity, and the intuitive mind, which proceeds from variety. If, however, the former seeks experience sincerely and faithfully, and if the latter seeks the laws underlying reality by the self-active and independent power of thinking, then the two cannot fail to meet each other half way. It is true that the intuitive mind deals only with individuals, the speculative mind only with species. But if the intuitive mind is that of a genius and searches for the necessary characteristics of reality, it will conceive individuals, it is true, but they will possess the characteristics of the species; and again, if the speculative mind is that of a genius and does not lose sight of reality while rising above it, then it will indeed conceive of species only; but they will contain the possibility of real life and be related to actual things.

Aber ich bemerke, daß ich anstatt eines Briefes eine Abhandlung
zu schreiben im Begriff bin — verzeihen Sie es dem lebhaften
Interesse, womit dieser Gegenstand mich erfüllt hat; und sollten
Sie Ihr Bild in diesem Spiegel nicht erkennen, so bitte ich sehr,
fliehen Sie ihn darum nicht. . . . .                    5

## Goethe an Schiller

Zu meinem Geburtstage, der mir diese Woche erscheint, hätte
mir kein angenehmer Geschenk werden können als Ihr Brief, in
welchem Sie mit freundschaftlicher Hand die Summe meiner Existenz ziehen und mich durch Ihre Teilnahme zu einem em-
sigern und lebhafteren Gebrauch meiner Kräfte aufmuntern.        10

Reiner Genuß und wahrer Nutzen kann nur wechselseitig sein,
und ich freue mich, Ihnen gelegentlich zu entwickeln, was mir
Ihre Unterhaltung gewährt hat, wie ich von jenen Tagen an auch
eine Epoche rechne und wie zufrieden ich bin, ohne sonderliche
Aufmunterung auf meinem Wege fortgegangen zu sein, da es     15
nun scheint, als wenn wir nach einem so unvermuteten Begegnen
miteinander fortwandern müßten. Ich habe den redlichen und so
seltenen Ernst, der in allem erscheint, was Sie geschrieben und
getan haben, immer zu schätzen gewußt, und ich darf nunmehr
Anspruch machen, durch Sie selbst mit dem Gange Ihres Geistes 20

---

However, I find that in place of a letter I am about to write an essay —
excuse it because of the lively interest with which this topic has filled me;
and if you should not recognize your own image in this mirror, I beg you
very much not to flee from it on that account. . . .

Goethe to Schiller

For my birthday, which is this week, I could have received no more
agreeable present than your letter, in which you draw the sum of my
existence in so friendly a manner and encourage me by your interest to a
more assiduous and active use of my powers.

Pure enjoyment and true usefulness can only be reciprocal, and I am
looking forward to disclosing to you sometime how much the discussion with you has meant to me, how I, too, consider it the beginning of a
new epoch in my life, and how contented I am that I proceeded on my way
so far although lacking any real encouragement, since it now seems as if
we should proceed together after meeting each other so unexpectedly. I
have always prized the frank and rare earnestness which is evident in all
that you have written or done; and I may now request that you yourself

besonders in den letzten Jahren bekannt zu werden. Haben wir uns wechselseitig die Punkte klar gemacht, wohin wir gegenwärtig gelangt sind, so werden wir desto ununterbrochener gemeinschaftlich arbeiten können.

5 Alles, was an und in mir ist, werde ich mit Freuden mitteilen. Denn da ich sehr lebhaft fühle, daß mein Unternehmen das Maß der menschlichen Kräfte und ihre irdische Dauer weit übersteigt, so möchte ich manches bei Ihnen deponieren und dadurch nicht allein erhalten, sondern auch beleben.

10 Wie groß der Vorteil Ihrer Teilnehmung für mich sein wird, werden Sie bald selbst sehen, wenn Sie bei näherer Bekanntschaft eine Art Dunkelheit und Zaudern bei mir entdecken werden, über die ich nicht Herr werden kann, wenn ich mich ihrer gleich sehr deutlich bewußt bin. Doch dergleichen Phänomene finden 15 sich mehr in unsrer Natur, von der wir uns denn doch gerne regieren lassen, wenn sie nur nicht gar zu tyrannisch ist.

Ich hoffe bald einige Zeit bei Ihnen zuzubringen, und dann wollen wir manches durchsprechen. . .

Ettersburg, den 27. August 1794.

---

acquaint me with the course pursued by your mind, particularly in recent years. If we make clear to each other our present positions, we shall be able to work together even better and with less interruption.

All that relates to myself I shall gladly communicate to you; for as I am fully aware that my undertaking far exceeds the measure of one man's powers and their earthly duration, I should like to deposit with you many things and thereby not only preserve them, but give them life.

How great the advantage of your coöperation will be for me, you will soon realize yourself when, upon a closer acquaintance, you will discover in me a kind of obscurity and hesitation which I cannot overcome, although I am very conscious of them. However, more such phenomena are to be found in human nature, and still we gladly accept its rule so long as it is not too tyrannical.

I hope to be able to spend some time with you soon, when we shall talk over various matters. . . .

## Schiller an Goethe

Jena, den 31. August 1794.

Bei meiner Zurückkunft aus Weißenfels, wo ich mit meinem
Freunde Körner aus Dresden eine Zusammenkunft gehabt, erhielt, ich Ihren vorletzten Brief, dessen Inhalt mir doppelt erfreulich war. Denn ich ersehe daraus, daß ich in meiner Ansicht
Ihres Wesens Ihrem eignen Gefühl begegnete und daß Ihnen 5
die Aufrichtigkeit, mit der ich mein Herz darin sprechen ließ,
nicht mißfiel. Unsre späte, aber mir manche schöne Hoffnung er-
weckende Bekanntschaft ist mir abermals ein Beweis, wieviel
besser man oft tut, den Zufall machen zu lassen, als ihm durch
zu viele Geschäftigkeit vorzugreifen. Wie lebhaft auch immer 10
mein Verlangen war, in ein näheres Verhältnis zu Ihnen zu treten,
als zwischen dem Geist des Schriftstellers und seinem aufmerk-
samsten Leser möglich ist, so begreife ich doch nunmehr vollkommen, daß die so sehr verschiednen Bahnen, auf denen Sie
und ich wandelten, uns nicht wohl früher als gerade jetzt mit 15
Nutzen zusammenführen konnten. Nun kann ich aber hoffen,
daß wir, soviel von dem Wege noch übrig sein mag, in Gemeinschaft durchwandeln werden und mit umso größerm Gewinn,
da die letzten Gefährten auf einer langen Reise sich immer am
meisten zu sagen haben. 20

On my return from Weissenfels, where I met my friend Körner from
Dresden, I received your last letter but one, the contents of which pleased
me for two reasons. I learned from it that the view I took of your mind agrees
with your own feelings, and that you were not displeased with the candor
with which I allowed my heart to express itself. Our acquaintance, al-
thought it comes late, awakens in me many a delightful hope; and is to me
another proof of how much better it often is to let chance have its way than
to forestall it with too much officiousness. Great as my desire always was to
become more closely acquainted with you than is possible for the spirit of a
writer and his most attentive reader, I now understand perfectly that the
very different paths upon which you and I have moved could not, with any
advantage to each other, have brought us together sooner than at the present
time. But now I may hope that we may travel together over the remainder
of our course and do so with increased benefit to each other, since the last
companions on a long journey have always the most to say to each other.

Erwarten Sie bei mir keinen großen materiellen Reichtum von Ideen; dies ist es, was ich bei Ihnen finden werde. Mein Bedürfnis und Streben ist, aus wenigem viel zu machen, und wenn Sie meine Armut an allem, was man erworbene Erkenntnis nennt, einmal

5 näher kennen sollten, so finden Sie vielleicht, daß es mir in manchen Stücken damit mag gelungen sein. Weil mein Gedankenkreis kleiner ist, so durchlaufe ich ihn eben darum schneller und öfter und kann eben darum meine kleine Barschaft besser nutzen und eine Mannigfaltigkeit, die dem Inhalte fehlt, durch die Form

10 erzeugen. Sie bestreben sich, Ihre große Ideenwelt zu simplifizieren, ich suche Varietät für meine kleinen Besitzungen. Sie haben ein Königreich zu regieren, ich nur eine etwas zahlreiche Familie von Begriffen, die ich herzlich gern zu einer kleinen Welt erweitern möchte.

15 Ihr Geist wirkt in einem außerordentlichen Grade intuitiv, und alle Ihre denkenden Kräfte scheinen auf die Imagination als ihre gemeinschaftliche Repräsentantin gleichsam kompromittiert zu haben. Im Grund ist dies das Höchste, was der Mensch aus sich machen kann, sobald es ihm gelingt, seine Anschauung zu gene-

20 ralisieren und seine Empfindung gesetzgebend zu machen. Danach streben Sie, und in wie hohem Grade haben Sie es schon

---

Do not expect to find in me any great store of ideas; this is what I shall find in you. My need and endeavor are to make much out of little; and should you once come to know my poverty with regard to all so-called acquired knowledge, you will perhaps agree that I have sometimes succeeded in doing so. Since the range of my ideas is smaller, I can run through it the more rapidly and the more frequently, and make better use of my small resources to produce in the realm of form that variety which is wanting in the subject-matter. You strive to simplify your great world of ideas; I seek variety for my small possessions. You have to govern a kingdom; I but a somewhat numerous family of ideas, which I should love to extend into a little world.

Your mind works intuitively to an extraordinary degree; and all your powers of thought seem, as it were, to have agreed to accept your imagination as their common representative. This, in reality, is the highest attitude attainable to man, provided he succeeds in perceiving what is of general significance and in feeling what is universally valid. You are striving for this, and how greatly you have already succeeded! My mind works rather more by way of symbolizing; and thus I hover as a hybrid between ideas and

erreicht! M e i n Verstand wirkt eigentlich mehr symbolisierend, und so schwebe ich als eine Zwitterart zwischen dem Begriff und der Anschauung, zwischen der Regel und der Empfindung, zwischen dem technischen Kopf und dem Genie. Dies ist es, was mir besonders in frühern Jahren sowohl auf dem Felde der Spe- 5 kulation als der Dichtkunst ein ziemlich linkisches Ansehn gegeben; denn gewöhnlich übereilte mich der Poet, wo ich philosophieren sollte, und der philosophische Geist, wo ich dichten wollte. Noch jetzt begegnet es mir häufig genug, daß die Einbildungskraft meine Abstraktionen und der kalte Verstand meine Dich- 10 tung stört. Kann ich dieser beiden Kräfte in soweit Meister werden, daß ich einer jeden durch meine Freiheit ihre Grenzen bestimmen kann, so erwartet mich noch ein schönes Los; leider aber, nachdem ich meine moralischen Kräfte recht zu kennen und zu gebrauchen angefangen, droht eine Krankheit meine physischen zu unter- 15 graben. Eine große und allgemeine geistige Revolution werde ich schwerlich Zeit haben in mir zu vollenden, aber ich werde tun, was ich kann, und wenn endlich das Gebäude zusammenfällt, so habe ich doch vielleicht das Erhaltungswerte aus dem Brande geflüchtet. 20

Sie wollten, daß ich von mir selbst reden sollte, und ich machte von dieser Erlaubnis Gebrauch. Mit Vertrauen lege ich Ihnen diese

---

intuitive perception, between laws and emotions, between the systematic thinker and genius. This it is that put me into a rather awkward position, particularly in my earlier years, both in the field of speculation and that of poetry; for usually the poet in me got the better of me when I was supposed to philosophize, and my philosophical mind when I wished to be a poet. Even now it happens frequently enough that my imagination interferes with my abstract thinking, and my intellect with my poetical productions. Should I be able to control both these powers to the extent of defining the limits of each by a free act of my reason, I may yet expect a happy fate; unfortunately, however, a disease threatens to undermine my physical strength now that I have begun to know and use my moral powers rightly. I can scarcely hope for enough time to complete any great and general mental revolution in myself; but I shall do what I can; and when at last the building collapses, I shall, perhaps, after all, have rescued from the ruins what was most worthy of being preserved.

You wished that I should speak of myself, and I have made use of this

Geständnisse hin, und ich darf hoffen, daß Sie sie mit Liebe aufnehmen. . .

### Schiller an Goethe

Jena, den 29. November 1794.

. . . . . . mit. . . Verlangen würde ich die Bruchstücke von
Ihrem *Faust,* die noch nicht gedruckt sind, lesen; denn ich ge-
5 stehe Ihnen, daß mir das, was ich von diesem Stücke gelesen, der
Torso des Herkules ist. Es herrscht in diesen Szenen eine Kraft
und eine Fülle des Genies, die den besten Meister unverkennbar
zeigt, und ich möchte diese große und kühne Natur, die darin
atmet, so weit als möglich verfolgen. . . .

### Goethe an Schiller

10 . . . . . Von *Faust* kann ich jetzt nichts mitteilen; ich wage
nicht das Paket aufzuschnüren, das ihn gefangen hält. Ich könnte
nicht abschreiben, ohne auszuarbeiten, und dazu fühle ich mir
keinen Mut. Kann mich künftig etwas dazu vermögen, so ist es
gewiß Ihre Teilnahme. . . .
Weimar, den 2. Dezember 1794.

### Schiller an Goethe

Jena, den 7. April 1797.

15 . . . . Über die letzthin berührte Materie von Behandlung der
Charaktere freue ich mich, wenn wir wieder zusammenkommen,
meine Begriffe mit Ihrer Hilfe noch recht ins Klare zu bringen.
Die Sache ruht auf dem innersten Grunde der Kunst, und sicher-
lich können die Wahrnehmungen, welche man von den bildenden
20 Künsten hernimmt, auch in der Poesie viel aufklären. Auch bei
Shakespeare ist es mir heute, wie ich den Julius Caesar mit Schle-
gel [10] durchging, recht merkwürdig gewesen, wie er das gemeine
Volk mit einer so ungemeinen Großheit behandelt. Hier, bei der
Darstellung des Volkscharakters, zwang ihn schon der Stoff, mehr

---

permission. I make these confessions to you in confidence, and hope that
you will receive them kindly. . . . .

ein poetisches Abstraktum als Individuen im Auge zu haben, und darum finde ich ihn hier den Griechen äußerst nah. Wenn man einen zu ängstlichen Begriff von Nachahmung des Wirklichen zu einer solchen Szene mitbringt, so muß einen die Masse und Menge mit ihrer Bedeutungslosigkeit nicht wenig embarrassieren; aber 5 mit einem kühnen Griff nimmt Shakespeare ein paar Figuren, ich möchte sagen nur ein paar Stimmen, aus der Masse heraus, läßt sie für das ganze Volk gelten, und sie gelten das wirklich; so glücklich hat er gewählt.

Es geschähe den Poeten und Künstlern schon dadurch ein 10 großer Dienst, wenn man nur erst ins Klare gebracht hätte, was die Kunst von der Wirklichkeit wegnehmen oder fallen lassen muß. Das Terrain würde lichter und reiner, das Kleine und Unbedeutende verschwände und für das Große würde Platz. Schon in der Behandlung der Geschichte ist dieser Punkt von der größten 15 Wichtigkeit, und ich weiß, wieviel der unbestimmte Begriff darüber mir schon zu schaffen gemacht hat. . . .

## Goethe an Schiller

. . . . . Ich wünsche die Materie, die uns beide so sehr interessiert, bald weiter mit Ihnen durchzusprechen. Diejenigen Vorteile, deren ich mich in meinem letzten Gedicht [11] bediente, habe ich 20 alle von der bildenden Kunst gelernt. Denn bei einem gleichzeitigen, sinnlich vor Augen stehenden Werke ist das Überflüssige weit auffallender als bei einem, das in der Succession vor den Augen des Geistes vorbeigeht. Auf dem Theater würde man große Vorteile davon spüren. So fiel mir neulich auf, daß man auf un- 25 serm Theater, wenn man an Gruppen denkt, immer nur sentimentale oder pathetische hervorbringt, da doch noch hundert andere denkbar sind. So erschienen mir dieser Tage einige Szenen im Aristophanes völlig wie antike Basreliefe [12] und sind gewiß auch in diesem Sinne vorgestellt worden. Es kommt im Ganzen 30 und im Einzelnen alles darauf an: daß alles voneinander abgesondert, daß kein Moment dem andern gleich sei; so wie bei den Charakteren, daß sie zwar bedeutend von einander abstehen, aber doch immer unter e i n Geschlecht gehören. . .

Weimar, den 8. April 1797.

## Goethe an Schiller

Da es höchst nötig ist, daß ich mir in meinem jetzigen un-
ruhigen Zustande etwas zu tun gebe, so habe ich mich entschlossen,
an meinen *Faust* zu gehen und ihn, wo nicht zu vollenden, doch
wenigstens um ein gutes Teil weiter zu bringen, indem ich das,
5 was gedruckt ist, wieder auflöse und mit dem, was schon fertig
oder erfunden ist, in große Massen disponiere und so die Ausführung des Plans, der eigentlich nur eine Idee ist, näher vor-
bereite. Nun habe ich eben diese Idee und deren Darstellung wieder vorgenommen und bin mit mir selbst ziemlich einig. Nun
10 wünschte ich aber, daß Sie die Güte hätten, die Sache einmal in
schlafloser Nacht durchzudenken, mir die Forderungen, die Sie
an das Ganze machen würden, vorzulegen und so mir meine
eignen Träume als ein wahrer Prophet zu erzählen und zu
deuten.

15 Da die verschiednen Teile dieses Gedichts in Absicht auf die
Stimmung verschieden behandelt werden können, wenn sie sich
nur dem Geist und Ton des Ganzen subordinieren, da übrigens
die ganze Arbeit subjektiv ist: so kann ich in einzelnen Momenten
daran arbeiten, und so bin ich auch jetzt etwas zu leisten imstande.

20 Unser Balladenstudium hat mich wieder auf diesen Dunst- und
Nebelweg gebracht, und die Umstände raten mir,[13] in mehr als
einem Sinne, eine Zeitlang darauf herum zu irren. . . .

Weimar, den 22. Juni 1797.

## Der Gott und die Bajadere

### Indische Legende

Mahadöh,[14] der Herr der Erde,
Kommt herab zum sechstenmal,
25 Daß er unsersgleichen werde,
Mit zu fühlen Freud' und Qual.
Er bequemt sich hier zu wohnen,
Läßt sich alles selbst geschehn.
Soll er strafen oder schonen,
30 Muß er Menschen menschlich sehn.

Und hat er die Stadt sich als Wandrer betrachtet,
Die Großen belauert, auf Kleine geachtet,
Verläßt er sie abends, um weiter zu gehn.


    Als er nun hinausgegangen,
      Wo die letzten Häuser sind,        5
      Sieht er, mit gemalten Wangen,
      Ein verlornes schönes Kind.
      Grüß' dich, Jungfrau! — Dank der Ehre!
      Wart', ich komme gleich hinaus —
      Und wer bist du? — Bajadere,     10
      Und dies ist der Liebe Haus.
Sie rührt sich die Cymbeln zum Tanze zu schlagen;
Sie weiß sich so lieblich im Kreise zu tragen,
Sie neigt sich und biegt sich und reicht ihm den Strauß.


    Schmeichelnd zieht sie ihn zur Schwelle,     15
      Lebhaft ihn ins Haus hinein.
      Schöner Fremdling, lampenhelle
      Soll sogleich die Hütte sein.
      Bist du müd', ich will dich laben,
      Lindern deiner Füße Schmerz.     20
      Was du willst, das sollst du haben,
      Ruhe, Freuden oder Scherz.
Sie lindert geschäftig geheuchelte Leiden.
Der Göttliche lächelt; er siehet mit Freuden
Durch tiefes Verderben ein menschliches Herz.     25


    Und er fordert Sklavendienste;
      Immer heitrer wird sie nur,
      Und des Mädchens frühe Künste
      Werden nach und nach Natur.
      Und so stellet auf die Blüte     30
      Bald und bald die Frucht sich ein;
      Ist Gehorsam im Gemüte,
      Wird nicht fern die Liebe sein.
Aber, sie schärfer und schärfer zu prüfen,

Wählet der Kenner der Höhen und Tiefen
Lust und Entsetzen und grimmige Pein.

    Und er küßt die bunten Wangen,
    Und sie fühlt der Liebe Qual,
5     Und das Mädchen steht gefangen,
    Und sie weint zum erstenmal;
    Sinkt zu seinen Füßen nieder,
    Nicht um Wollust noch Gewinst,
    Ach! und die gelenken Glieder,
10     Sie versagen allen Dienst.
Und so zu des Lagers vergnüglicher Feier
Bereiten den dunklen behaglichen Schleier
Die nächtlichen Stunden, das schöne Gespinst.

    Spät entschlummert unter Scherzen,
15     Früh erwacht nach kurzer Rast,
    Findet sie an ihrem Herzen
    Tot den vielgeliebten Gast.
    Schreiend stürzt sie auf ihn nieder;
    Aber nicht erweckt sie ihn,
20     Und man trägt die starren Glieder
    Bald zur Flammengrube hin.
Sie höret die Priester, die Totengesänge,
Sie raset und rennet und teilet die Menge.
Wer bist du? Was drängt zu der Grube dich hin?

25     Bei der Bahre stürzt sie nieder,
    Ihr Geschrei durchdringt die Luft:
    Meinen Gatten will ich wieder!
    Und ich such' ihn in der Gruft.
    Soll zur Asche mir zerfallen
30     Dieser Glieder Götterpracht?
    Mein! er war es, mein vor allen!
    Ach, nur Eine süße Nacht!
Es singen die Priester: wir tragen die Alten,
Nach langem Ermatten und spätem Erkalten,
35 Wir tragen die Jugend, noch eh' sie's gedacht.

Höre deiner Priester Lehre:
Dieser war dein Gatte nicht.
Lebst du doch als Bajadere,
Und so hast du keine Pflicht.
Nur dem Körper folgt der Schatten 5
In das stille Totenreich;
Nur die Gattin folgt dem Gatten:
Das ist Pflicht und Ruhm zugleich.
Ertöne, Drommete, zu heiliger Klage!
O nehmet, ihr Götter! die Zierde der Tage, 10
O nehmet den Jüngling in Flammen zu euch!

So das Chor, das ohn' Erbarmen
Mehret ihres Herzens Not;
Und mit ausgestreckten Armen
Springt sie in den heißen Tod. 15
Doch der Götter-Jüngling hebet
Aus der Flamme sich empor,
Und in seinen Armen schwebet
Die Geliebte mit hervor.
Es freut sich die Gottheit der reuigen Sünder; 20
Unsterbliche heben verlorene Kinder
Mit feurigen Armen zum Himmel empor.

## Schiller an H. Meyer [15]

Jena, den 21. Juli 1797.

. . . . Sein episches Gedicht (*Hermann und Dorothea*) haben
Sie gelesen; Sie werden gestehen, daß es der Gipfel seiner und
unserer ganzen neueren Kunst ist. Ich hab' es entstehen sehen 25
und mich fast ebenso sehr über die Art der Entstehung als über
das Werk verwundert. Während wir andern mühselig sammeln
und prüfen müssen, um etwas Leidliches langsam hervorzubringen, darf er nur leis an dem Baume schütteln, um sich die
schönsten Früchte, reif und schwer, zufallen zu lassen. Es ist 30
unglaublich, mit welcher Leichtigkeit er jetzt die Früchte eines
wohlangewandten Lebens und einer anhaltenden Bildung an

sich selber einerntet, wie bedeutend und sicher jetzt alle seine
Schritte sind, wie ihn die Klarheit über sich selbst und über die
Gegenstände vor jedem eiteln Streben und Herumtappen bewahrt.
Doch Sie haben ihn jetzt selbst und können sich von allem dem
5 mit eignen Augen überzeugen. Sie werden mir aber auch darin
beipflichten, daß er auf dem Gipfel, wo er jetzt steht, mehr darauf
denken muß, die schöne Form, die er sich gegeben hat, zur Darstellung zu bringen als nach neuem Stoffe auszugehen, kurz,
daß er jetzt ganz der poetischen Praktik leben muß. Wenn es ein-
10 mal einer unter Tausenden, die danach streben, dahin gebracht
hat, ein schönes vollendetes Ganzes aus sich zu machen, der kann
meines Erachtens nichts besseres tun, als dafür jede mögliche Art
des Ausdrucks zu suchen; denn wie weit er auch noch kommt, er
kann doch nichts Höheres geben. — Ich gestehe daher, daß mir
15 alles, was er bei einem längern Aufenthalt in Italien für gewisse
Zwecke auch gewinnen möchte, für seinen höchsten und nächsten
Zweck doch immer verloren scheinen würde. Also bewegen Sie
ihn auch schon deswegen, lieber Freund, recht bald zurückzu-
kommen und das, was er zu Hause hat, nicht zu weit zu su-
20 chen. . . .

## Goethe an Schiller

Ohne den mindesten Anstoß bin ich vergnügt und gesund nach
Frankfurt gelangt und überlege in einer ruhigen und heitern
Wohnung nun erst, was es heiße, in meinen Jahren in die Welt zu
gehen. In früherer Zeit imponieren und verwirren uns die Gegen-
25 stände mehr, weil wir sie nicht beurteilen noch zusammenfassen
können, aber wir werden doch mit ihnen leichter fertig, weil wir
nur aufnehmen, was in unserm Wege liegt, und rechts und links
wenig achten. Später kennen wir die Dinge mehr, es interessiert
uns deren eine größere Anzahl, und wir würden uns gar übel be-
30 finden, wenn uns nicht Gemütsruhe und Methode in diesen Fällen
zu Hilfe käme. . . . .

Sehr merkwürdig ist mir aufgefallen, wie es eigentlich mit dem
Publikum einer großen Stadt beschaffen ist. Es lebt in einem be-
ständigen Taumel von Erwerben und Verzehren, und das, was
35 wir Stimmung nennen, läßt sich weder hervorbringen noch mit-

teilen. Alle Vergnügungen, selbst das Theater, sollen nur zerstreuen, und die große Neigung des lesenden Publikums zu
Journalen und Romanen entsteht eben daher, weil jene immer
und diese meist Zerstreuung in die Zerstreuung bringen.

Ich glaube sogar eine Art von Scheu gegen poetische Produk- 5
tionen, oder wenigstens insofern sie poetisch sind, bemerkt zu
haben, die mir aus eben diesen Ursachen ganz natürlich vorkommt. Die Poesie verlangt, ja sie gebietet Sammlung, sie isoliert
den Menschen wider seinen Willen, sie drängt sich wiederholt auf
und ist in der breiten Welt (um nicht zu sagen in der großen) so 10
unbequem wie eine treue Liebhaberin. . .

Frankfurt am Main, den 9. August 1797.

## Schiller an Goethe

Jena, den 17. August 1797.

Die Vorstellung, welche Sie mir von Frankfurt und großen
Städten überhaupt geben, ist nicht tröstlich, weder für den Poeten
noch für den Philosophen, aber ihre Wahrheit leuchtet ein, und
da es einmal ein festgesetzter Punkt ist, daß man nur für sich 15
selber philosophiert und dichtet, so ist auch nichts dagegen zu
sagen; im Gegenteil, es bestärkt einen auf dem eingeschlagenen
guten Weg und schneidet jede Versuchung ab, die Poesie zu
etwas Äußerem zu gebrauchen.

So viel ist auch mir bei meinen wenigen Erfahrungen klar ge- 20
worden, daß man den Leuten, im ganzen genommen, durch die
Poesie nicht wohl, hingegen recht übel machen kann, und mir
deucht, wo das eine nicht zu erreichen ist, da muß man das andere
einschlagen. Man muß sie inkommodieren, ihnen ihre Behaglich-
keit verderben, sie in Unruhe und Erstaunen setzen. Eins von 25
beiden, entweder als ein Genius oder als ein Gespenst muß die
Poesie ihnen gegenüber stehen. Dadurch allein lernen sie an die
Existenz einer Poesie glauben und bekommen Respekt vor den
Poeten. Ich habe auch diesen Respekt nirgends größer gefunden
als bei dieser Menschenklasse, obgleich auch nirgends so unfrucht- 30
bar und ohne Neigung. Etwas ist in allen, was für den Poeten
spricht, und Sie mögen ein noch so ungläubiger Realist sein, so

müssen Sie mir doch zugeben, daß dieses X der Same des Idealismus ist und daß dieser allein noch verhindert, daß das wirkliche Leben mit seiner gemeinen Empirie nicht alle Empfänglichkeit für das Poetische zerstört. Freilich ist es wahr, daß die eigentliche
5 schöne und ästhetische Stimmung dadurch noch lange nicht befördert wird, daß sie vielmehr gar oft dadurch verhindert wird so wie die Freiheit durch die moralischen Tendenzen. Aber es ist schon viel gewonnen, daß ein Ausweg aus der Empirie geöffnet ist. . . .

## Schiller an Goethe

Jena, den 8. Dezember 1797.

10 . . . . . An den *Wallenstein* werde ich mich so sehr halten, als ich kann, aber das pathologische Interesse der Natur an einer solchen Dichterarbeit hat viel Angreifendes für mich.[16] Glücklicherweise alteriert meine Kränklichkeit nicht meine Stimmung, aber sie macht, daß ein lebhafter Anteil mich schneller erschöpft
15 und in Unordnung bringt. Gewöhnlich muß ich daher e i n e n Tag der glücklichen Stimmung mit fünf oder sechs Tagen des Drucks und des Leidens büßen. Dies hält mich erstaunlich auf, wie Sie denken können. Doch gebe ich die Hoffnung nicht auf, den *Wallenstein* noch in dem nächsten Sommer in Weimar spielen
20 zu sehen. . . .

## Goethe an Schiller

. . . . . Ich kann mir den Zustand Ihres Arbeitens recht gut denken. Ohne ein lebhaftes pathologisches Interesse ist es auch mir niemals gelungen, irgend eine tragische Situation zu bearbeiten, und ich habe sie daher lieber vermieden als aufgesucht. Sollte es
25 wohl auch einer von den Vorzügen der Alten gewesen sein, daß das höchste Pathetische auch nur ästhetisches Spiel bei ihnen gewesen wäre, da bei uns die Naturwahrheit mitwirken muß, um ein solches Werk hervorzubringen? [17] Ich kenne mich zwar nicht selbst genug, um zu wissen, ob ich eine wahre Tragödie
30 schreiben könnte; ich erschrecke aber bloß vor dem Unternehmen

und bin beinahe überzeugt, daß ich mich durch den bloßen
Versuch zerstören könnte. . . .
Weimar, den 9. Dezember 1797.

### Schiller an Goethe

Jena, den 12. Dezember 1797.

. . . . Sollte es wirklich an dem sein, daß die Tragödie ihrer
pathetischen Gewalt wegen Ihrer Natur nicht zusagte? In allen
Ihren Dichtungen finde ich die ganze tragische Gewalt und Tiefe, 5
wie sie zu einem vollkommenen Trauerspiel hinreichen würde;
im *Wilhelm Meister* liegt, was die Empfindung betrifft, mehr als
e i n e Tragödie; ich glaube, daß bloß die strenge gerade Linie,
nach welcher der tragische Poet fortschreiten muß, Ihrer Natur
nicht zusagt, die sich überall mit einer freieren Gemütlichkeit 10
äußern will. Alsdann glaube ich auch, eine gewisse Berechnung
auf den Zuschauer, von der sich der tragische Poet nicht dispensieren kann, der Hinblick auf einen Zweck, den äußern Eindruck,
der bei dieser Dichtungsart nicht ganz erlassen wird, geniert Sie,
und vielleicht sind Sie gerade nur deswegen weniger zum Tra- 15
gödiendichter geneigt, weil Sie so ganz zum Dichter in seiner
generischen Bedeutung erschaffen sind. Wenigstens finde ich in
Ihnen alle p o e t i s c h e n Eigenschaften des Tragödiendichters
im reichlichsten Maß, und wenn Sie wirklich dennoch keine ganz
wahre Tragödie sollten schreiben können, so müßte der Grund in 20
den nicht poetischen Erfordernissen liegen. . . .

### Goethe an Schiller

. . . . . Das günstige Zusammentreffen unserer beiden Naturen
hat uns schon manchen Vorteil verschafft, und ich hoffe, dieses
Verhältnis wird immer gleich fortwirken. Wenn ich Ihnen zum
Repräsentanten mancher Objekte diente, so haben Sie mich von 25
der allzu strengen Beobachtung der äußern Dinge und ihrer Verhältnisse auf mich selbst zurückgeführt, Sie haben mich die Vielseitigkeit des innern Menschen mit mehr Billigkeit anzuschauen
gelehrt, Sie haben mir eine zweite Jugend verschafft und mich

wieder zum Dichter gemacht, welcher zu sein ich so gut als aufgehört hatte.

Sehr sonderbar spüre ich noch immer den Effekt meiner Reise. Das Material, das ich darauf erbeutet, kann ich zu nichts brauchen, 5 und ich bin außer aller Stimmung gekommen, irgend etwas zu tun. Ich erinnere mich aus früherer Zeit eben solcher Wirkungen, und es ist mir aus manchen Fällen und Umständen recht wohl bekannt: daß Eindrücke bei mir sehr lange im stillen wirken müssen, bis sie zum poetischen Gebrauch sich willig finden lassen. . . .

Weimar, den 6. Januar 1798.

## Schiller an Goethe

Jena, 27. März 1801.

10 . . . . Erst vor einigen Tagen habe ich Schelling [18] den Krieg gemacht wegen einer Behauptung in seiner Transzendentalphilosophie, daß „in der Natur von dem Bewußtlosen angefangen werde, um es zum Bewußten zu erheben, in der Kunst hingegen man vom Bewußtsein ausgehe zum Bewußtlosen." Ihm ist (es) 15 zwar hier nur um den Gegensatz zwischen dem Natur- und dem Kunstprodukt zu tun, und insofern hat er ganz recht. Ich fürchte aber, daß diese Herren Idealisten ihrer Ideen wegen allzu wenig Notiz von der Erfahrung nehmen, und in der Erfahrung fängt auch der Dichter nur mit dem Bewußtlosen an, ja, er hat sich glücklich 20 zu schätzen, wenn er durch das klarste Bewußtsein seiner Operationen nur so weit kommt, um die erste dunkle Totalidee seines Werks in der vollendeten Arbeit ungeschwächt wieder zu finden. Ohne eine solche dunkle, aber mächtige Totalidee, die allem

---

. . . . Only a few days ago I attacked Schelling about an assertion he makes in his Transcendental Philosophy, that "in Nature, one starts from the Unconscious in order to raise it to the Conscious; whereas in Art, one proceeds from the Conscious to the Unconscious." Here, it is true, he speaks only of the contrast between the product of Nature and that of Art; in so far he is quite right. I fear, however, that idealists such as he is, on account of their ideas, take too little notice of experience; and in experience, the poet too only starts with the Unconscious; he may even consider himself fortunate if, by being most clearly conscious of his operations, he gets to that point where he meets again in the work he has completed, with the first, obscure

Technischen vorhergeht, kann kein poetisches Werk entstehen, und die Poesie, dünkt mir, besteht eben darin, jenes Bewußtlose aussprechen und mitteilen zu können, d.h. es in ein Objekt zu übertragen. Der Nichtpoet kann so gut als der Dichter von einer poetischen Idee gerührt sein, aber er kann sie in kein Objekt 5 legen, er kann sie nicht mit einem Anspruch auf Notwendigkeit darstellen. Ebenso kann der Nichtpoet so gut als der Dichter ein Produkt mit Bewußtsein und mit Notwendigkeit hervorbringen, aber ein solches Werk fängt nicht aus dem Bewußtlosen an und endigt nicht in demselben. Es bleibt nur ein Werk der Beson- 10 nenheit. Das Bewußtlose mit dem Besonnenen vereinigt macht den poetischen Künstler aus.

Man hat in den letzten Jahren, über dem Bestreben der Poesie einen höheren G r a d zu geben, ihren Begriff verwirrt. Jeden, der imstande ist, seinen Empfindungszustand in ein Objekt zu legen, 15 so, daß dieses Objekt mich nötigt, in jenen Empfindungszustand überzugehen, folglich lebendig auf mich wirkt, heiße ich einen Poeten, einen Macher. Aber nicht jeder Poet ist darum dem G r a d nach ein vortrefflicher. Der Grad seiner Vollkommenheit beruht auf dem Reichtum, dem Gehalt, den er in sich hat und folglich 20 außer sich darstellt, und auf dem Grad von Notwendigkeit, die sein Werk ausübt. Je subjektiver sein Empfinden ist, desto zu-

---

total-idea of his work and finds it unweakened. There can be no poetic work without an obscure, but mighty total-idea of this kind, which precedes all technical work; and poetry seems to me, in fact, to consist in being able to express and communicate that unconscious state, in other words, to transfer it to some object. The non-poet, as well as the poet, can be touched by a poetic idea; but he cannot transfer it to any object; he cannot represent it with any claim to necessity. In like manner the non-poet, like the poet, may compose with consciousness and necessity; but a work of this kind does not start from the Unconscious and does not end with it. It is but a work of re-flection. Unconsciousness combined with reflection constitutes the poet.

Of late years, in the endeavor to give poetry a higher degree of perfection, people have become confused about their idea of it. Anyone who is able to place his own feelings into an object so that this object compels me to pass over into that state of feeling and, accordingly, works actively upon me, him I call a poet, a maker. But not every poet is on this account a poet of high rank. The degree of his excellence depends upon the wealth, the sub-stance, which he has in him and consequently places into an object, and also

fälliger ist es; die objektive Kraft beruht auf dem Ideellen. Totali-
tät des Ausdrucks wird von jedem dichterischen Werk gefordert,
denn jedes muß Charakter haben, oder es ist nichts; aber der voll-
kommene Dichter spricht das Ganze der Menschheit aus.

5 Es leben jetzt mehrere so weit ausgebildete Menschen, die nur
das ganz Vortreffliche befriedigt, die aber nicht imstande wären,
auch nur etwas Gutes hervorzubringen. Sie können nichts m a -
c h e n , ihnen ist der Weg vom Subjekt zum Objekt verschlossen;
aber eben dieser Schritt macht mir den Poeten.

10 Ebenso gab und gibt es Dichter genug, die etwas Gutes und
Charakteristisches hervorbringen können, aber mit ihrem Produkt
jene hohen Forderungen nicht erreichen, ja nicht einmal an sich
selbst machen. Diesen nun, sage ich, fehlt nur der G r a d , jenen
fehlt aber die A r t , und dies, meine ich, wird jetzt zu wenig
15 unterschieden. Daher ein unnützer und niemals beizulegender
Streit zwischen beiden, wobei die Kunst nichts gewinnt; denn die
ersten, welche sich auf dem vagen Gebiet des Absoluten aufhalten,
halten ihren Gegnern immer nur die dunkle I d e e d e s H ö c h -
s t e n entgegen, diese hingegen haben die T a t für sich, die zwar

---

upon the degree of necessity which his work represents. The more sub-
jective his feelings, the more accidental is his work; its objective power rests
upon its universal significance. Totality of expression is a thing demanded
of every poetic work; for it must possess character, or it is nothing. The
perfect poet, however, gives expression to what is common to all mankind.

There are nowadays some persons of such great culture that they are
satisfied only with what is altogether excellent, and yet who are not able
themselves to produce anything even good. They cannot *make* anything;
to them the path from the subject to the object is closed. But it seems to me
that this very step makes the poet.

On the other hand, there have been and still are poets enough, capable
of producing something good and characteristic, but who do not attain the
above high demands in their works, and who do not even make these demands of themselves. These, I should say, lack the *degree* (of perfection),
while the former lack the poetic *faculty* altogether; and it seems to me that
too little attention is now paid to this difference. This results in a useless
dispute between the two which can never be settled; and Art gains nothing
by it; for the former, who take up their position on the vague domain of
the Absolute, are ever holding up to their opponents the obscure *idea of the
highest;* whereas the latter have the *deed* (actual poetic production) in their

beschränkt, aber reell ist. Aus der Idee aber kann ohne die T a t gar nichts werden.

Ich weiß nicht, ob ich mich deutlich genug ausgedrückt habe, ich möchte Ihre Gedanken über diese Materie wissen, welche einem durch den jetzigen Streit in der ästhetischen Welt so nahe 5 gelegt wird. . . .

## Goethe an Schiller

. . . . . Was die Fragen betrifft, die Ihr letzter Brief enthält, bin ich nicht allein Ihrer Meinung, sondern ich gehe noch weiter. Ich glaube, daß alles, was das Genie als Genie tut, unbewußt geschehe. Der Mensch von Genie kann auch verständig handeln, 10 nach gepflogener Überlegung, aus Überzeugung; das geschieht aber alles nur so nebenher. Kein Werk des Genies kann durch Reflexion und ihre nächsten Folgen verbessert, von seinen Fehlern befreit werden; aber das Genie kann sich durch Reflexion und Tat nach und nach dergestalt hinaufheben, daß es endlich musterhafte 15 Werke hervorbringt. Je mehr das Jahrhundert selbst Genie hat, desto mehr ist das einzelne (Genie) gefördert.

Was die großen Anforderungen betrifft, die man jetzt an den Dichter macht, so glaube ich auch, daß sie nicht leicht einen Dichter hervorbringen werden. Die Dichtkunst verlangt im Sub- 20

---

favor, which is indeed not perfect, yet real. An idea, however, cannot amount to anything if it does not result in actual poetic production.

I do not know whether I have expressed myself clearly enough; but I should like to know your thoughts on this subject, which is called to one's attention by the present dispute in the esthetic world. . . .

Goethe to Schiller

. . . With regard to the questions contained in your last letter: I not only agree with your opinion, but go even further. I think that everything that is done by genius, as genius, is done unconsciously. A person of genius can also act rationally, with reflection, from conviction; but this is all done incidentally. No work of genius can be improved or freed from its faults by reflection and its immediate results; but genius can be raised gradually by reflection and creative activity so that in the end it produces exemplary works. The more genius a century possesses, the more the individual genius is furthered.

With regard to the great demands now made of the poet, I, too, am of the opinion that these will not readily call forth a poet. The art of poetry re-

jekt, das sie ausüben soll, eine gewisse gutmütige, ins Reale ver-
liebte Beschränktheit, hinter welcher das Absolute verborgen liegt.
Die Forderungen von oben herein zerstören jenen unschuldigen
produktiven Zustand und setzen, vor lauter Poesie, an die Stelle
5 der Poesie etwas, das nun ein für allemal nicht Poesie ist, wie wir
in unsern Tagen leider gewahr werden; und so verhält es sich
mit den verwandten Künsten, ja der Kunst im weitesten Sinne.

Dies ist mein Glaubensbekenntnis, welches übrigens keine weiteren Ansprüche macht. . . .

Oberroßla, den 6. April 1801.

---

quires of the person who is to exercise it, a certain good-natured kind of
narrowness enamoured of what is real, behind which lies concealed what
is universal. Demands made by criticism destroy the innocent productive
state, and by insisting on poetic perfection, give us in place of poetry something that is in fact no poetry at all, as unfortunately we have seen in our
own day. The same is the case with the related arts, indeed, with Art in its
widest sense.

This is my confession of faith, which, however, does not make any
further claims. . . .

# IV

## GOETHE, BETTINA UND BEETHOVEN

BETTINA BRENTANO

GOETHE UND BEETHOVEN, so grundverschieden sie waren, hatten eine gemeinsame Freundin, Bettina. Sie war eine Tochter von Maximiliane Brentano, mit der Goethe in seiner Jugend eng befreundet war, und deren Mutter, Sophie La Roche,[1] eine geistreiche Frau, die selbst schriftstellerte, sich sehr für den 5 jungen Goethe interessiert hatte. Bettinas Eltern starben, als sie noch Kind war, und sie wurde im Kloster erzogen. Im stillen Klostergarten, in täglichem Verkehr mit der Natur entwickelte sich Bettinas urwüchsige Phantasie, die aus allem Lebendigen Freude und Anregung schöpfte. „Du bist wie eine Pflanze," so 10 beschrieb sie eine Freundin, Karoline von Günderode,[2] „ein bißchen Regen erfrischt dich, die Luft begeistert dich, und die Sonne verklärt dich. . . Morgendämmerung, Mittagsschein und Abendwolken sind deine lieben Gesellen." Bettina war vielseitig begabt, sie zeichnete, komponierte und schriftstellerte. Sie reiste viel und 15 war gern unter Menschen. Durch ihre oft übermütige Lebhaftigkeit, aber auch durch ihr echtes Mitgefühl und ihre Begeisterung für alles Große zog sie fast jeden an. Auf Wilhelm von Humboldt,[3] der sie 1808 in München kennen lernte, machte sie einen starken Eindruck: „Eine junge Brentano, Bettina, 23 Jahre alt, 20 Karl Laroches Nichte, hat mich hier in das größte Erstaunen versetzt. Solche Lebhaftigkeit, solche Gedanken- und Körpersprünge (denn sie sitzt bald auf der Erde, bald auf dem Ofen), so viel Geist und so viel Narrheit ist unerhört. . . . Man ist wie in einer andern Welt." Sie kannte die bedeutendsten Menschen ihrer 25 Zeit und stand in den dreißiger und vierziger Jahren in Berlin im Zentrum der fortschrittlichen humanitären Bewegung. Ihre unerschrockene Pflege der Armen Berlins während der Choleraepidemie von 1831 beweist, wie ernst es ihr damit war.

Bei ihrer Großmutter Sophie La Roche in Frankfurt hörte 30 Bettina als Kind viel von Goethe. Ihr Bruder Clemens,[4] der romantische Dichter, riet ihr „nur Goethe" zu lesen, und die Be-

geisterung für Goethes Dichtungen begleitete sie durch ihr ganzes
Leben. Noch im Todesjahr Goethes 1832 schrieb sie an ihn:
„Wahrlich heute sauge ich noch aus Dir alle Energie des Lebens,
mäßigt, kräftigt der Gesang Deiner Lieder meine geistigen Re-
5 gungen. . . ."

Bettinas Verehrung für Goethe wurde zum Grundthema ihres
Lebens. In ihm sah sie den größten Künstler und den größten
Menschen und liebte ihn als Vorbild, als Freund, als den er-
korenen Gefährten ihres Geistes. Alles, was zu Goethe Beziehung
10 hatte, war ihr interessant und lieb. So schloß sie sich als junges
Mädchen in Frankfurt eng an Goethes Mutter an und hörte mit
Entzücken zu, wenn die Frau Rat aus ihren Erinnerungen von
Goethes Kindheit erzählte. In ihrem lebhaften Temperament war
sie Goethes Mutter ähnlich, und die beiden verstanden sich aus-
15 gezeichnet. Im Jahre 1807 bot sich ihr die Gelegenheit, in Begleitung ihrer Schwester und ihres Schwagers, des bekannten
Juristen Savigny, nach Weimar zu fahren und dort Goethe persönlich kennen zu lernen. Goethes Mutter, die selten genug von
Goethe brieflich hörte, die selbst ungern reiste und ihn nie in
20 Weimar besuchte, freute sich sehr auf Bettinas ausführlichen
Bericht. Bettina hat ihn später, wie auch ihre Korrespondenz mit
Goethe, in ihr Buch *Goethes Briefwechsel mit einem Kinde* (1835)
aufgenommen und ihn dabei vielleicht etwas verändert, wie sie
überhaupt alles, was sie veröffentlichte, lange überarbeitete und
25 feilte. Trotzdem gibt er sicher ein im Wesentlichen authentisches
Bild ihrer ersten Zusammenkunft mit Goethe, worin sich ihre
Jugend und Eigenart und Goethes etwas erstaunte Väterlichkeit
unnachahmlich verbinden.

## Bettina an Goethes Mutter

Am 16. Mai 1807.

Ich hab gestern an Ihren Sohn geschrieben; verantwort Sie es
30 bei ihm. — Ich will auch gern alles schreiben; aber ich hab jetzt
immer so viel zu denken, es ist mir fast eine Unmöglichkeit, mich
loszureißen, ich bin in Gedanken immer bei ihm; wie soll ich
denn sagen, wie es gewesen ist? — Hab Sie Nachsicht und Ge-

duld; ich will die ander Woch nach Frankfurt kommen, da kann
Sie mir alles abfragen.

Ihr Kind

Bettine

Ich lieg schon eine Weile im Bett, und da treibt's mich heraus, 5
daß ich Ihr alles schreib von unserer Reise. —

In Weimar kamen wir um zwölf Uhr an; wir aßen zu Mittag,
ich aber nicht. Die beiden (ihre Schwester und ihr Schwager)
legten sich aufs Sofa und schliefen; drei Nächte hatten wir durch-
wacht. „Ich rate Ihnen," sagte mein Schwager, „auch auszuruhen; 10
der Goethe wird sich nicht viel draus machen, ob Sie zu ihm kommen oder nicht, und was Besondres wird auch nicht an ihm zu
sehen sein." Kann Sie denken, daß mir diese Rede allen Mut benahm? — Ach, ich wußte nicht, was ich tun sollte, ich war ganz
allein in der fremden Stadt; ich hatte mich anders angekleidet, 15
ich stand am Fenster und sah nach der Turmuhr, eben schlug es
halb drei. — Es war mir auch so, als ob sich Goethe nichts draus
machen werde mich zu sehen; es fiel mir ein, daß ihn die Leute
stolz nennen; ich drückte mein Herz fest zusammen, daß es nicht
begehren solle; — auf einmal schlug es drei Uhr. Und da war's 20
doch auch grad, als hätte er mich gerufen; ich lief hinunter nach
dem Lohnbedienten. Kein Wagen war da. Eine Portechaise?
Nein, sagt ich, das ist eine Equipage fürs Lazarett. Wir gingen zu
Fuß. Es war ein wahrer Schokoladenbrei auf der Straße, über
den dicksten Morast mußte ich mich tragen lassen, und so kam 25
ich zu Wieland, nicht zu Ihrem Sohn. Den Wieland hatte ich nie
gesehen, ich tat, als sei ich eine alte Bekanntschaft von ihm, er be-
sann sich hin und her und sagte: „Ja, ein lieber bekannter Engel
sind Sie gewiß, aber ich kann mich nur nicht besinnen, wann und
wo ich Sie gesehen habe." Ich scherzte mit ihm und sagte: „Jetzt 30
hab ich's herausgekriegt, daß Sie von mir träumen, denn anderswo
können Sie mich unmöglich gesehen haben." Von ihm ließ ich
mir ein Billet an Ihren Sohn geben, ich hab es mir nachher mit-
genommen und zum Andenken aufbewahrt; und hier schreib
ich's ab.                                                        35

Bettine Brentano, Sophiens Schwester, Maximilianens
Tochter, Sophien La Roches Enkelin, wünscht Dich zu

sehen, l. Br. (= lieber Bruder), und gibt vor, sie fürchte
sich vor Dir, und ein Zettelchen, das ich ihr mitgäbe,
würde ein Talisman sein, der ihr Mut gäbe. Wiewohl ich
ziemlich gewiß bin, daß Sie nur einen Spaß mit mir
5 treibt, so muß ich doch tun, was sie haben will — und es
soll mich wundern, wenn Dir's nicht ebenso wie mir geht.
Den 23sten April 1807.

W.

Mit diesem Billet ging ich hin, das Haus liegt dem Brunnen gegenüber, wie rauschte mir das Wasser so betäubend — ich kam die
10 einfache Treppe hinauf, in der Mauer stehen Statuen von Gips, sie
gebieten Stille. Zum wenigsten ich könnte nicht laut werden auf
diesem heiligen Hausflur. Alles ist freundlich und doch feierlich.
In den Zimmern ist die größte Einfachheit zu Hause, ach, so ein-
ladend! Fürchte dich nicht, sagten mir die bescheidenen Wände,
15 er wird kommen und wird sein und nicht m e h r sein wollen wie
du — und da ging die Tür auf, und da stand er, feierlich ernst,
und sah mich unverwandten Blickes an; ich streckte die Hände
nach ihm, glaub ich — bald wußt ich nichts mehr. Goethe fing
mich rasch an sein Herz. „Armes Kind, hab ich Sie erschreckt?"
20 das waren die ersten Worte, mit denen seine Stimme mir ins Herz
drang; er führte mich in sein Zimmer und setzte mich auf dem
Sofa gegen sich über. Da waren wir beide stumm; endlich unter-
brach er das Schweigen: „Sie haben wohl in der Zeitung gelesen,
daß wir einen großen Verlust vor wenig Tagen erlitten haben
25 durch den Tod der Herzogin Amalie." „Ach!" sagt ich, „ich lese
die Zeitung nicht." — „So! — ich habe geglaubt, alles interessiere
Sie, was in Weimar vorgehe." — „Nein, nichts interessiert mich
als nur Sie, und da bin ich viel zu ungeduldig, in der Zeitung zu
blättern." — „Sie sind ein freundliches Kind." — Lange Pause —
30 ich auf das fatale Sofa gebannt, so ängstlich. Sie weiß, daß es mir
unmöglich ist, so wohlerzogen da zu sitzen. — Ach, Mutter!
Kann man sich selbst so überspringen? — Ich sagte plötzlich:
„Hier auf dem Sofa kann ich nicht bleiben," und sprang auf. —
„Nun," sagte er, „machen Sie sich's bequem;" nun flog ich ihm
35 an den Hals, er zog mich aufs Knie und schloß mich ans Herz. —
Still, ganz still war's, alles verging. Ich hatte so lange nicht geschlafen; Jahre waren vergangen in Sehnsucht nach ihm — ich

schlief an seiner Brust ein; und da ich aufgewacht war, begann
ein neues Leben. Und mehr will ich Ihr diesmal nicht schreiben.

Bettine

Die Freundschaft zwischen Goethe und Bettina, die damals
trotz des großen Altersunterschiedes entstand, führte zu einem 5
lebhaften Briefwechsel. Bettina überschüttete Goethe förmlich mit
ihren Berichten von all ihrem äußeren und inneren Leben, und
Goethe hatte großes Gefallen an ihrem Ideenreichtum und ihrer
anschaulichen, originellen Ausdrucksweise. Seine eigenen Briefe,
soweit wir sie im Original und nicht nur aus Bettinas Buch kennen, 10
waren kürzer und trockner, aber sie verrieten doch seine freund-
liche Teilnahme an dem „interessanten Bettinchen". „Deine Briefe
sind mir sehr erfreulich, sie erinnern mich an die Zeit, da ich
vielleicht so närrisch war wie Du, aber gewiß glücklicher und
besser als jetzt," schrieb er ihr am 3. November 1809.          15
Im Mai 1810 war Bettina in Wien zu Besuch bei ihrem Bruder
Franz Brentano und seiner Frau, die mit Beethoven bekannt
waren. Wie sie drei Jahre vorher in Weimar, allein, ein wenig
ängstlich und doch mit entschlossener Begeisterung zu Goethe
kam, so kam sie jetzt zu Beethoven. Es war ein Erlebnis, das Bettina 20
fast überwältigte. Vergebens versuchte sie darüber an Goethe zu
schreiben. Sie schrieb auf, was sie erfahren, gedacht, empfunden
hatte, aber sie schickte nur ein kurzes Briefchen und verschob den
eigentlichen Bericht bis zu ihrem nächsten Besuch bei Goethe. Im
August überraschte sie ihn in Teplitz,[5] blieb zwei Tage, erzählte 25
„Unendliches von alten und neuen Abenteuern", wie Goethe
seiner Frau schrieb, und hinterließ ihm schließlich auch noch ihre
Aufzeichnungen, die sie in Wien gemacht und nicht abgeschickt
hatte. „Sie war wirklich hübscher und liebenswürdiger wie sonst.
Aber gegen andre Menschen sehr unartig." Diese letzte Be- 30
merkung Goethes bezieht sich wahrscheinlich auf Bettinas Betragen gegen Goethes Freund Zelter,[6] den Berliner Dirigenten
und Komponisten, der damals Bettinas Verehrung für Beethoven
nicht teilte und ihrer Absicht, Goethe für Beethoven zu interessie-
ren, entgegengewirkt hatte.                                     35
Ihre mündlichen und schriftlichen Erzählungen von ihrer Be-

gegnung mit Beethoven hat Bettina später auch in ihrem oben
genannten Buche — in einen Brief an Goethe zusammengefaßt —
veröffentlicht.

### Bettina an Goethe

Wien, am 28. Mai.

..... Es ist Beethoven, von dem ich Dir jetzt sprechen will
5 und bei dem ich der Welt und Deiner vergessen habe; ich bin
zwar unmündig, aber ich irre darum nicht, wenn ich ausspreche
(was jetzt vielleicht keiner versteht und glaubt), er schreitet weit
der Bildung der ganzen Menschheit voran, und ob wir ihn je
einholen? ..... Er selber sagte: „Wenn ich die Augen auf-
10 schlage, so muß ich seufzen, denn was ich sehe, ist gegen meine
Religion, und die Welt muß ich verachten, die nicht ahnt, daß
Musik höhere Offenbarung ist als alle Weisheit und Philosophie,
sie ist der Wein, der zu neuen Erzeugungen begeistert, und ich bin
der Bacchus, der für die Menschen diesen herrlichen Wein keltert
15 und sie geistestrunken macht, wenn sie dann wieder nüchtern
sind, dann haben sie allerlei gefischt, was sie mit aufs Trockne
bringen. — Keinen Freund hab ich, ich muß mit mir allein leben;
ich weiß aber wohl, daß Gott mir näher ist wie den andern in
meiner Kunst, ich gehe ohne Furcht mit ihm um, ich hab ihn
20 jedesmal erkannt und verstanden, mir ist auch gar nicht bange
um meine Musik, die kann kein bös Schicksal haben, wem sie sich
verständlich macht, der muß frei werden von all dem Elend, womit sich die andern schleppen." Dies alles hat mir Beethoven gesagt, wie ich ihn zum erstenmal sah. Mich durchdrang ein Ge-
25 fühl von Ehrfurcht, wie er sich mit so freundlicher Offenheit
gegen mich äußerte, da ich ihm doch ganz unbedeutend sein
mußte. Auch war ich verwundert, denn man hatte mir gesagt,
er sei ganz menschenscheu und lasse sich mit niemand in ein
Gespräch ein. Man fürchtete sich, mich zu ihm zu führen, ich
30 mußte ihn allein aufsuchen. Er hat drei Wohnungen, in denen
er abwechselnd sich versteckt, eine auf dem Lande, eine in der
Stadt und die dritte auf der Bastei,[7] da fand ich ihn im dritten
Stock; unangemeldet trat ich ein, er saß am Klavier, ich nannte

meinen Namen, er war sehr freundlich und fragte, ob ich ein
Lied hören wolle, was er eben komponiert habe. Dann sang er
scharf und schneidend, daß die Wehmut auf den Hörer zurück-
wirkte: Kennst du das Land [8] . . . — „nicht wahr, es ist schön,“
sagte er begeistert, „wunderschön! ich will's noch einmal singen.“ 5
Er freute sich über meinen heiteren Beifall. „Die meisten Menschen sind gerührt über etwas Gutes, das sind aber keine Künstler-
naturen. Künstler sind feurig, die weinen nicht,“ sagte er. Dann
sang er noch ein Lied von Dir, das er auch in diesen Tagen komponiert hatte: Trocknet nicht, Tränen der ewigen Liebe.[9] — Er 10
begleitete mich nach Hause, und unterwegs sprach er eben das
viele Schöne über die Kunst; dabei sprach er so laut und blieb auf
der Straße stehen, daß Mut dazu gehörte, zuzuhören, er sprach
mit großer Leidenschaft und viel zu überraschend, als daß ich
nicht auch der Straße vergessen hätte. Man war sehr verwundert, 15
ihn mit mir in eine große Gesellschaft, die bei uns zum *Diné* war,
eintreten zu sehen. Nach Tische setzte er sich unaufgefordert ans
Instrument und spielte lang und wunderbar, sein Stolz fermen-
tierte zugleich mit seinem Genie: in solcher Aufregung erzeugt
sein Geist das Unbegreifliche, und seine Finger leisten das Un- 20
mögliche. — Seitdem kommt er alle Tage, oder ich gehe zu ihm.
Darüber versäume ich Gesellschaften, Gallerien, Theater und
sogar den Stephansturm. Beethoven sagt: „Ach, was wollen Sie
da sehen! ich werde Sie abholen, wir gehen gegen Abend durch
die Allee von Schönbrunn.“ [10] Gestern ging ich mit ihm in einen 25
herrlichen Garten in voller Blüte, alle Treibhäuser offen, der
Duft war betäubend. Beethoven blieb in der drückenden Sonnen-
hitze stehen und sagte: „Goethes Gedichte behaupten nicht allein
durch den Inhalt, auch durch den Rhythmus eine große Gewalt
über mich, ich werde gestimmt und aufgeregt zum Komponieren 30
durch diese Sprache, die wie durch Geister zu höherer Ordnung
sich aufbaut und das Geheimnis der Harmonien schon in sich
trägt. Da muß ich denn von dem Brennpunkt der Begeisterung
die Melodie nach allen Seiten hin ausladen, ich verfolge sie, hole
sie mit Leidenschaft wieder ein, ich sehe sie dahin fliehen, in 35
der Masse verschiedener Aufregungen verschwinden, bald erfasse
ich sie mit erneuter Leidenschaft, ich kann mich nicht von ihr

trennen, ich muß mit raschem Entzücken in allen Modulationen
sie vervielfältigen, und im letzten Augenblick da triumphiere ich
über den ersten musikalischen Gedanken. Sehen Sie, das ist eine
Symphonie. Ja, Musik ist so recht die Vermittelung des geistigen
5 Lebens zum sinnlichen. Ich möchte mit Goethe hierüber sprechen,
ob der mich verstehen würde? — Melodie ist das sinnliche Leben
der Poesie. Wird nicht der geistige Inhalt eines Gedichts zum
sinnlichen Gefühl durch die Melodie? . . . . Es gehört Rhythmus
des Geistes dazu, um Musik in ihrer Wesenheit zu fassen, sie gibt
10 Ahnung, Inspiration himmlischer Wissenschaften, und was der
Geist sinnlich von ihr empfindet, das ist die Verkörperung geisti-
ger Erkenntnis. . . .

„Wir wissen nicht, was uns Erkenntnis verleiht. Das fest verschlossene Samenkorn bedarf des feuchten, elektrisch warmen
15 Bodens, um zu treiben, zu denken, sich auszusprechen. Musik ist
der elektrische Boden, in dem der Geist lebt, denkt, erfindet. . . .

„Ich bin elektrischer Natur. — Ich muß abbrechen mit meiner
unerweislichen Weisheit, sonst möchte ich die Probe versäumen.
Schreiben Sie an Goethe von mir, wenn Sie mich verstehen, aber
20 verantworten kann ich nichts und will mich auch gern belehren
lassen von ihm." Ich versprach ihm, so gut ich's begreife, Dir
alles zu schreiben.

Er führte mich zu einer großen Musikprobe mit vollem Orchester, da saß ich im weiten, unerhellten Raum in einer Loge
25 ganz allein. Einzelne Streiflichter stahlen sich durch Ritzen und
Astlöcher, in denen ein Strom bunter Lichtfunken hin und her
tanzte, wie Himmelsstraßen mit seligen Geistern bevölkert.
Da sah ich denn diesen ungeheuren Geist sein Regiment führen.
O Goethe! Kein Kaiser und kein König hat so das Bewußtsein
30 seiner Macht und, daß alle Kraft von ihm ausgehe, wie dieser
Beethoven. . . Dort stand er, so fest entschlossen, seine Bewegun-
gen, sein Gesicht drückten die Vollendung seiner Schöpfung
aus. . . . .

Wie weit Bettinas Schilderung von Beethovens Persönlichkeit
35 und Kunst in Goethe Interesse und Sympathie für ihn erweckte,
wissen wir nicht, denn Goethe sprach nie darüber. Sicher ist aber,

daß Bettina Beethoven ermutigt hatte, an Goethe zu schreiben
und ihn vielleicht sogar zu besuchen, und daß Goethe auf Beethovens Brief, zwar förmlich und trocken, wie er damals immer
an alle ihm ferner Stehenden schrieb, aber doch anerkennend und
ermutigend antwortete.                                              5

### Beethoven an Goethe

Wien, am 12ten April 1811.

Euer Excellenz!

Nur einen Augenblick Zeit gewährt mir die dringende Gelegenheit, in der sich ein Freund von mir, ein großer Verehrer von
Ihnen (wie auch ich), von hier so schnell entfernt, Ihnen für die
lange Zeit, daß ich Sie kenne (denn seit meiner Kindheit kenne 10
ich Sie) zu danken — das ist so wenig für so viel — Bettina Brentano hat mich versichert, daß Sie mich gütig, ja sogar freundschaftlich aufnehmen würden, wie könnte ich aber an eine solche Aufnahme denken, indem ich nur imstande bin, Ihnen mit der
größten Ehrerbietung, mit einem unaussprechlichen tiefen Gefühl 15
für Ihre herrlichen Schöpfungen zu nahen — Sie werden nächstens die Musik zu *Egmont* von Leipzig durch Breitkopf und
Hertel [11] erhalten, diesen herrlichen *Egmont,* den ich, indem ich
ihn ebenso warm, als ich ihn gelesen, wieder durch Sie gedacht,
gefühlt und in Musik gegeben habe — ich wünsche sehr Ihr Urteil 20
darüber zu wissen, auch der Tadel wird mir für mich und meine
Kunst ersprießlich sein und so gern wie das größte Lob aufgenommen werden.

Euer Excellenz

großer Verehrer                         25
Ludwig van Beethoven

### An Ludwig van Beethoven [12]

(Karlsbad, 25. Juni 1811.)

Ihr freundliches Schreiben, mein wertgeschätzter Herr, habe
ich durch Herrn von Oliva [13] zu meinem großen Vergnügen erhalten. Für die darin ausgedrückten Gesinnungen bin ich von
Herzen dankbar und kann versichern, daß ich sie aufrichtig er- 30

widre: denn ich habe niemals etwas von Ihren Arbeiten durch
geschickte Künstler und Liebhaber vortragen hören, ohne daß ich
gewünscht hätte, Sie selbst einmal am Klavier zu bewundern und
mich an Ihrem außerordentlichen Talent zu ergötzen. Die gute
Bettine Brentano verdient wohl die Teilnahme, welche Sie ihr
bewiesen haben. Sie spricht mit Entzücken und der lebhaftesten
Neigung von Ihnen und rechnet die Stunden, die sie mit Ihnen
zugebracht, unter die glücklichsten ihres Lebens.

Die mir zugedachte Musik zu *Egmont* werde ich wohl finden,
wenn ich nach Hause komme, und bin schon im voraus dankbar:
denn ich habe derselben bereits von mehrern rühmlich erwähnen
hören; und gedenke sie auf unserm Theater zu Begleitung des
gedachten Stückes diesen Winter geben zu können, wodurch ich
sowohl mir selbst als Ihren zahlreichen Verehrern in unserer Gegend einen großen Genuß zu bereiten hoffe. Am meisten aber
wünsche ich Herrn von Oliva recht verstanden zu haben, der uns
Hoffnung machte, daß Sie auf einer vorhabenden Reise Weimar
wohl besuchen könnten. Möchte es doch zu einer Zeit geschehen,
wo sowohl der Hof als das sämtliche musikliebende Publikum ver-
sammelt ist. Gewiß würden Sie eine Ihrer Verdienste und Gesinnungen würdige Aufnahme finden. Niemand aber kann dabei
mehr interessiert sein als ich, der ich mit dem Wunsche recht
wohl zu leben, mich Ihrem geneigten Andenken empfehle und
für so vieles Gute, was mir durch Sie schon geworden, den auf-
richtigsten Dank abstatte.

(Goethe)

Seit ihrem Besuch in Teplitz stand sich Bettina mit Goethe
besser als je. „Deine Briefe, allerliebste Bettine, sind von der Art,
daß man jederzeit glaubt, der letzte sei der interessanteste," schrieb
ihr Goethe. „Kannst Du so fortfahren, Dich selbst zu überbieten,
so tu es." Und sie sollte ihm bald noch mehr bedeuten als eine
interessante Unterhaltung. „Ich will Dir bekennen," schrieb er
im Oktober 1810, „daß ich im Begriff bin, meine Bekenntnisse
zu schreiben, daraus mag nun ein Roman oder eine Geschichte
werden, das läßt sich nicht voraussehn; aber in jedem Fall bedarf
ich Deiner Beihilfe. Meine gute Mutter ist abgeschieden [14] und so

manche andre, die mir das Vergangne wieder hervorrufen könnten, das ich meistens vergessen habe. Nun hast Du eine schöne Zeit mit der teuren Mutter gelebt, hast ihre Märchen und Anekdoten wiederholt vernommen und trägst und hegst alles im frischen belebenden Gedächtnis. Setze Dich also nur gleich hin 5 und schreibe nieder, was sich auf mich und die meinigen bezieht, und Du wirst mich dadurch sehr erfreuen und verbinden. . ." Bettina ging mit Freuden auf seinen Vorschlag ein, und wir verdanken ihr die Schilderungen von Goethes Kindheit in *Dichtung und Wahrheit.* 10

Im März 1811 heiratete Bettina den Freund ihres Bruders Clemens, den romantischen Dichter Achim von Arnim.[15] Auch er war ein großer Verehrer Goethes. Zusammen kamen sie im Sommer desselben Jahres auf einige Wochen nach Weimar, wo sie Goethe zuerst täglich sahen, bis endlich die Eifersucht seiner 15 Frau zu einem offenen Bruch mit Bettina führte. Bettinas schwärmerische Anhänglichkeit war Goethe selbst auf die Dauer unbequem, sodaß er die Versöhnungsversuche der Arnims unbeantwortet ließ. So kam es, daß Bettina nicht dabei sein konnte, als Goethe und Beethoven, deren persönliche Begegnung sie so sehr 20 gewünscht hatte, sich in Teplitz kennen lernten.

Diese Begegnung der zwei größten Künstler der Zeit hat Romain Rolland [16] in seinem Buche *Goethe und Beethoven* mit der Sachlichkeit des Wissenschaftlers und dem Verständnis des Dichters und Musikers wie folgt beschrieben: * 25

Im Juli 1812 erhält Goethe in Karlsbad von seinem Herzog die Einladung, sogleich nach Teplitz herüberzukommen, wo die Kaiserin von Österreich ihn zu sprechen wünscht. Goethe begibt sich nach Teplitz. Und Beethoven ist bereits da. Goethe kommt nicht seinetwegen, aber da er einmal in seiner Nähe ist, erinnert 30 er sich ohne Zweifel des fesselnden Bildes, das Bettina von ihm entworfen hat, wie auch des lebhaften Wunsches Beethovens, ihn kennen zu lernen. Die Neugier des Seelensammlers besiegt den

*.Romain Rolland, *Goethe und Beethoven,* Rotapfel Verlag, Zürich, 1928, Seite 63–78. Abgedruckt mit Erlaubnis des Verlags, bei dem 1948 illustrierte Neuausgaben von Romain Rollands *Beethoven* und *Goethe und Beethoven* erschienen.

Widerwillen des Künstlers. Er begibt sich auf den Weg zu Beethoven.

In Teplitz hielten sich damals der Kaiser Franz, die Kaiserinnen von Österreich und Frankreich, der König von Sachsen und andere Fürstlichkeiten mit ihrem Gefolge auf. Beethoven gehörte nicht zu denen, die sich von diesem Glanze blenden ließen.

„Von Teplitz ist nicht viel zu sagen: wenig Menschen und unter dieser kleinen Zahl nichts Auszeichnendes! Daher leb ich allein! allein! allein! allein!" so schrieb er am 14. Juli verdrießlich an Varnhagen von Ense.[17]

Damals schrieb er der kleinen, achtjährigen Emilie M., die ihm als Zeichen der Verehrung eine Brieftasche gesandt hatte, die berühmten Worte: „Ich kenne keine andern Vorzüge des Menschen als diejenigen, welche ihn zu den besseren Menschen zählen machen; wo ich diese finde, dort ist meine Heimat."

Am selben Tage aber unterbricht er sich in einem geschäftlichen Brief an seine Verleger Breitkopf & Härtel und schreibt: „Goethe ist hier!"[18]

Man fühlt, wie sein Herz jubelt.

Goethe ist es, der den ersten Schritt tut; er besucht Beethoven. Auch er, wie Bettina und so viele andere, steht sogleich unter Beethovens Bann. Am selben Tage, dem 19. Juli, schreibt er seiner Frau: „Zusammengefaßter, energischer, inniger habe ich noch keinen Künstler gesehen."[19]

Das ist nicht wenig! Wo in seinem ganzen Leben hätte Goethe wohl einem anderen Menschen einen solchen Grad von Überlegenheit zuerkannt?

Welch tiefes Schauen in einen Menschen hinein! Die stromhafte Energie, eine übermenschliche Kraft zur Konzentration, das innere Meer.[20] Goethes Auge, dieses große, dem Weltall offene Auge, freier, wahrer, durchdringender als sein Verstand, hat mit e i n e m Blick alles erfaßt: alles Wesentliche des Beethovenschen Genius, seiner einzigen Persönlichkeit.

Daß Goethe gewonnen ist, zeigt der Spaziergang, den sie am folgenden Tag, dem 20. Juli, zusammen unternahmen. Am übernächsten Tag, dem 21., geht Goethe abends wieder zu Beethoven.

Auch am 23. ist er da, und Beethoven spielt ihm auf dem Klavier vor.

Aber vier Tage später, am 27., verläßt Beethoven Teplitz: sein Arzt hat ihn nach Karlsbad geschickt; erst vom 8. bis 11. September ist Goethe mit ihm zusammen dort. Haben sie sich wiederge- 5 sehn? Man weiß es nicht. Am 12. reist Beethoven wieder nach Teplitz, wohin Goethe nicht zurückkehrt. Es ist zu Ende. Ihr Leben lang sollten die beiden Männer einander nicht wiedersehen.

Was ist vorgegangen? Ein so edler Drang trieb sie zueinander! Unverkennbar ist ihre wechselseitige Zuneigung in den ersten 10 Tagen! Und dann herrscht Schweigen.

Zwei von Bettina überlieferte Briefe geben uns Aufklärung; sie sind umstritten worden,[21] aber nach meiner Meinung wird ihre innere Wahrheit erwiesen durch die Umstände, von denen ich noch sprechen werde, und durch zwei andere unantastbare 15 Briefe: der eine von Beethoven an Breitkopf & Härtel (9. August 1812), der andere von Goethe an Zelter (2. September 1812), nicht zu reden von dem Geschwätz, an dem man es in Teplitz nicht fehlen ließ.

Ich will versuchen, die beiden Männer so zu sehn und von ihnen 20 zu sprechen, wie sie sind, mit ihrer Größe und mit ihren Schwächen. Solcher hat das Genie nicht weniger und vielleicht mehr noch als der gewöhnliche Mensch. Und Beethoven wie auch Goethe hatten davon ihr gerütteltes Maß.

Der edelmütigste zu Anfang (ich sagte es schon) war Goethe. 25 Er streckte Beethoven die Hand entgegen. Er war herzlich, soweit seine Natur das gestattete, die immer ein wenig gezwungen war außerhalb seiner Kunst und seiner nahen Umgebung. Beethoven enttäuschte ihn nicht: der Eindruck des zweiten Tages glich durchaus dem des ersten. Goethes Eindruck auf Beethoven 30 aber war, wie es scheint, keineswegs so günstig. Der Dichter, von dem er seit seiner Kindheit geträumt wie von einem Adler, der mit gewaltigen Flügeln gegen den Sturm ankämpft, erschien ihm nun als der „Geheimrat": sehr bedacht auf die Etikette und auf die Einhaltung der Rangordnung, ein Mann der Gesellschaft, 35 sehr höflich, beherrscht, steif und zugeknöpft, ein Mann, der, nach-

dem er den andern am Klavier hatte improvisieren hören (wir
wissen ja, daß Beethovens Improvisationen Bergströmen glichen),
ihm freundlich sagte, er habe „köstlich gespielt".

Ohne Zweifel hat Goethe, der ein Urteil über die Musik scheute,
5 den Komponisten zu seiner Fingerfertigkeit, seinem „perlenden"
Spiel beglückwünscht und sich von der Musik gerührt und ergriffen gezeigt. Aber ein ästhetisches, ein sachliches Urteil darüber, wie Beethoven es von einem Goethe erwartet hatte, kam
nicht über seine Lippen, weil Goethe im Grunde — nichts davon
10 verstand.

Beethoven brach in Zorn aus.

Bettina erzählt uns den Auftritt, dem sie nicht beiwohnte, den
aber Beethoven ihr bald brühwarm erzählt hat; und sie tat ohne
Zweifel das ihrige, indem sie Öl ins Feuer goß.

15 Bettina war soeben, am 24. Juli abends, in Teplitz angekommen.
Sie ahnte nicht, daß sie Goethe und Beethoven dort vorfinden
würde. Diese Begegnung, die sie so lebhaft gewünscht, so hartnäckig herbeizuführen gesucht, hatte also stattgefunden! Und sie
hatte (bitter mußte sie es empfinden) nicht dabei sein dürfen!
20 Goethe mied sie umso sorgfältiger, als Christiane aus der Ferne
darüber wachte.[22] Daß die verlassene Ariadne ihrem „Bacchus der
Musik" (durch welchen Namen sie Beethoven geweiht hatte)
von ihrem Groll Mitteilung gemacht, kann man sich denken und
ebenso, daß Beethoven, der für Bettinens Reiz, für ihre treue
25 Freundschaft sehr empfänglich war, für sie Partei ergriff. Die
Gereiztheit, die er von jenem mit Goethe verbrachten Abend
davontrug, brauchte nicht mehr gemildert zu werden. Er gab ihr
schonungslos Ausdruck.

Nun folge die seltsame Szene — geschrieben oder erzählt im
30 echtesten Beethoven-Stil — da die beiden großen Künstler in
einer Haltung erscheinen, die sie wechselseitig keineswegs erwartet hatten: denn Goethe hat hier die Träne im Auge, und Beethoven wirft ihm schroff seine Sentimentalität vor:

„Er spielte ihm vor," schreibt Bettina, „da er sah, daß Goethe
35 tief gerührt zu sein schien, sagte er: ‚O Herr, das habe ich von
Ihnen nicht erwartet; in Berlin gab ich auch vor mehreren Jahren
ein Konzert, ich griff mich an und glaubte was Rechts zu leisten

und hoffte auf einen tüchtigen Beifall, aber siehe da, als ich meine höchste Begeisterung ausgesprochen hatte, kein geringstes Zeichen des Beifalls ertönte; das war mir doch zu arg; ich begriff's nicht; das Rätsel löste sich jedoch dahin auf, daß das ganze Berliner Publikum fein gebildet war und mir mit nassen Schnupftüchern vor 5 Rührung entgegenwankte, um mich seines Danks zu versichern. Das war einem groben Enthusiasten wie mir ganz übrig; ich sah, daß ich nur ein romantisches, aber kein künstlerisches Auditorium gehabt hatte. Aber von Euch, Goethe, lasse ich mir dies nicht gefallen; wenn mir Eure Dichtungen durchs Gehirn gingen, so hat 10 es Musik abgesetzt und ich war stolz genug, mich auf gleiche Höhe schwingen zu wollen wie Ihr, aber ich habe es meiner Lebtag nicht gewußt, und am wenigsten hätte ich's in Eurer Gegenwart selbst getan, da müßte der Enthusiasmus ganz anders wirken.[23] Ihr müßt doch selber wissen, wie wohl es tut, von 15 tüchtigen Händen beklatscht zu sein; wenn Ihr mich nicht anerkennen und als Euresgleichen abschätzen wollt, wer soll es dann tun? — Von welchem Bettelpack soll ich mich denn verstehen lassen?'"[24]

Das war die erste Lektion für Goethe! Wer hatte jemals in 20 diesem Ton zu ihm gesprochen? . . . „So trieb er Goethe in die Enge . . . ," schreibt Bettina, „denn er fühlte wohl, Beethoven habe recht."[25]

Von diesem Augenblick an läßt Beethoven Goethe, gegen den er, aufgereizt durch Bettina, voreingenommen ist, nichts mehr 25 durchgehen.

Sie machen zusammen einen Spaziergang. Beethoven hat Goethes Arm gepackt. In Teplitz und auf den Landwegen begegnen sie hochgestellten Persönlichkeiten. Goethe verbeugt sich nach allen Seiten, was Beethoven ärgert; und wenn er vom Hof, 30 von der Kaiserin spricht, so geschieht es mit „feierlich bescheidenen" Ausdrücken.

„ ‚Ei was,' sagte er (Beethoven), ‚so müßt Ihr's nicht machen, da macht Ihr nichts Gutes, Ihr müßt ihnen tüchtig an den Kopf werfen, was sie an Euch haben, sonst werden sie's gar nicht 35 gewahr; da ist keine Prinzeß, die den Tasso länger anerkennt, als der Schuh der Eitelkeit sie drückt; ich hab's ihnen anders

gemacht: da ich dem Herzog Rainer Unterricht geben sollte, ließ er mich im Vorzimmer warten, ich habe ihm dafür tüchtig die Finger auseinander gerenkt; wie er mich fragte, warum ich so ungeduldig sei, sagte ich: er habe meine Zeit im Vorzimmer ver-
5 loren, ich könne nun mit der Geduld keine mehr verbringen. Er ließ mich nachher nicht mehr warten, ja, ich hätt's ihm auch bewiesen, daß dies eine Albernheit ist, die ihre Viehigkeit nur an den Tag legt.' Ich sagte ihm: [26] ,einen Orden könnten sie einem wohl anhängen, aber darum sei man nicht um das geringste
10 besser; einen Hofrat, einen Geheimrat können sie wohl machen, aber keinen Goethe, keinen Beethoven, also das, was sie nicht machen können, und was sie selber noch lange nicht sind, davor müssen sie Respekt haben lernen, das ist ihnen gesund.' "

Das ist die zweite Lektion. Mit welchem Stirnrunzeln mag der
15 Verteidiger der Hierarchie und der gesellschaftlichen Rangordnung sie aufgenommen haben? . . .

In diesem Augenblick erscheinen auf der Landstraße, ihnen entgegenkommend, die Kaiserin, die Fürstlichkeiten, der ganze Hof. Beethoven sagt zu Goethe: „Bleibt nur in meinem Arm
20 hängen, sie müssen uns Platz machen, wir nicht."

Bettina beschreibt nun jene nur zu bekannte Szene: „Goethe war nicht der Meinung, . . . er machte sich aus Beethovens Arm los und stellte sich mit abgezogenem Hut an die Seite, während Beethoven mit untergeschlagenen Armen mitten zwischen den
25 Herzogen durchging und nur den Hut ein wenig rückte, während diese sich von beiden Seiten teilten, um ihm Platz zu machen, und ihn alle freundlich grüßten; jenseits blieb er stehen und wartete auf Goethe, der mit tiefen Verbeugungen sie hatte an sich vorbeigelassen. — Nun sagte er: ,Auf Euch hab ich gewartet, weil
30 ich Euch ehre und achte, wie Ihr es verdient, aber jenen habt Ihr zu viel Ehre angetan.' "

Das ist die dritte Lektion. Und dieses Mal ein Anschauungsunterricht: das Beispiel begleitet das Wort. Nun ist das Maß voll. So berechtigt der Verweis vielleicht sein mag, ein Goethe kann
35 sich doch nicht bei den Ohren nehmen lassen wie ein Schulknabe!

. . . Ahnt er auch nur, dieser Beethoven, etwas von alledem, was an überstandenen Prüfungen, bitteren Erfahrungen, schwer er-

kaufter Lebensweisheit dieser gesellschaftliche Zwang und die
Anerkennung dieser Ordnung in sich schließen? Selbst wenn er
recht hätte, wäre seine Art, recht zu haben, unerträglich.

Am 2. September 1812 schrieb Goethe an Zelter: „Beethoven
habe ich in Teplitz kennen gelernt. Sein Talent hat mich in Er-  5
staunen gesetzt; allein er ist leider eine ganz ungebändigte Persönlichkeit, die zwar gar nicht unrecht hat, wenn sie die Welt
detestabel findet, aber sie dadurch freilich weder für sich noch für
andere genußreicher macht. Sehr zu entschuldigen ist er hingegen
und sehr zu bedauern, da ihn sein Gehör verläßt, das vielleicht 10
dem musikalischen Teil seines Wesens weniger als dem gesellligen
schadet. Er, der ohnehin lakonischer Natur ist, wird es nun doppelt
durch diesen Mangel."


Bettinas Liebe zu Goethe war zu tief verwurzelt in ihrem Wesen, um durch das Zerwürfnis von 1811 ein Ende zu finden. Als 15
Christiane gestorben war,²⁷ schrieb sie ihm wieder: „Ich fühl
es jetzt wohl, daß es nicht leicht war, mich in meiner Leiden-
schaftlichkeit zu ertragen . . . ," und bat um seine Freundschaft.
Goethe zögerte, Jahre vergingen, aber im Juli 1824 findet sich
doch wieder in seinem Tagebuch: „Abend Frau von Arnim." 20
Der Entwurf zu einem Goethedenkmal, den Bettina gezeichnet
hatte und der Goethe, vielleicht wider seinen Willen, rührte und
versöhnlich stimmte, zeigt eine kleine Psyche, die, an Goethes
Knien, versucht, auf Goethes mächtiger Leier zu spielen.

# V

## GOETHE
## UND ECKERMANN

*1823–1832*

GOETHE
Lebensmaske von Karl G. Weissner (1807)

AM 10. Juni 1823 empfing Goethe einen jungen Mann, der sich ihm durch Brief, Gedichte und eine ästhetische Abhandlung angekündigt hatte und nach seinen eigenen Worten Goethe seine „ganze Bildung" verdankte. Er hieß Johann Peter Eckermann.[1] „Der Alte von Weimar" war nicht jedem zugänglich, der begeistert an ihn schrieb und um sein Urteil, seine Hilfe bat. Das taten zu viele, und Goethe mußte oft unnahbar bleiben, wenn er Zeit zu eigener Arbeit und privatem Verkehr behalten wollte. Aber Eckermanns Brief und ästhetische Untersuchung, die sich eingehend mit Goethes Roman *Die Wahlverwandtschaften* [2] beschäftigte, machten Eindruck. „So etwas liest man gerne," urteilte Goethe, „grosse Klarheit, Fluß der Gedanken, alles tüchtig durchdacht, schöner Stil." Sein Lebensgang, den der Verfasser bescheiden und doch selbstsicher in seinem Brief erzählte, zeugte von Willenskraft und einer ungewöhnlichen Liebe für die Kunst. Eckermann war der Sohn armer Leute. Unter den größten Schwierigkeiten, mit eisernem Fleiß hatte er sich seine Bildung erworben. Zu Fuß war er nun nach Weimar gekommen, nur um Goethe zu sehen. Er war ohne Stellung, fast ganz mittellos, Mitte der dreißig; aber er war nicht entmutigt, folgte nur dem unwiderstehlichen „Trieb", Goethe „einmal einige Augenblicke persönlich nahe zu sein." Der Besuch entschied sein Schicksal. Denn Goethe, der gerade damals einen zuverlässigen, verständnisvollen und ihm ergebenen Gehilfen brauchte, erkannte seinen Wert und bat ihn, bei ihm zu bleiben und bei der Herausgabe seiner noch unveröffentlichten Werke zu helfen.

Eckermann wuchs bald mehr und mehr in die Gedankenwelt Goethes hinein. Er opferte eigene Pläne, schlug vorteilhafte Stellungen aus, verschob seine Heirat auf unbestimmte Zeit und erhielt sich jahrelang durch Privatunterricht — da ihm die Arbeit mit und für Goethe erst nach der Veröffentlichung von Goethes Werken etwas Nennenswertes eintragen konnte. Goethes Ver-

trauen und Anerkennung waren sein Stolz. Und Goethe hielt
mit seinem Lob nicht zurück. Er fand in Eckermann „Übereinstimmung mit meinem Wesen, freie Übersicht und glücklichen
Takt." Eckermann nahm ihm nicht nur die mühsame, zeitrau-
5 bende Arbeit des Sammelns, Ordnens und Sichtens seiner vielen
kleineren früheren Studien und Dichtungen, seiner Briefe und
privaten Aufzeichnungen ab und befreite ihn dadurch für neue
dichterische Aufgaben; er regte ihn auch an, denn er war ein
aufmerksamer Zuhörer, ein teilnehmender Freund, dem Goethe
10 von Tag zu Tag Neugeschaffenes erzählen und vorlesen konnte.
Eckermann wollte mehr sein und war mehr als Goethes Echo.
Er arbeitete sich in die *Farbenlehre* [3] ein, er grübelte über proble-
matische Stellen in Goethes Schriften, er fragte, verglich, wagte
ein eigenes Urteil. 1830 bemerkte Goethe zu seinem Freund
15 Müller: [4] „So ist er (Eckermann) vorzüglich die Ursache, daß
ich den *Faust* fortsetze, daß die zwei ersten Akte des zweiten Teils
beinahe fertig sind."

Schon im Februar 1824 findet sich in Goethes Tagebuch der
Vermerk, Eckermann habe ihm „eine aufgeschriebene frühere
20 Unterredung" gezeigt. Ein Jahr später heißt es: „Die von Eckermann mitzuteilenden Unterhaltungen vorbereitet." Zu jener Zeit
war es nicht ungewöhnlich, daß Freunde berühmter Persönlichkeiten ihre Gespräche mit ihnen nachher aufschrieben. Eckermann fühlte sich umso mehr dazu getrieben, als er gern schrift-
25 stellerte und hoffen durfte, durch einen Band Gespräche mit
Goethe auch selbst öffentliche Anerkennung zu erringen. Er hätte
das Buch gern noch zu Lebzeiten Goethes veröffentlicht. Aber
Goethe, so einverstanden er mit dem Gedanken an sich war,
zögerte, dazu seine Erlaubnis zu geben. Andere Arbeiten häuften
30 sich, Krankheiten Goethes, der Tod seines Sohnes [5] verhinderten
weitere Aussprachen darüber, sodaß Eckermanns *Gespräche mit
Goethe* doch erst 1835, drei Jahre nach Goethes Tod erschienen.
Diese erste Sammlung wurde später von Eckermann erweitert
und ergänzt, wobei Eckermanns und Goethes Freund Soret [6]
35 aus seinen Tagebüchern und Notizen manches beitrug.

Eckermanns *Gespräche mit Goethe* ist seitdem eines der berühm-
testen Bücher der deutschen Literatur, ja der Weltliteratur ge-

worden. Obwohl es sicher nicht in allen Einzelheiten Goethes
Gespräche genau so wiedergibt, wie sie waren; obwohl Eckermanns Gedächtnis, oft nur durch kurze Notizen unterstützt,
manches verändert haben mag; obwohl seine eigene Vorliebe für
bestimmte Themen diesen vielleicht eine Bedeutung gab, die ihnen 5
im Rahmen der Gedankenwelt Goethes nicht ganz zukommt, so
ist es doch sicher im wesentlichen ein echtes Zeugnis Goetheschen
Geistes in den letzten acht Jahren seines Lebens. Niemand war
damals so viel bei Goethe wie Eckermann, mit niemand unterhielt er sich so vielseitig über seine eigenen Gedanken und Ar- 10
beiten, Menschen, Bücher, Erlebnisse und Erinnerungen. Das
Bewußtsein, daß Eckermann sich seine Worte mit besonderer
Aufmerksamkeit einprägte, sie niederschrieb und sammelte, hat
sicher auch dazu beigetragen, den Gesprächen Charakter und
allgemeine Bedeutung zu geben.                                    15

In diesen Gesprächen vereinigt sich noch einmal alles, was
Goethe geliebt, gewollt, geglaubt und geleistet hat: Seine uner-
müdliche Beobachtung der Natur und die philosophischen Ein-
sichten, die er daraus gewinnt oder darin bestätigt findet; seine
Freude an der Kunst in allen ihren Formen; sein Streben nach 20
Entwicklung, nach Vollendung; sein Interesse am Menschen.
Goethe hatte kein System. Seine Gedanken entsprangen aus der
Anregung, die ihm das Erlebnis der Wirklichkeit immer neu
gewährte. So sind auch diese Gespräche nicht systematisch ver-
bunden. Aber sie sind doch Teile eines Ganzen, das sich in jedem 25
Teil neu und ganz offenbart: der Persönlichkeit Goethes.

## AUS ECKERMANNS „GESPRÄCHE MIT GOETHE"

VOM KÜNSTLERISCHEN SCHAFFEN

Mittwoch, den 31. Januar 1827.

. . . . . „Ich sehe immer mehr," fuhr Goethe fort, „daß die Poesie
ein Gemeingut der Menschheit ist und daß sie überall und zu
allen Zeiten in hunderten und aber hunderten von Menschen her-
vortritt. Einer macht es ein wenig besser als der andere und 30
schwimmt ein wenig länger oben als der andere, das ist alles. Der
Herr von Matthiesson [7] muß daher nicht denken, er wäre es, und

ich muß nicht denken, ich wäre es, sondern jeder muß sich eben
sagen, daß es mit der poetischen Gabe keine so seltene Sache sei
und daß niemand eben besondere Ursache habe, sich viel darauf
einzubilden, wenn er ein gutes Gedicht macht. Aber freilich,
5 wenn wir Deutschen nicht aus dem engen Kreise unserer eigenen
Umgebung hinausblicken, so kommen wir gar leicht in diesen
pedantischen Dünkel. Ich sehe mich daher gerne bei fremden
Nationen um und rate jedem, es auch seinerseits zu tun. National-
literatur will jetzt nicht viel sagen, die Epoche der Weltliteratur ist
10 an der Zeit, und jeder muß jetzt dazu wirken, diese Epoche zu
beschleunigen. Aber auch bei solcher Schätzung des Auslän-
dischen dürfen wir nicht bei etwas Besonderem haften bleiben und
dieses für musterhaft ansehen wollen. Wir müssen nicht denken,
das Chinesische wäre es, oder das Serbische, oder Calderon,[8] oder
15 die *Nibelungen;*[9] sondern im Bedürfnis von etwas Musterhaftem
müssen wir immer zu den alten Griechen zurückgehen, in deren
Werken stets der schöne Mensch dargestellt ist. Alles übrige
müssen wir nur historisch betrachten und das Gute, soweit es
gehen will, uns daraus aneignen."

Sonntag, den 6. Mai 1827.

20 . . . . . . Das Gespräch wendete sich auf den *Tasso* und welche
Idee Goethe darin zur Anschauung zu bringen gesucht.

„Idee?" sagte Goethe, — „daß ich nicht wüßte! — Ich hatte das
Leben Tassos, ich hatte mein eigenes Leben, und indem ich zwei
so wunderliche Figuren mit ihren Eigenheiten zusammenwarf,
25 entstand in mir das Bild des T a s s o , dem ich als prosaischen
Kontrast den A n t o n i o entgegenstellte, wozu es mir auch
nicht an Vorbildern fehlte. Die weiteren Hof-, Lebens- und Lie-
besverhältnisse waren übrigens in Weimar wie in Ferrara, und
ich kann mit Recht von meiner Darstellung sagen: sie ist Bein
30 von meinem Bein und Fleisch von meinem Fleisch. . . . .

Da kommen sie und fragen: welche Idee ich in meinem *Faust*
zu verkörpern gesucht. — Als ob ich das selber wüßte und aus-
sprechen könnte! — V o m H i m m e l d u r c h d i e W e l t z u r
H ö l l e , das wäre zur Not etwas; aber das ist keine Idee, sondern

Gang der Handlung. Und ferner, daß der Teufel die Wette verliert und daß ein aus schweren Verirrungen immerfort zum Besseren aufstrebender Mensch zu e r l ö s e n sei, das ist zwar ein wirksamer, manches erklärender guter Gedanke, aber es ist keine Idee, die dem Ganzen und jeder einzelnen Szene im besonderen zugrunde liegt. Es hätte auch in der Tat ein schönes Ding werden müssen, wenn ich ein so reiches, buntes und so höchst mannigfaltiges Leben, wie ich es im *Faust* zur Anschauung gebracht, auf die magere Schnur einer einzigen durchgehenden Idee hätte reihen sollen!

Es war im ganzen," fuhr Goethe fort, „nicht meine Art, als Poet nach Verkörperung von etwas Abstraktem zu streben. Ich empfing in meinem Innern Eindrücke, und zwar Eindrücke sinnlicher, lebensvoller, lieblicher, bunter, hundertfältiger Art, wie eine rege Einbildungskraft es mir darbot; und ich hatte als Poet weiter nichts zu tun, als solche Anschauungen und Eindrücke in mir künstlerisch zu runden und auszubilden und durch eine lebendige Darstellung so zum Vorschein zu bringen, daß andere dieselbigen Eindrücke erhielten, wenn sie mein Dargestelltes hörten oder lasen.

Wollte ich jedoch einmal als Poet irgendeine Idee darstellen, so tat ich es in kleinen Gedichten, wo eine entschiedene Einheit herrschen konnte und welches zu übersehen war. . . . Das einzige Produkt von größerem Umfang, wo ich mir bewußt bin, nach Darstellung einer durchgreifenden Idee gearbeitet zu haben, wären etwa meine *Wahlverwandtschaften*. Der Roman ist dadurch für den Verstand faßlich geworden; aber ich will nicht sagen, daß er dadurch besser geworden wäre. Vielmehr bin ich der Meinung: je inkommensurabler und für den Verstand unfaßlicher eine poetische Produktion, desto besser."

Montag, den 23. März 1829.

„Ich habe unter meinen Papieren ein Blatt gefunden," sagte Goethe heute, „wo ich die Baukunst eine erstarrte Musik nenne. Und wirklich, es hat etwas. Die Stimmung, die von der Baukunst ausgeht, kommt dem Effekt der Musik nahe.

Prächtige Gebäude und Zimmer sind für Fürsten und Reiche. Wenn man darin lebt, fühlt man sich beruhigt, man ist zufrieden und will nichts weiter.

Meiner Natur ist es ganz zuwider. Ich bin in einer prächtigen
5 Wohnung, wie ich in Karlsbad gehabt, sogleich faul und untätig. Geringe Wohnung dagegen wie dieses schlechte (= einfache) Zimmer, worin wir sind, ein wenig unordentlich ordentlich, ein wenig zigeunerhaft, ist für mich das Rechte. Es läßt meiner inneren Natur volle Freiheit, tätig zu sein und aus mir selber zu
10 schaffen."

Sonntag, den 12. April 1829.

. . . . „Das Schlimme ist," fuhr Goethe fort, „daß man im Leben so viel durch falsche Tendenzen ist gehindert worden und daß man nie eine solche Tendenz erkannt, als bis man sich bereits davon frei gemacht."

15 „Woran aber," sagte ich, „soll man sehen und wissen, daß eine Tendenz eine falsche sei?"

„Die falsche Tendenz," antwortete Goethe, „ist nicht produktiv, und wenn sie es ist, so ist das Hervorgebrachte von keinem Wert. Dieses an andern gewahr zu werden, ist nicht so gar schwer, aber
20 an sich selber, ist ein eigenes Ding und will eine große Freiheit des Geistes. Und selbst das Erkennen hilft nicht immer. Man zaudert und zweifelt und kann sich nicht entschließen, so wie es schwer hält, sich von einem geliebten Mädchen loszumachen, von deren Untreue man längst wiederholte Beweise hat. Ich sage
25 dieses, indem ich bedenke, wie viele Jahre es gebrauchte, bis ich einsah, daß meine Tendenz zur bildenden Kunst eine falsche sei, und wie viele andere, nachdem ich es erkannt, mich davon loszumachen."

„Aber doch," sagte ich, „hat Ihnen diese Tendenz so vielen
30 Vorteil gebracht, daß man sie kaum eine falsche nennen möchte."

„Ich habe an Einsicht gewonnen," sagte Goethe, „weshalb ich mich auch darüber beruhigen kann. Und das ist der Vorteil, den wir aus jeder falschen Tendenz ziehen. Wer mit unzulänglichem
35 Talent sich in der Musik bemüht, wird freilich nie ein Meister werden, aber er wird dabei lernen, dasjenige zu erkennen und

zu schätzen, was der Meister gemacht hat. Trotz aller meiner Bestrebungen bin ich freilich kein Künstler geworden, aber, indem ich mich in allen Teilen der Kunst versuchte, habe ich gelernt, von jedem Strich Rechenschaft zu geben und das Verdienstliche vom Mangelhaften zu unterscheiden. Dieses ist kein kleiner 5 Gewinn, so wie denn selten eine falsche Tendenz ohne Gewinn bleibt. . ."

Sonntag, den 21. März 1830.

. . . . „Der Begriff von klassischer und romantischer Poesie, der jetzt über die ganze Welt geht und so viel Streit und Spaltungen verursacht," fuhr Goethe fort, „ist ursprünglich von mir 10 und Schiller ausgegangen. Ich hatte in der Poesie die Maxime des objektiven Verfahrens und wollte nur dieses gelten lassen. Schiller aber, der ganz subjektiv wirkte, hielt seine Art für die rechte und, um sich gegen mich zu wehren, schrieb er den Aufsatz über naive und sentimentale Dichtung. Er bewies mir, daß ich selber, 15 wider Willen, romantisch sei und meine *Iphigenie* durch das Vorwalten der Empfindung keineswegs so klassisch und im antiken Sinne sei, als man vielleicht glauben möchte. Die Schlegel ergriffen die Idee und trieben sie weiter, so daß sie sich denn jetzt über die ganze Welt ausgedehnt hat und nun jedermann von 20 Klassizismus und Romantizismus redet, woran vor fünfzig Jahren niemand dachte."

Donnerstag, den 17. Februar 1831.

. . . . . Ich erkundigte mich nach dem *Faust,* und wie er vorrücke. „Der läßt mich nun nicht wieder los," sagte Goethe, „ich denke und erfinde täglich daran fort. . . ." 25

„Es kommt doch in diesem zweiten Teil," sagte ich, „eine weit reichere Welt zur Erscheinung als im ersten."

„Ich sollte denken," sagte Goethe. „Der erste Teil ist fast ganz subjektiv; es ist alles aus einem befangeneren, leidenschaftlicheren Individuum hervorgegangen, welches Halbdunkel den Men- 30 schen auch so wohl tun mag. Im zweiten Teile aber ist fast gar nichts Subjektives, es erscheint hier eine höhere, breitere, hellere, leidenschaftslosere Welt, und wer sich nicht etwas umgetan und einiges erlebt hat, wird nichts damit anzufangen wissen."

Freitag, den 17. Februar 1832.

„ . . . . Im Grunde sind wir alle kollektive Wesen, wir mögen uns stellen, wie wir wollen. Denn wie weniges haben und sind wir, das wir im reinsten Sinne unser Eigentum nennen! Wir müssen alle empfangen und lernen, sowohl von denen, die vor 5 uns waren, als von denen, die mit uns sind. Selbst das größte Genie würde nicht weit kommen, wenn es alles seinem eigenen Innern verdanken wollte. Das begreifen aber viele sehr gute Menschen nicht und tappen mit ihren Träumen von Originalität ein halbes Leben im Dunkeln. Ich habe Künstler gekannt, die sich rühmten, 10 keinem Meister gefolgt zu sein, vielmehr alles ihrem eigenen Genie zu danken zu haben. Die Narren! Als ob das überhaupt anginge! Und als ob sich die Welt ihnen nicht bei jedem Schritt aufdrängte und aus ihnen trotz ihrer eigenen Dummheit etwas machte! Ja ich behaupte, wenn ein solcher Künstler nur an den 15 Wänden dieses Zimmers vorüberginge und auf die Handzeichnungen einiger großer Meister, womit ich sie behängt habe, nur flüchtige Blicke würfe, er müßte, wenn er überhaupt einiges Genie hätte, als ein anderer und höherer von hier gehen.

Und was ist denn überhaupt Gutes an uns, wenn es nicht die 20 Kraft und Neigung ist, die Mittel der äußeren Welt an uns heranzuziehen und unseren höheren Zwecken dienstbar zu machen. Ich darf wohl von mir selber reden und bescheiden sagen, wie ich fühle. Es ist wahr, ich habe in meinem langen Leben mancherlei getan und zustande gebracht, dessen ich mich allenfalls rühmen 25 könnte. Was hatte ich aber, wenn wir ehrlich sein wollen, das eigentlich mein war, als die Fähigkeit und Neigung zu sehen und zu hören, zu unterscheiden und zu wählen und das Gesehene und Gehörte mit einigem Geist zu beleben und mit einiger Geschicklichkeit wiederzugeben. Ich verdanke meine Werke keineswegs 30 meiner eigenen Weisheit allein, sondern Tausenden von Dingen und Personen außer mir, die mir dazu das Material boten. Es kamen Narren und Weise, helle Köpfe und bornierte, Kindheit und Jugend, wie das reife Alter. Alle sagten mir, wie es ihnen zu Sinne sei, was sie dachten, wie sie lebten und wirkten und welche 35 Erfahrungen sie sich gesammelt, und ich hatte weiter nichts zu

tun, als zuzugreifen und das zu ernten, was andere für mich ge-
säet hatten.

Es ist im Grunde auch alles Torheit, ob einer etwas aus sich
habe oder ob er es von andern habe; ob einer durch sich wirke
oder ob er durch andere wirke. Die Hauptsache ist, daß man ein 5
großes Wollen habe und Geschick und Beharrlichkeit besitze,
es auszuführen; alles übrige ist gleichgültig."

PHILOSOPHISCHES UND RELIGIÖSES

Sonntag, den 1. April 1827.

. . . . Das Gespräch lenkte sich auf die *Antigone* von Sopho-
kles,[10] auf die darin waltende hohe Sittlichkeit und endlich auf
die Frage, wie das Sittliche in die Welt gekommen.                      10

„Durch Gott selber," erwiderte Goethe, „wie alles andere Gute.
Es ist kein Produkt menschlicher Reflexion, sondern es ist ange-
schaffene und angeborene schöne Natur. Es ist mehr oder weniger
den Menschen im allgemeinen angeschaffen, im hohen Grade
aber einzelnen ganz vorzüglich begabten Gemütern. Diese haben 15
durch große Taten oder Lehren ihr göttliches Innere offenbart,
welches sodann durch die Schönheit seiner Erscheinung die Liebe
der Menschen ergriff und zur Verehrung und Nacheiferung ge-
waltig fortzog.

Der Wert des sittlich Schönen und Guten aber konnte durch 20
Erfahrung und Weisheit zum Bewußtsein gelangen, indem das
Schlechte sich in seinen Folgen als ein solches erwies, welches das
Glück des Einzelnen wie des Ganzen zerstörte, dagegen das Edle
und Rechte als ein solches, welches das besondere und allgemeine
Glück herbeiführte und befestigte. So konnte das Sittlichschöne 25
zur Lehre werden und sich als ein Ausgesprochenes über ganze
Völkerschaften verbreiten."

„Ich las neulich irgendwo die Meinung ausgesprochen," versetzte ich, „die griechische Tragödie habe sich die Schönheit des
Sittlichen zum besonderen Gegenstand gemacht."                          30

„Nicht sowohl des Sittlichen," erwiderte Goethe, „als des rein
Menschlichen in seinem ganzen Umfange; besonders aber in den
Richtungen, wo es, mit einer rohen Macht und Satzung in Kon-
flikt geratend, tragischer Natur werden konnte. . . . ."

„Alles Edle," sagte er, „ist an sich stiller Natur und scheint zu schlafen, bis es durch Widerspruch geweckt und herausgefordert wird."

Jena, Montag den 8. Oktober 1827.

. . . . „Ich hatte im vorigen Sommer in der Nähe von Tiefurt
5 zwei junge Zaunkönige gefangen, die wahrscheinlich erst kürzlich ihr Nest verlassen hatten; denn sie saßen in einem Busch auf einem Zweig nebst sieben Geschwistern in einer Reihe und ließen sich von ihren Alten füttern. Ich nahm die beiden jungen Vögel in mein seidenes Taschentuch und ging . . . in ein kleines Ge-
10 hölz. Hier, dachte ich, hast du Ruhe, um einmal nach deinen Zaunkönigen zu sehen. Als ich aber das Tuch öffnete, entschlüpften sie mir beide und waren sogleich im Gebüsch und Grase verschwunden, sodaß mein Suchen nach ihnen vergebens war. Am dritten Tage kam ich zufällig wieder an dieselbige Stelle, und da
15 ich Locktöne eines Rotkehlchens hörte, so vermutete ich ein Nest in der Nähe, welches ich nach einigem Umherspähen auch wirklich fand. Wie groß war aber mein Erstaunen, als ich in diesem Nest neben beinahe flüggen jungen Rotkehlchen auch meine beiden jungen Zaunkönige fand, die sich hier ganz gemütlich
20 untergetan hatten und sich von den alten Rotkehlchen füttern ließen. Ich war im hohen Grade glücklich über diesen höchst merkwürdigen Fund. Da ihr so klug seid, dachte ich bei mir selber, und euch so hübsch habt zu helfen gewußt, und da auch die guten Rotkehlchen sich eurer so hilfreich angenommen, so bin ich
25 weit entfernt, so gastfreundliche Verhältnisse zu stören, im Gegenteil wünsche ich euch das allerbeste Gedeihen."

„Das ist eine der besten ornithologischen Geschichten, die mir je zu Ohren gekommen," sagte Goethe. „Stoßen Sie an, Sie sollen leben und Ihre glücklichen Beobachtungen mit! — Wer das hört
30 und nicht an Gott glaubt, dem helfen nicht Moses und die Propheten. Das ist es nun, was ich die Allgegenwart Gottes nenne, der einen Teil seiner unendlichen Liebe überall verbreitet und eingepflanzt hat und schon im Tiere dasjenige als Knospe andeutet, was im edlen Menschen zur schönsten Blüte kommt. . ."

Mittwoch, den 4. Februar 1829.

. . . . . „Die christliche Religion (sagte Goethe) ist ein mächtiges Wesen für sich, woran die gesunkene und leidende Menschheit von Zeit zu Zeit sich immer wieder emporgearbeitet hat; und indem man ihr diese Wirkung zugesteht, ist sie über aller Philosophie erhaben und bedarf von ihr keiner Stütze. So auch bedarf 5 der Philosoph nicht das Ansehen der Religion, um gewisse Lehren zu beweisen, wie z.B. die einer ewigen Fortdauer. Der Mensch soll an Unsterblichkeit glauben, er hat dazu ein Recht, es ist seiner Natur gemäß, und er darf auf religiöse Zusagen bauen; wenn aber der Philosoph den Beweis für die Unsterblichkeit der Seele 10 aus einer Legende hernehmen will, so ist das sehr schwach und will nicht viel heißen. Die Überzeugung unserer Fortdauer entspringt mir aus dem Begriff der Tätigkeit; denn wenn ich bis an mein Ende rastlos wirke, so ist die Natur verpflichtet, mir eine andere Form des Daseins anzuweisen, wenn die jetzige meinem 15 Geist nicht ferner auszuhalten vermag."

Mein Herz schlug bei diesen Worten vor Bewunderung und Liebe. Ist doch, dachte ich, nie eine Lehre ausgesprochen worden, die mehr zu edlen Taten reizt als diese. Denn wer will nicht bis an sein Ende unermüdlich wirken und handeln, wenn er darin die 20 Bürgschaft eines ewigen Lebens findet.

Mittwoch, den 18. Februar 1829.

. . . . „Das Höchste, wozu der Mensch gelangen kann," sagte Goethe, „ist das Erstaunen. Und wenn ihn das Urphänomen in Erstaunen setzt, so sei er zufrieden. Ein Höheres kann es ihm nicht gewähren, und ein Weiteres soll er nicht dahinter suchen; 25 hier ist die Grenze. Aber den Menschen ist der Anblick eines Urphänomens noch nicht genug, sie denken, es müsse noch weiter gehen, und sie sind Kindern ähnlich, die, wenn sie in einen Spiegel geguckt, ihn sogleich umwenden, um zu sehen, was auf der anderen Seite ist." 30

Sonntag, den 20. Februar 1831.

. . . . „Es ist dem Menschen natürlich," sagte Goethe, „sich als das Ziel der Schöpfung zu betrachten und alle übrigen Dinge nur

in Bezug auf sich und insofern sie ihm dienen und nützen. Er
bemächtigt sich der vegetabilischen und animalischen Welt, und
indem er andere Geschöpfe als passende Nahrung verschlingt,
erkennt er seinen Gott und preist dessen Güte, die so väterlich für
5 ihn gesorgt. Der Kuh nimmt er die Milch, der Biene den Honig,
dem Schaf die Wolle, und indem er den Dingen einen i h m nütz-
lichen Zweck gibt, glaubt er auch, daß sie dazu geschaffen worden. Ja er kann sich nicht denken, daß nicht auch das kleinste
Kraut für ihn da sei, und wenn er dessen Nutzen noch gegen-
10 wärtig nicht erkannt hat, so glaubt er doch, daß solches sich
künftig ihm gewiß entdecken werde.

Und wie der Mensch nun im Allgemeinen denkt, so denkt er
auch im Besonderen, und er unterläßt nicht, seine gewohnte
Ansicht aus dem Leben auch in die Wissenschaft zu tragen und
15 auch bei den einzelnen Teilen eines organischen Wesens nach
deren Zweck und Nutzen zu fragen.

Dies mag auch eine Weile gehen, und er mag auch in der Wissenschaft eine Weile damit durchkommen; allein gar bald wird
er auf Erscheinungen stoßen, wo er mit einer so kleinen Ansicht
20 nicht ausreicht und wo er, ohne höheren Halt, sich in lauter Wider-
sprüche verwickelt.

Solche Nützlichkeitslehrer sagen wohl, der Ochse habe Hörner,
um sich damit zu wehren. Nun frage ich aber: warum hat das
Schaf keine? Und wenn es welche hat, warum sind sie ihm um
25 die Ohren gewickelt, sodaß sie ihm zu nichts dienen?

Etwas anderes aber ist es, wenn ich sage: der Ochse wehrt sich
mit seinen Hörnern, weil er sie hat.

Die Frage nach dem Zweck, die Frage: W a r u m ? ist durchaus
nicht wissenschaftlich. Etwas weiter aber kommt man mit der
30 Frage: W i e ? Denn wenn ich frage: wie hat der Ochs Hörner?
so führt mich das auf die Betrachtung seiner Organisation und
belehrt mich zugleich, warum der Löwe keine Hörner hat und
haben kann.

So hat der Mensch in seinem Schädel zwei unausgefüllte hohle
35 Stellen. Die Frage: Warum? würde hier nicht weit reichen, aber
die Frage: Wie? belehrt mich, daß diese Höhlen Reste des tieri-
schen Schädels sind, die sich bei solchen geringeren Organisa-

tionen in stärkerem Maße befinden und die sich beim Menschen trotz seiner Höhe noch nicht ganz verloren haben.

Die Nützlichkeitslehrer würden glauben ihren Gott zu verlieren, wenn sie nicht d e n anbeten sollen, der dem Ochsen die Hörner gab, damit er sich verteidige. Mir aber möge man er- 5 lauben, daß ich d e n verehre, der in dem Reichtum seiner Schöpfung so groß war, nach tausendfältigen Pflanzen noch eine zu machen, worin alle übrigen enthalten, und nach tausendfältigen Tieren ein Wesen, das sie alle enthält: den Menschen.

Man verehrt ferner d e n , der dem Vieh sein Futter gibt und 10 dem Menschen Speise und Trank, so viel er genießen mag. Ich aber bete d e n an, der eine solche Produktionskraft in die Welt gelegt hat, daß, wenn nur der millionste Teil davon ins Leben tritt, die Welt von Geschöpfen wimmelt, sodaß Krieg, Pest, Wasser und Brand ihr nichts anzuhaben vermögen. Das ist m e i n 15 Gott!"

Dienstag, den 8. März 1831.

. . . . „In der Poesie," sagte Goethe, „ist durchaus etwas Dämonisches, und zwar vorzüglich in der unbewußten, bei der aller Verstand und alle Vernunft zu kurz kommt und die daher auch so über alle Begriffe wirkt. 20

Desgleichen ist es in der Musik im höchsten Grade, denn sie steht so hoch, daß kein Verstand ihr beikommen kann, und es geht von ihr eine Wirkung aus, die alles beherrscht und von der niemand imstande ist, sich Rechenschaft zu geben. Der religiöse Kultus kann sie daher auch nicht entbehren; sie ist eines der 25 ersten Mittel, um auf die Menschen wunderbar zu wirken. . . . ."

„In die Idee vom Göttlichen," sagte ich versuchend, „scheint die wirkende Kraft, die wir das Dämonische nennen, nicht einzugehen."

„Liebes Kind," sagte Goethe, „was wissen wir denn von der 30 Idee des Göttlichen, und was wollen denn unsere engen Begriffe vom höchsten Wesen sagen! Wollte ich es gleich einem Türken mit hundert Namen nennen, so würde ich doch noch zu kurz kommen und im Vergleich so grenzenloser Eigenschaften noch nichts gesagt haben." 35

Mittwoch, den 21. Februar 1827.

Bei Goethe zu Tisch. — Er sprach viel und mit Bewunderung
über Alexander von Humboldt,[11] dessen Werk über Kuba und
Kolumbien er zu lesen angefangen und dessen Ansichten über
das Projekt eines Durchstiches der Landenge von Panama [12]
5 für ihn ein ganz besonderes Interesse zu haben schien. „Humboldt," sagte Goethe, „hat mit großer Sachkenntnis noch andere
Punkte angegeben, wo man mit Benutzung einiger in den Mexikanischen Meerbusen fließenden Ströme vielleicht noch vorteil-
hafter zum Ziele käme als bei Panama. Dies ist nun alles der
10 Zukunft und einem großen Unternehmungsgeiste vorbehalten.
Soviel ist aber gewiß: gelänge ein Durchstich derart, daß man
mit Schiffen von jeder Ladung und jeder Größe durch solchen
Kanal aus dem Mexikanischen Meerbusen in den Stillen Ozean
fahren könnte, so würden daraus für die ganze zivilisierte und
15 nicht zivilisierte Menschheit ganz unberechenbare Resultate her-
vorgehen. Wundern sollte es mich aber, wenn die Vereinigten
Staaten es sich sollten entgehen lassen, ein solches Werk in die
Hände zu bekommen. Es ist vorauszusehen, daß dieser jugend-
liche Staat bei seiner entschiedenen Tendenz nach Westen in
20 dreißig bis vierzig Jahren auch die großen Landstrecken jenseits
der Felsengebirge in Besitz genommen und bevölkert haben wird.
— Es ist ferner vorauszusehen, daß an dieser ganzen Küste des
Stillen Ozeans, wo die Natur bereits die geräumigsten und sicher-
sten Häfen gebildet hat, nach und nach sehr bedeutende Handels-
25 städte entstehen werden zur Vermittlung eines großen Verkehrs
zwischen China nebst Ostindien und den Vereinigten Staaten. In
solchem Fall wäre es aber nicht bloß wünschenswert, sondern fast
notwendig, daß sowohl Handels- als Kriegsschiffe zwischen der
nordamerikanischen westlichen und östlichen Küste eine raschere
30 Verbindung unterhielten, als es bisher durch die langweilige,
widerwärtige und kostspielige Fahrt um das Kap Horn möglich
gewesen. Ich wiederhole also: es ist für die Vereinigten Staaten
durchaus unerläßlich, daß sie sich eine Durchfahrt aus dem

Mexikanischen Meerbusen in den Stillen Ozean bewerkstelligen, und ich bin gewiß, daß sie es erreichen.

Dieses möchte ich erleben, aber ich werde es nicht. Zweitens möchte ich erleben, eine Verbindung der Donau mit dem Rhein hergestellt zu sehen.[13] Aber dieses Unternehmen ist gleichfalls 5 so riesenhaft, daß ich an der Ausführung zweifle, zumal in Erwägung unserer deutschen Mittel. Und endlich drittens möchte ich die Engländer im Besitz eines Kanals von Suez [14] sehen. Diese drei großen Dinge möchte ich erleben, und es wäre wohl der Mühe wert, ihnen zuliebe es noch einige fünfzig Jahre auszu- 10 halten."

## Den Vereinigten Staaten
### (Aus Goethes Nachlaß, Zahme Xenien, IX.)

Amerika, du hast es besser
Als unser Kontinent, das alte,
Hast keine verfallene Schlösser
Und keine Basalte.[15]                                     15
Dich stört nicht im Innern,
Zu lebendiger Zeit,
Unnützes Erinnern
Und vergeblicher Streit.

Benutzt die Gegenwart mit Glück!                           20
Und wenn nun eure Kinder dichten,
Bewahre sie ein gut Geschick
Vor Ritter-, Räuber- und Gespenstergeschichten.

POLITISCHES

Sonntag, den 4. Januar 1824.

. . . . „Es ist wahr, (sagte Goethe), ich konnte kein Freund der französischen Revolution sein, denn ihre Greuel standen mir zu 25 nahe und empörten mich täglich und stündlich, während ihre wohltätigen Folgen damals noch nicht zu ersehen waren. Auch konnte ich nicht gleichgültig dabei sein, daß man in Deutsch-

land k ü n s t l i c h e r  W e i s e ähnliche Szenen herbeizuführen
trachtete, die in Frankreich Folge einer großen Notwendigkeit
waren.

Ebensowenig aber war ich ein Freund herrischer Willkür. Auch
5 war ich vollkommen überzeugt, daß irgendeine große Revolution
nie Schuld des Volkes ist, sondern der Regierung. Revolutionen
sind ganz unmöglich, sobald die Regierungen fortwährend gerecht und fortwährend wach sind, so daß sie ihnen durch zeitge-
mäße Verbesserungen entgegenkommen und sich nicht so lange
10 sträuben, bis das Notwendige von unten her erzwungen wird.

Weil ich nun aber die Revolutionen haßte, so nannte man mich
einen F r e u n d  d e s  B e s t e h e n d e n . Das ist aber ein sehr
zweideutiger Titel, den ich mir verbitten möchte. Wenn das
Bestehende alles vortrefflich, gut und gerecht wäre, so hätte ich
15 nichts dawider. Da aber neben vielem Guten zugleich viel Schlech-
tes, Ungerechtes und Unvollkommenes besteht, so heißt ein Freund
des Bestehenden oft nicht viel mehr als ein Freund des Veralteten
und Schlechten.

Die Zeit aber ist in ewigem Fortschreiten begriffen, und die
20 menschlichen Dinge haben alle fünfzig Jahre eine andere Gestalt,
sodaß eine Einrichtung, die im Jahre 1800 eine Vollkommenheit
war, schon im Jahre 1850 vielleicht ein Gebrechen ist. . . . . "

Mittwoch, den 25. Februar 1824.

. . . . „Ich habe den großen Vorteil," fuhr Goethe fort, „daß
ich zu einer Zeit geboren wurde, wo die größten Weltbegeben-
25 heiten an die Tagesordnung kamen und sich durch mein langes
Leben fortsetzten, sodaß ich vom siebenjährigen Krieg,[16] sodann
von der Trennung Amerikas von England, ferner von der französischen Revolution und endlich von der ganzen Napoleonischen
Zeit bis zum Untergange des Helden und den folgenden Ereignis-
30 sen lebendiger Zeuge war. Hierdurch bin ich zu ganz anderen
Resultaten und Einsichten gekommen, als allen denen möglich
sein wird, die jetzt geboren werden und die sich jene großen Be-
gebenheiten durch Bücher aneignen müssen, die sie nicht verstehen.

35 Was uns die nächsten Jahre bringen werden, ist durchaus nicht

vorherzusagen; doch ich fürchte, wir kommen so bald nicht zur Ruhe. Es ist der Welt nicht gegeben sich zu bescheiden: den Großen nicht, daß kein Mißbrauch der Gewalt stattfinde, und der Masse nicht, daß sie in Erwartung allmählicher Verbesserungen mit einem mäßigen Zustande sich begnüge. Könnte man 5 die Menschheit vollkommen machen, so wäre auch ein vollkommener Zustand denkbar; so aber wird es ewig herüber und hinüber schwanken, der eine Teil wird leiden, während der andere sich wohl befindet, Egoismus und Neid werden als böse Dämonen immer ihr Spiel treiben, und der Kampf der Parteien wird kein 10 Ende haben. . . . ."

Sonntag, den 14. März 1830.

. . . . . „Man hat Ihnen vorgeworfen," bemerkte ich etwas unvorsichtig, „daß Sie in jener großen Zeit (in den preußischen Befreiungskriegen) nicht auch die Waffen ergriffen oder wenigstens nicht als Dichter eingewirkt haben." 15

„Lassen wir das, mein Guter!" erwiderte Goethe. „Es ist eine absurde Welt, die nicht weiß, was sie will, und die man muß reden und gewähren lassen. — Wie hätte ich die Waffen ergreifen können ohne Haß! Und wie hätte ich hassen können ohne Jugend! Hätte jenes Ereignis mich als einen Zwanzigjährigen ge- 20 troffen, so wäre ich sicher nicht der letzte geblieben; allein es fand mich als einen, der bereits über die ersten sechzig hinaus war.

Auch können wir dem Vaterlande nicht alle auf die gleiche Weise dienen, sondern jeder tut sein Bestes, je nachdem Gott es ihm gegeben. Ich habe es mir ein halbes Jahrhundert lang sauer 25 genug werden lassen. Ich kann sagen, ich habe in den Dingen, die die Natur mir zum Tagewerk bestimmt, mir Tag und Nacht keine Ruhe gelassen und mir keine Erholung gegönnt, sondern immer gestrebt und geforscht und getan, so gut und so viel ich konnte. Wenn jeder von sich dasselbe sagen kann, so wird es 30 um alles gut stehen."

„Im Grunde," versetzte ich begütigend, „sollte Sie jener Vorwurf nicht verdrießen, vielmehr könnten Sie sich darauf etwas einbilden. Denn was will das anders sagen, als daß die Meinung der Welt von Ihnen so groß ist, daß sie verlangen, daß derjenige, 35

der für die Kultur seiner Nation mehr getan als irgend ein anderer, nun endlich alles hätte tun sollen!"

„Ich mag nicht sagen, wie ich denke," erwiderte Goethe. „Es
versteckt sich hinter jenem Gerede mehr böser Wille gegen mich,
5 als Sie wissen. Ich fühle darin eine neue Form des alten Hasses,
mit dem man mich seit Jahren verfolgt und mir im stillen beizu-
kommen sucht. Ich weiß recht gut, ich bin vielen ein Dorn im
Auge, sie wären mich alle sehr gern los; und da man nun an mein
Talent nicht rühren kann, so will man an meinen Charakter.
10 Bald soll ich stolz sein, bald egoistisch, bald voller Neid gegen
junge Talente, bald in Sinneslust versunken, bald ohne Christen-
tum und nun endlich gar ohne Liebe zu meinem Vaterlande und
meinen lieben Deutschen. — Sie kennen mich nun seit Jahren
hinlänglich und fühlen, was an alle dem Gerede ist. Wollen Sie
15 aber wissen, was ich gelitten habe, so lesen Sie meine *Xenien,* und
es wird Ihnen aus meinen Gegenwirkungen klar werden, womit
man mir abwechselnd das Leben zu verbittern gesucht hat.

Ein deutscher Schriftsteller, ein deutscher Märtyrer! — Ja, mein
Guter! Sie werden es nicht anders finden. Und ich selbst kann
20 mich noch kaum beklagen; es ist allen anderen nicht besser gegangen, den meisten sogar schlechter, und in England und Frankreich ganz wie bei uns. Was hat nicht Molière zu leiden gehabt
und was nicht Rousseau und Voltaire! Byron ward durch die
bösen Zungen aus England getrieben und würde zuletzt ans Ende
25 der Welt geflohen sein, wenn ein früher Tod ihn nicht den Phi-
listern und ihrem Haß enthoben hätte.

Und wenn noch die bornierte Masse höhere Menschen ver-
folgte! — Nein! E i n Begabter und e i n Talent verfolgt das andere. Platen [17] ärgert Heine [18] und Heine Platen, und jeder sucht
30 den andern schlecht und verhaßt zu machen, da doch zu einem
friedlichen Hinleben und Hinwirken die Welt groß und weit
genug ist und jeder schon an seinem eigenen Talent einen Feind
hat, der ihm hinlänglich zu schaffen macht.

Kriegslieder schreiben und im Zimmer sitzen! — Das wäre
35 meine Art gewesen! — Aus dem Biwak heraus, wo man nachts
die Pferde der feindlichen Vorposten wiehern hört: da hätte ich
es mir gefallen lassen! Aber das war nicht mein Leben und nicht

meine Sache, sondern die von Theodor Körner.[19] Ihn kleiden seine
Kriegslieder auch ganz vollkommen. Bei mir aber, der ich keine
kriegerische Natur bin und keinen kriegerischen Sinn habe,
würden Kriegslieder eine Maske gewesen sein, die mir sehr
schlecht zu Gesicht gestanden hätte.                                                    5

Ich habe in meiner Poesie nie affektiert. Was ich nicht lebte und
was mir nicht auf die Nägel brannte und zu schaffen machte,
habe ich auch nicht gedichtet und ausgesprochen. Liebesgedichte
habe ich nur gemacht, wenn ich liebte. Wie hätte ich nun Lieder
des Hasses schreiben können ohne Haß! — Und, unter uns, ich 10
haßte die Franzosen nicht, wiewohl ich Gott dankte, als wir sie
los waren. Wie auch hätte ich, dem nur Kultur und Barbarei
Dinge von Bedeutung sind, eine Nation hassen können, die zu
den kultiviertesten der ganzen Erde gehört und der ich einen
so großen Teil meiner eigenen Bildung verdankte!                                15

Überhaupt," fuhr Goethe fort, „ist es mit dem Nationalhaß ein
eigenes Ding. — Auf den untersten Stufen der Kultur werden Sie
ihn immer am stärksten und heftigsten finden. Es gibt aber eine
Stufe, wo er ganz verschwindet und wo man gewissermaßen
ü b e r den Nationen steht und ein Glück oder ein Wehe seines 20
Nachbarvolkes empfindet, als wäre es dem eigenen begegnet. Diese
Kulturstufe war meiner Natur gemäß, und ich hatte mich darin
lange befestigt, ehe ich mein sechzigstes Jahr erreicht hatte."

# NOTES

## Weimar

### Vor der Reise nach Weimar

1. **Götz von Berlichingen** (1773), Goethe's Storm and Stress drama, strongly influenced by Shakespeare.
2. **Die Leiden des jungen Werthers** (1774), a novel in letters in which the literary tendencies of the age (Richardson, Rousseau, Macpherson's *Ossian*) were fused with Goethe's own experiences and philosophy, and which enjoyed a sensational success.
3. **Auguste Gräfin zu Stolberg** (1753–1835) is the sister of the "Hainbunddichter" Friedrich Leopold and Christian von Stolberg.
4. In the skirmish of **Bergen** near Frankfurt-on-the-Main during the Seven Years' War, Ferdinand of Brunswick was defeated by the French on April 13, 1759.
5. **wie hoch und klein:** "how close to the top of the sheet and what tiny writing."
6. In her old age, Auguste Stolberg Bernstorff, who had become a mystic, refers to this passage in a letter to Goethe of Oct. 15, 1822, in which she entreats him to make his peace with God.
7. This refers probably to the Princess of Waldeck and her daughter, the Princess of Nassau-Usinger.
8. **Offenbach** is a town near Frankfurt-on-the-Main.
9. This girl may have first suggested to Goethe the character of Klärchen in *Egmont*.
10. a card game.
11. Goethe and Lili had been guests at the wedding of the minister of Offenbach on Sept. 10.
12. The **Danaides** were condemned to the endless task of filling with water a vessel which had no bottom.

### Das erste Jahr in Weimar

1. A free imperial city was a city subject to no authority except that of the German emperor; i.e., it was "immediate."
2. **Christoph Martin Wieland** (1733–1813) was one of the distinguished authors of the Classic period of German literature. He was the first to call attention in Germany to Shakespeare by translating twenty-two of Shakespeare's plays into German. His best-known work is the ro-

mantic poem *Oberon* (1780). He wrote many fantastic stories and novels, many of them with classic design, but modern in thought and color.

3. **Karl Ludwig von Knebel** (1744–1834), an officer in the Prussian army, was made tutor of Prince Konstantin, the second son of Anna Amalia of Saxe-Weimar. Knebel translated poems by Horace and Virgil and wrote poetry himself.

4. **ein Mensch aus dem Ganzen, eine Natur:** "a man of one piece, possessing a true, unwarped individuality."

5. **Karl S. von Seckendorf** (1744–1785), "Kammerherr" at the court of Weimar, poet and composer of folksongs, set a number of Goethe's poems to music. He was the first to translate Goethe's *Werther* into French.

6. **Johann Wilhelm Ludwig Gleim** (1719–1803) was an anacreontic poet best known for his *Lieder eines preußischen Grenadiers.*
   **Johann Daniel Falk** (1768–1826) was a scholar who lived in Weimar and had frequent contacts with Goethe.

7. This almanach was the official organ of the "Hainbunddichter." It was published in the university town of Göttingen.

8. **Johann Heinrich Voss** (1751–1826), a member of the Göttinger Hainbund and the editor of the *Musenalmanach,* was famous for his translations of Homer's *Odyssey* and *Iliad.* His idyll *Luise* suggested to Goethe the idea of writing *Hermann und Dorothea.*
   **Friedrich Leopold Graf zu Stolberg** (1750–1819) and **Gottfried August Bürger** (1747–1794), the author of popular ballads (*Lenore*), were also members of the Göttinger Hainbund.

9. The wild huntsman, a legendary figure of mythological origin in German folklore, was popularly interpreted to be the devil.

10. **Ossian:** *The works of Ossian, the son of Fingal. Translated from the Gaelic Language by James Macpherson* appeared in 1762 and 1763. They were first translated into German in 1768. The Ossianic poems are largely the work of Macpherson himself, though they have a real basis in Gaelic legend.

11. **Luise** was a sentimental character in the comedy *The West Indian* (1771) by Richard Cumberland, translated by Boden and performed at the court of Weimar on Feb. 18, 1776. Goethe was one of the actors.

12. **Johann Heinrich Merck** (1741–1791), paymaster at Darmstadt and man-of-letters, met Goethe for the first time in Frankfurt around Christmas, 1771. The close friendship between them lasted until Goethe's journey to Italy in 1786. Merck was in correspondence with many outstanding men of his time and undoubtedly influenced them, as he had benefitted Goethe, through his penetrating criticism.

13. **Johann Georg Zimmermann** (1728–1795), court physician in Hannover and personal physician to Frederick the Great of Prussia in his

last sickness, was also the author of popular philosophical writings. He corresponded with outstanding men of his time.

14. **Friedrich Gottlieb Klopstock** (1724–1803) is one of the founders of modern German literature. His most famous work, the epic poem *Der Messias,* impressed Goethe greatly in his childhood. It was strongly influenced by Milton's *Paradise Lost.*

15. This name was given to Goethe's mother by the brothers Stolberg when they visited Goethe in Frankfurt in 1775. She reminded them of "Frau Aja," the mother of the "vier Haimonskinder" in an old German tale.

16. **Reinhold Michael Jakob Lenz** (1751–1792), Goethe's friend in Strassburg (1771), was a lyric and dramatic poet of the Storm and Stress period in German literature. His vanity and inability to adjust himself to reality made him difficult to get along with. Goethe at last had to deny him his friendship in Weimar, so that Lenz had to leave. He died mentally ill and destitute.

17. **Johann Gottfried Herder** (1744–1803) was the pioneer of the revolutionary movement in German literature called "Sturm und Drang." He became Goethe's friend in Strassburg in 1770. His most epoch-making work was *Ideen zur Philosophie der Geschichte der Menschheit* (1784–5) His collection of songs *Stimmen der Völker in Liedern* (1778–9) comprises characteristic songs from the literatures of many nations. He came to Weimar in 1776 and remained there to his death.

18. **Johanna Fahlmer** (1744–1821), "Täntchen," was a close friend of Goethe's sister Cornelia in Frankfurt. After Cornelia's early death, she married Cornelia's husband Johann Schlosser in 1778.

19. fl. = abbreviation for *florin* which is a Dutch guilder. (Value 50 cents)

20. **Luise und ich leben nur in Blicken und Silben zusammen:** Luise and I need only glances and syllables in order to understand each other.

## Freundschaft mit Frau von Stein

1. **Johann Kaspar Lavater** (1741–1801) was a Swiss mystic, the founder of "the art of physiognomy." He wished to convert Goethe to his exalted religious enthusiasm. He possessed keen powers of observation and the most delicate discrimination of human traits. His chief work is *Physiognomische Fragmente zur Beförderung der Menschenkenntnis und Menschenliebe* (4 vols. 1775–78). His influence on the young Goethe was considerable, although later Goethe turned away from him.

2. **"Stella"**, *ein Schauspiel für Liebende,* was first published in 1775. Its theme is the conflict created by the hero's love for two women. The young Goethe, in accordance with his conviction that love should be magnanimous, "solved" the problem by having the two women agree to share their lover. Later Goethe became convinced of the insolvable nature of the dilemma and gave the play a tragic outcome.

3. The name **Gustel** was probably assumed by Goethe because he had acted under that name in one of the plays performed at the court.

4. Frau v. Stein had Goethe return her letters and destroyed them. However, it is generally assumed that this letter, which Goethe used in his one-act play *Die Geschwister* (1776), is a replica of one of Frau v. Stein's letters to him.

5. "Day after day, dear friend, I wanted to write to you . . . Wieland has recently supped and yesterday dined with me, and is really becoming my friend; I owe his friendship to Goethe and everything to you. Goethe is here both loved and hated; you can imagine that there are many blockheads who do not understand him."

6. A moss-covered basalt mountain top.

7. **"Wilhelm Meisters theatralische Sendung."**

8. The **Ilm** is a small river on which Weimar is situated. Cf. also **Ilmenau,** a mining town on the Ilm.

9. The **Harz** mountains are in northern Germany. The **Brocken** is their highest elevation. It plays a part in a German legend, in which the devil meets the witches and sorcerers here and they worship him. Cf. Goethe's reference to the "Teufelsaltar." The Brocken is the scene of the "Walpurgisnacht" in Goethe's *Faust*.

10. This famous medieval castle is known as the seat of Landgraf Hermann of Thuringia, who was a patron of poets in the 12th century. Here the legendary "Sängerkrieg," used by R. Wagner as a major theme in his opera *Tannhäuser* is supposed to have taken place. In 1521 Martin Luther found refuge on the Wartburg and began his translation of the Bible there.

   At the foot of the Wartburg mountain lies **Eisenach,** a town where Goethe frequently stayed.

11. in order to facilitate communication.

12. A town situated half way between Weimar and Berlin.

13. In 1777 the Elector of Bavaria died without a direct heir. Austria tried to profit from this situation, and Prussia, which feared an increase of Austrian power, was determined to prevent this. The Duke of Saxe-Weimar, whose small state might easily become involved in an armed conflict between the two, went to Berlin to inform himself personally about Prussian intentions. The tension finally resulted in The War of Bavarian Succession, popularly known as the Potato War because the soldiers did more stealing than fighting. Saxe-Weimar did not become directly involved.

14. A castle near Jena.

15. A park in Jena.

16. A town near Jena.

## Die zweite Schweizer Reise

1. Goethe's sister Cornelia died young (1777) in Emmendingen, Württemberg, after an unhappy marriage with Goethe's friend Johann Georg Schlosser. Four months after her death Schlosser married Johanna Fahlmer, a close friend of the Goethe family.
2. A famous waterfall in the Lauterbrunnen valley, in the Canton of Berne.
3. Jeremias 31, 5: Du sollst wiederum Weinberge pflanzen an den Bergen Samariä; tanzen wird man und dazu pfeifen.
   Goethe refers in his letter to a remark his mother made during his serious illness in Frankfurt in 1768.
4. Giovanni Pasiello (1741–1816) was a successful Italian composer of comic operas (opera buffa).
5. Goethe considered it his responsibility to develop in the young duke a sense of moderation and self-restraint.
6. The St. Gotthard is a mountain group with a number of different peaks, glaciers, and small lakes. The St. Gotthard pass was probably the most frequented Alpine pass to northern Italy up to the beginning of the 19th century. On it the order of the Capuchins built a hospice to give aid and shelter to travellers.
7. They are part of the French Alps, south of Lac Léman.
8. A southwestern Swiss Canton (= Canton Valais).
   The Furka Pass is a saddle between the Blauberg and the Furkahorn. The Furka road to and from the Bernese Oberland commands striking views of the Rhone glacier and the Bernese Alps.
9. The Leviathan is supposed to be a large mysterious ocean mammal. It is mentioned in the Bible.

## Zurück in Weimar

1. "Die Räuber," Schiller's first play, which made him famous over night, was published in 1781, performed with great success in Mannheim in 1782.
2. This expression was coined by J. J. Ampère, Professor of Modern Languages in Paris, in his review of Goethe's dramatic works in Stapfer's French translation. Ampère's review appeared in the French periodical *Globe,* which Goethe knew. Cf. Eckermann, May 3, 1827.
3. Baruch Spinoza (1632–1677) was a Dutch Jewish philosopher influenced by Descartes. His chief work is *Ethica Ordine Geometrico Demonstrata.* According to Spinoza's pantheism, God and the Universe are identical. He founded no school, but exerted the greatest influence on modern thought, literature and science.
4. Friedrich (Fritz) Heinrich Jacobi (1743–1819) was a student of philosophy and a follower of Spinoza, though he disagreed with some of Spinoza's doctrines.

5. **Aristophanes** (450–385 B.C.), Greek satirist. Works: *Lysistrata, The Frogs, The Birds, The Wasps.*

6. **Endor,** an ancient town in Palestine, is chiefly memorable as the abode of the sorceress whom Saul consulted on the eve of the battle of Gilboa. (I. Sam. XXVIII).

7. **Albrecht Dürer** (1471–1528), painter, engraver, and designer of the Franconian school, is the most prominent and influential master of the German Renaissance. He is considered the most representative artist that Germany has ever produced. Especially famous are Dürer's engravings and woodcuts.

8. The intermaxillary bone, one of two bones at the anterior part of the upper jaw carrying the incisors. An essay on this subject was published by Goethe in Jena, 1784.

9. **Georg Friedrich Händel** (1685–1759) was a famous German composer. The *Messias* is his best-known Oratorio.

10. **Aulhorn** was dancing-master at the court of Weimar.

11. **Johann Christian Kestner** was Goethe's friend in Wetzlar and the fiancé of Lotte Buff, the heroine of *Die Leiden des jungen Werthers.*

12. Vast destruction was done in London during the Gordon riots in June, 1780, which followed upon the act of Parliament relieving Roman Catholics of certain restrictions.

13. Probably Goethe does not allude to any definite mythological god, but merely to the pantheistic nature of God.

14. **"Wilhelm Meisters theatralische Sendung"** (1777–85) is the first draft of Goethe's novel *Wilhelm Meisters Lehrjahre.*

15. An old town in southwestern Thuringia, known in the history of the Reformation because an alliance of protestant princes was concluded there in 1531.

16. **Euripides** (480–406 B.C.) was a great Greek playwright. His works are: *Medea, Iphigenia in Aulis, Electra, Orestes.*

17. Quoted from *The Deserted Village* by Oliver Goldsmith.

18. Cf. Shakespeare: *Julius Caesar,* III, 2.

19. The **Rhön** is a mountain range in middle Germany, at the southwestern edge of Thuringia.

20. "Individuality is indefinable." This sentence may refer to Plotinus, in which case "individuality" would mean "the One" = God.

21. The dating of this letter is uncertain. It may have been written after Goethe's return from Italy when he revised *Tasso* (Feb. 12, 1789). In the Weimar edition it appears under both dates.

22. The beautiful countess Jeanette Louise von Werthern, who was mistress of the castle of Neuenheiligen, near Langensalza. Karl August fell in love with her and stayed at Neuenheiligen with Goethe in March, 1781.

23. **Friedrich Müller** (1749–1825) whose pen name is "Maler Müller," was a painter and poet in the Storm and Stress period.

24. **Johann August von Kalb** (1747–1831) was "Kammerrat" and then "Kammerpräsident" in Weimar. In 1775 he called for Goethe in Frankfurt to take him to Weimar.

25. Residence of a neighboring duke. In May, 1782, Goethe visited several neighboring courts as Karl August's emissary.

26. Cf. the Bible story of the devil tempting Jesus with worldly power and riches.

27. **Adam Friedrich Oeser** (1717–99), painter, etcher and sculptor, was appointed director of the newly founded Academy of Design in Leipzig in 1764. As a student in Leipzig, Goethe studied under him. He was not a great creative talent, but a most stimulating teacher, zealously opposed to mannerism in art, and a stout champion of Winckelmann's advocacy of reform on antique lines.

28. A journal to further gaiety among the members of Anna Amalia's circle. It was distributed in eleven handwritten copies. Contributions were anonymous.

29. **Justus Christian Loder** (1753–1832) was Professor of Anatomy and Medicine at the University of Jena from 1778 to 1803. Goethe dissected human bodies under his supervision.

30. Herder's *Ideen zur Philosophie der Geschichte der Menschheit* (1784–1791) represent history as an unbroken whole, a living organism in which nothing is lost and all forces are utilized.

31. The residence of a neighboring duke.

32. Samuel Th. v. Sömmering, Professor of Anatomy in **Kassel,** sent Goethe the skull of an elephant which Goethe wanted to study in connection with his search for the intermaxillary bone.
    Kassel was at that time a center of art and science and the capital of the German state of Hesse-Nassau.

33. **Voltaire** (1694–1778), one of the greatest writers of French literature, was a friend of Frederick the Great of Prussia and spent some time at the court in Berlin. He left because he quarreled with the king. His bitter attacks on Frederick were widely publicized.

34. **Atheum** = atheist: denying the existence of God.
    **theissimum** = superlative of theist: very much believing in God.
    **christianissimum** = most Christian.

35. *"Über die Lehre des Spinoza, in Briefen an Herrn Moses Mendelssohn."* (1785) This publication did much to awaken interest in Spinoza in Germany.

36. **aus den rebus singularibus erkennen:** to recognize (God) from the study of individual things.

37. in herbs and stones.

38. Albertingen v. Staff. (?)

39. **Linné** (1707–1778) was a great Swedish naturalist. His work: *Philosophia botanica in qua explicantur fundamenta botanica* (1751).

**40.** This refers to the mines of Ilmenau which Goethe had reopened.

**41.** Shakespeare's "Hamlet" plays an important part in *Wilhelm Meister*. Goethe's *Hamlet* interpretation is important in modern criticism.

**42.** The four first rules of arithmetic: addition, subtraction, division, multiplication.

**43.** Friedrich Justin Bertuch (1747–1822), bookdealer and writer in Weimar, founded *Die Allgemeine* (with others), *Die Jenaische Literaturzeitung* (1804), and translated *Don Quixote*.
Georg Joachim Göschen (1752–1828) was a well-known Leipzig publisher.

**44.** Karlsbad is a famous spa in Bohemia (Czechoslovakia).

**45.** Fräulein Luise Adelaide v. Waldner, lady-in-waiting to the duchess Luise.

**46.** The Duke was planning to join the Prussian army in the rank of major-general. Prussia had, for some time, tried to conclude a military alliance with Saxe-Weimar. Goethe had not been in favor of it, but the aggressive attitude in German affairs of the Austrian ruler had worked in favor of Prussia. Also, the death of Frederick the Great was expected shortly and his successor was considered easier to deal with.

## Die italienische Reise

**1.** Cf. Goethe's remarks to Eckermann, p. 14.

**2.** Lago di Garda, largest of the lakes in northern Italy.

**3.** Vergil (70–19 B.C.), the great Roman poet, author of the *Aeneid*.

**4.** "All these objects, which for more than thirty years have stimulated my imagination by their very remoteness and were therefore out of reach for my true comprehension, are now brought close and made part of my everyday life."

**5.** Angelika Kauffmann (1741–1807), a portrait painter, belonged to the circle of Goethe's friends in Rome and painted his portrait, which he thought handsome, but without likeness. However, Goethe admired and liked her very much, both for her art and her human qualities.

**6.** This essay, published in 1790, was Goethe's first contribution to scientific literature. Its main idea is that the various parts of a plant are essentially identical, i.e., leaf, petal, stamen, etc., are progressive transformations of a single organ, an imaginary morphological norm.

**7.** Johann Joachim Winckelmann (1717–1768) was the founder of scientific archaeology. His greatest work is the *Geschichte der Kunst des Altertums* (1764). His theory of the beautiful called forth Lessing's "Laokoön" and profoundly impressed Goethe, who later paid his tribute to him in his essay *Winckelmann und sein Jahrhundert*.

**8.** Karl Philipp Moritz (1757–1793) was Goethe's close friend in Italy. He was the author of an autobiographical psychological novel *Anton*

*Reiser* which Goethe admired, of an esthetic treatise *Über die bildende Nachahmung des Schönen,* parts of which Goethe included in his *Italienische Reise,* and of a prosody (1786) which encouraged Goethe to rewrite *Iphigenie* in iambic meter.

9. **"Die italienische Reise"** was published in parts in 1816, 1817, 1829.

10. **Johann Heinrich Tischbein** (1751–1829) was a portrait painter and Goethe's close friend in Rome.

11. The **"Via del Corso"** is the principal thoroughfare of Rome, running from the Piazza del Popolo to the **"Capitol,"** the citadel of ancient Rome. The **"Porta del Popolo"** is the north entrance to Rome through which most visitors approached the city.
   The **"Villa Borghese,"** built in the first half of the 17th century, is famous for its park and art gallery.

12. **The Sistine Chapel** was built in the Vatican in 1473 by Pope Sixtus IV.

13. **Michelangelo** (Buonarroti) (1475–1564), Italian sculptor, painter, and architect.

14. **Raphael's Logge** is an open arcade in the Vatican with ceiling-paintings in every vault.

15. **Philipp Seidel** was servant as well as secretary to Goethe from 1775 to his return from Italy.

16. This package contained Goethe's travel diary.

17. **Diogenismus:** the attitude of Diogenes, the Cynic (died 323 B.C.). This Greek philosopher taught the doctrines of self-control and contempt of worldly luxuries and pleasures. Morality, to him, implied a return to natural simplicity.

18. Moritz wrote to Joachim Heinrich Campe, educator, writer, and publisher in Braunschweig (Jan. 20, 1787).

19. Goethe alludes here perhaps to "idols," i.e., human errors and illusions, the conception of which he derived from a treatise by Bacon, *De Idolis.* However, he may also have had in mind his suicidal moods which — by his own testimony — assailed him at critical moments of his life.

20. **Tristram:** *Tristram Shandy* by Lawrence Sterne (1759–1766).

21. Corpus Christi day in the Roman Catholic Church, a holiday observed on the Thursday after Trinity Sunday.

22. **Claude Lorrain** (1600–1682), French landscape painter (of ideal landscapes).
   **Nicolas Poussin** (1593–1665), French landscape painter (of heroic landscapes).

23. **"Erwin und Elmire,"** a light musical play; mostly spoken dialogue interspersed with songs. First version 1775, revised 1788.
   **Claudine von Villa Bella,** similarly a play with interspersed songs. First version 1775, changed into an "opera buffa" 1788. Set to music by Franz Schubert whose composition, except for the first act, was lost.

24. **Johann Heinrich Meyer** (1760–1832), painter and art historian, came to Weimar in 1792 as a teacher at the drawing academy and became its director in 1807. He contributed to Schiller's *Horen* and Goethe's *Propyläen,* remained Goethe's lifelong, intimate friend.

25. **Friedrich Bury** (1763–1823), portrait ·painter, born in **Hanau** near Frankfurt.

26. Soon after Goethe's return to Weimar, Anna Amalia went to Italy. In March 1790 Goethe went to Venice in order to meet her there on her return trip. He waited for her until May, and the poetic fruit of these two carefree months was the "**Epigramme.**"

27. In July, 1797, Goethe started on his third trip to Switzerland. He took Christiane and their little son to Frankfurt for a short visit with his mother. After they had left again for Weimar, he himself proceeded to Switzerland and hoped to travel to Italy. However, the Italian trip did not materialize.

## Goethe und Schiller

1. The French Revolution (1789) worried the German and Austrian rulers who were afraid of political unrest spreading to their own states. They made military preparations and, incited by French emigrants, threatened the young French republic, which therefore declared war on Austria on April 20, 1792. Prussia, as Austria's ally, came to her aid. The Duke of Saxe-Weimar took part in the campaign as a Prussian general. Goethe, whose company Karl August requested, described in *Kampagne in Frankreich* (published in 1822) his experiences during the war.

2. A literary review published by Cotta for three years (1794–97). It was succeeded by *Die Propyläen,* an art magazine edited by Goethe (1798–1800).

3. Series of epigrams (nearly one thousand) published in the *Musenalmanach* in 1797. Goethe and Schiller wrote them in collaboration against their literary opponents.

4. Taken from: *Paralipomena* to the *Annalen.*

5. **Johann Jakob Wilhelm Heinse** (1749–1803), a writer of the Storm and Stress period, belonged to the school of Wieland and Gleim. His novel *Ardinghello und die glücklichen Inseln* presents a strange mixture of sensuality and artistic insight.

6. Schiller returned to Weimar in the middle of November, 1788, and stayed there about half a year. Then he moved to Jena where he lectured at the University. During those months in Weimar Goethe took little notice of him, although he recommended him for his position in Jena.

7. "**Don Carlos**" is Schiller's first tragedy in verse and marks the transition from his earlier Storm and Stress dramas to a more idealized treatment of the characters.

8. **August K. Batsch** (1761–1802) was professor of botany at the University.

9. **Phthia** is the name of Achilles' home country in Homer's *Illiad*. He is given a choice between an uneventful but secure life at home, and a life of danger and glory leading to early death. He chooses the latter.

10. **August Wilhelm v. Schlegel** (1767–1845) in collaboration with Ludwig Tieck (1773–1853) translated Shakespeare's dramatic works.

11. **"Hermann und Dorothea."**

12. **Bas-relief** is a type of sculpture in which the figures are raised only slightly from the background.

13. Goethe was restless, waiting for his friend Meyer to regain his health so that they might go to Italy together. He may have felt that his occupation with so "northern" a theme as **Faust,** a theme of longing and unrest, while suiting his mood, also afforded him a balance to his preoccupation with life and art in the South.

14. **Mahadöh** = Mahadeva, one of the numerous names of Siva, the destroyer, the great god of the Brahmins.

15. H. Meyer was in Stäfa, Switzerland; Goethe went there to join him.

16. ". . . the pathological interest of nature in such a poetic creation affects me very much," i.e., the poet's intense effort entails physical suffering.

17. ". . . since with us reality has to participate in the production of such a work," i.e., our whole being is involved in such a poetic creation.

18. **Friedrich Wilhelm J. v. Schelling** (1775–1854), a philosopher of the Romantic movement. His *Naturphilosophie,* influenced by Spinoza and Plotinus, has a mystic foundation. Goethe liked him and preferred him to Fichte, the other philosopher of the Jena Romantic School.

## Goethe, Bettina und Beethoven

1. **Frau von Laroche** (or La Roche) became famous for her novel *Geschichte des Fräulein von Sternheim* (1771), the first sentimental novel in Germany, influenced by Rousseau and Richardson. It has often been called "der weibliche Werther," and is supposed to have had some influence on Goethe's *Werther.*

2. **Karoline von Günderode** (1780–1806), Romantic poet, Bettina's close friend.

3. **Wilhelm von Humboldt** (1767–1835) was an eminent philologist and man of letters who served in high positions in the Prussian government. His name is closely connected with the cultural reconstruction in Prussia after the defeat of 1806, and with the founding of the University of Berlin in 1810. He was a friend of Schiller, and through him became Goethe's friend, with whom he remained in frequent contact to the end of Goethe's life. His essay on *Hermann und Dorothea* is famous in German literary criticism. W. v. Humboldt corresponded with many outstanding persons of his time.

4. **Clemens Brentano** (1778–1842), poet and novelist, was a member of the Heidelberg group of Romantic writers. He and his friend Achim v. Arnim edited *Des Knaben Wunderhorn* (1806), a famous collection of folksongs.

5. **Teplitz** is a resort town in northern Bohemia (now Czechoslovakia).

6. **Karl Friedrich Zelter** (1758–1832), composer and director of the "Berliner Singakademie," was Goethe's intimate friend for 30 years. His correspondence with Goethe is a most valuable source for the later years of Goethe's life. Zelter composed many of Goethe's poems. Though he hesitated at first to recognize Beethoven's greatness, he paid enthusiastic tribute to his genius later.

7. Beethoven lived "auf der Mölkerbastey 1239" (a suburb of Vienna).

8. Mignon's song in Goethe's *Wilhelm Meisters Lehrjahre* II, 2.

9. *Wonne der Wehmut,* a short "Lied" by the young Goethe.

10. Summer residence near Vienna of the Austrian rulers.

11. Internationally-known publishers of music.

12. Only Goethe's draft of the letter is preserved.

13. Beethoven's secretary and friend.

14. Goethe's mother died in 1808.

15. **Achim v. Arnim** (1781–1831), poet and novelist, one of the most likable figures in the German Romantic movement, very imaginative, but lacking in clarity and a sense of form.

16. **Romain Rolland** (1866–1945), French novelist, musicologist and pioneer of a United Europe, who worked incessantly for French-German understanding. His best-known novel is *Jean Christophe,* the life story of a German musician modeled chiefly after Beethoven.

17. **Karl August Varnhagen von Ense** (1785–1858), writer and critic, and his wife Rahel (1771–1833) were great admirers of Goethe. — During these days Beethoven was exceptionally excited. It is quite possible that he wrote the famous letter "To the Immortal Beloved" during the week preceding this letter, and that he met the "beloved" on his trip from Prague to Teplitz.

18. Goethe arrived on July 14th.

19. "Never before have I met an artist of more powerful concentration, more energy or deeper sincerity." Goethe adds: "I understand why he must adopt an extraordinary attitude towards the world" (letter to Christiane, July 19, 1812).

20. **das innere Meer,** i.e., how fathomless the depth of his innermost feeling.

21. Their authenticity has been questioned. One is from Bettina to Prince Pückler-Muskau, of 1832; the other from Beethoven to Bettina, dated Teplitz, August, 1812. Bettina published the latter after Goethe's and Beethoven's deaths; the former appeared in the letters and diaries of the Prince, published in 1873. In it Bettina reports that Beethoven "came

running to tell us" about his scene with Goethe — why then should Beethoven have written to her about it? Yet his letter, which is not known in facsimile, seems genuine in expression. In August Beethoven was not in Teplitz. However, he often left his letters undated, and Bettina may have added the date from memory when she published it. Whatever the truth, both letters undoubtedly tell, and with remarkable agreement, what took place between Goethe and Beethoven.

22. As soon as the news of the Arnims' arrival in Teplitz had reached Christiane in Karlsbad, she wrote to Goethe, insisting that he should not receive them. In his reply of August 5th Goethe, with that indulgence common to all who want peace at home at any price, calmed his jealous wife by referring to the Arnims in the most slighting terms.

23. "however, this sort of reaction to art I never experienced myself in all my life, and least of all would I behave that way in your presence; enthusiasm ought to have a different effect" (i.e. not move to tears, but uplift the mind).

24. Beethoven's letter to Bettina uses even stronger terms: "I told Goethe my opinion about the effect of applause on us, and that we demand to be listened to intelligently by one like him (our equal); sentimentality is only for women (forgive these words); music should strike sparks from a man's mind."

25. Goethe shares Beethoven's opinion. When in 1800 young Count Wolf Baudissin told him that for the sake of Bach he would be willing "to languish and suffer," Goethe replied coldly: "In art there is no such thing as suffering." This shows that in earlier days he, in his turn, could have taught Beethoven a lesson. Yet his actual behavior often gave the lie to his reasoning. Tears would often rise to his eyes when he read aloud; then he would throw the book down angrily. He was annoyed at being so moved by the beauty of a passage.

26. This whole paragraph is quoted literally from Bettina's letter to Prince Pückler-Muskau; at this place it is confused. *Ich sagte ihm* can only mean: *Beethoven* (= ich) *said to Goethe* (= ihm). What he then says agrees almost literally with the opening sentences of Beethoven's letter to Bettina.

27. Christiane died in 1816.

## Goethe und Eckermann

1. **Johann Peter Eckermann** (1792–1854).
2. **"Die Wahlverwandtschaften"** (*The Elective Affinities*), published 1809. This short novel was originally planned as part of *Wilhelm Meisters Wanderjahre,* which contains several inserted stories. It is, among Goethe's prose works, considered most modern and psychologically interesting.

3. "Die Farbenlehre" (*Theory of Colors*) was published in 1810. To the end of his life Goethe remained deeply interested in the problems involved, and considered the "Farbenlehre" his most important contribution to science.

4. Friedrich von Müller (1779–1849), often referred to as "Kanzler Müller" (Kanzler = minister of Justice). He was a great admirer and friend of Goethe, and assisted in the publication of Goethe's posthumous works. Müller's conversations with Goethe, like those of Eckermann, are a very important source of information for Goethe's later years.

5. August v. Goethe died in Rome in October 1830.

6. Friedrich Jakob Soret (1795–1865), a Swiss scientist and the tutor of Prince Karl Alexander of Saxe-Weimar, stayed in Weimar from 1822 to 1836. He was a frequent guest in Goethe's house and Eckermann's friend.

7. Friedrich von Matthiesson (1761–1831) was a minor German poet. He was an admirer of Goethe, who liked him personally but did not think much of his poetry.

8. Don Pedro Calderon de la Barca (1600–1681) was a prolific Spanish dramatist. His plays, tragedies and comedies, abound with action largely controlled by fate or accident. He is very imaginative and rhetorical in his style. Goethe admired him greatly as a poet, though his somber Catholic mysticism repelled him.

9. Das Nibelungenlied is the most famous and original German epic of the Middle Ages. It compares to *Beowulf,* but is of much greater literary significance.

10. "Antigone" is one of the most famous plays by Sophocles (496–406 B.C.). Goethe admired Sophocles above all among the Greek dramatists.

11. Alexander von Humboldt (1769–1859) was a brother of Wilhelm v. Humboldt. He travelled a great deal in Europe and America. In 1797 he spent three months in Jena in close contact with Goethe and Schiller. From 1807–27 he lived in Paris, after 1830 mainly in Berlin. In his scientific studies he was greatly stimulated by Goethe's ideas, and on his part stimulated Goethe through his wealth of experience in various lands and the keenness of his interpretations.

12. The Panama Canal, predicted by Goethe in 1827 as an enterprise of the United States, was first attempted by French engineers in 1881. An epidemic of yellow fever stopped them. Some years later the United States bought what had been completed from the French, leased the necessary territory from the Republic of Panama, and continued the project. The Panama Canal was opened to traffic in 1914.

13. A canal connecting the Main, a tributary of the Rhine, with the Danube exists; the "Großschiffahrtsstraße" (canal for large ships), connecting

the Rhine, Main, and Danube, has been planned for some years but not yet built.

14. **The Suez Canal** was built in the years from 1858–69.

15. **Basalt,** in Goethe's geological theory, presented an unsolved problem. It seemed to be of volcanic origin, and therefore to contradict his idea of gradual evolution. The conflict of his theory with those of others irritated Goethe, and the use of Basalt here seems to be symbolic of this "useless quarrel."

16. **The Seven Years' War** (1756–63) was waged between Prussia on the one hand, Austria, Russia, and France on the other. It resulted in a compromise peace in which Frederick the Great of Prussia retained the province of Silesia, which he had earlier won from Austria, and which Austria wanted to recover. Although Prussia was often near defeat — English assistance was only financial — the peace, in the end, established Frederick's reputation as a political factor to be reckoned with in European politics.

17. **August Graf von Platen** (1796–1835), poet and playwright, is known for the formal, "plastic" beauty of his poems. He stood outside of the Romantic movement and strove for classic perfection of form. In one of his comedies he attacked Heine, who had ridiculed him in a merciless way.

18. **Heinrich Heine** (1799–1856), outstanding German poet whose works contain romantic and realistic elements often in ironic contrast. Many of his lyrics were set to music by great composers, such as Schubert and Schumann. His prose, through its wit and brilliance, had considerable influence in the development of German prose writing.

19. **Theodor Körner** (1791–1813), son of Schiller's friend Körner in Dresden, was a writer of plays and patriotic lyrics. In the war of liberation against Napoleon he volunteered and was killed.

# VOCABULARY

Basic words which every student is supposed to know after completing an elementary course are omitted. Principal parts of strong verbs are generally given with their basic forms only; the *s* of the genitive of masculine and neuter nouns is omitted, only irregular genitives are indicated. Nouns ending in *ung, heit,* or *keit* are often omitted when the verbs or adjectives from which they are derived are given.

ABBREVIATIONS: French: Fr.  obsolete: obs.  figurative: fig.
Italian: It.  poetic: poet.  past participle: p.p.
Latin: Lat.  unusual: unus.

**ab-arbeiten sich** to exhaust o.s., fag
die **Abbildung** (-en) reproduction
**ab-brechen** (a, o) to break off; stop
**ab-drucken** to reprint
das **Abenteuer** (-) adventure
**aber = wieder** (*Do not translate.*)
**ab-fragen** to question
**ab-fressen** (a, e) to eat off
**abgelebt** (*poet.*) past
**abgemessen** (*p.p.*) designed, adapted
**abgerissen** (*p.p.*) torn off; discontinued
**abgeschieden** (*p.p.*) dead, deceased
die **Abgeschiedenheit** seclusion, remote spot
**abgetragen** (*p.p.*) worn out, tired out
**ab-gewinnen** (a, o) to win from
**ab-gewöhnen** to cure of
**abgezogen** (*p.p.*) pulled off; **mit abgezogenem Hut** his hat in his hand
der **Abglanz** reflection
**abglänzend: abglänzende Herrlichkeit** (*unus.*) reflection of glory
**ab-gleiten** (glitt, geglitten) to glide off; pass unheeded
der **Abgrund** (̈e) abyss, precipice, depth
die **Abhandlung** (-en) treatise, paper
**ab-hängen** (i, a) to depend
**abhängig** dependent

**ab-holen** to call for, fetch
die **Abkehr** turning away
**ab-können** (*unus.*) to break away
**ab-lassen** (ie, a) to let go, give up
**ab-legen** to deposit, give up, renounce
**ab-lehnen** to reject, dislike
**ab-leiten** to deduct
**ab-liegen** (a, e): **fern —** to be far away
**ab-nehmen** (nahm, genommen) to take off; deduct, decrease, deteriorate; **einem etwas —** to relieve a p. of a th.
**ab-passen** to wait to see
**ab-reiten** (ritt, geritten) to go on a ride of inspection
**ab-schaffen** to get rid of
**ab-schätzen** to evaluate, value; reckon
**ab-scheiden** (ie, ie) to die
der **Abschied** farewell
**ab-schlagen** (u, a) to refuse
**ab-schneiden** (schnitt, geschnitten) to cut off
der **Abschnitt** (-e) part, paragraph
**ab-schöpfen** to skim; **die Blüten —** to take off the cream
**ab-schrecken** to discourage
**ab-schreiben** (ie, ie) to copy
die **Abschrift** (-en) copy
das **Absein** (*unus.*) absence

abseits aside

ab-setzen: es hat Musik abgesetzt (*unus.*) it produced music

die Absicht (–en) intention; in dieser — for this purpose; in — with regard

ab-sondern to separate, sort, distinguish; — sich (*unus.*) to be finished

der Abstand (ᵘe) distance; — von mir difference between her social status and mine

ab-statten: Dank — to express thanks

ab-stehen (stand, gestanden) to differ; die Baukunst steht noch weit von mir ab architecture is still very foreign to me

ab-steigen (ie, ie) to put up, stay

ab-stoßen (ie, o) to repulse

das Abstraktum: poetisches — poetic symbol

die Abteilung (–en) division, part

ab-tragen (u, a) to wear out

ab-trocknen to dry

ab-tun (tat, getan) to finish; abgetan over, forgotten

ab-warten to wait; gleichmütig — to take calmly

ab-wechseln to alternate, take turns

die Abwechslung (–en) variety, change

die Abwehr defense; lack of response

ab-wenden (wandte, gewandt *or reg.*) to turn away, avoid

abwesend absent; — wirken: see note

ab-zwecken to aim at, be of use

achten to respect, pay attention, appreciate

addio (*Ital.*) good-bye

adieu (*Fr.*) good-bye

der Adler (–) eagle

adlig of noble birth

der Advocat (–en) lawyer

affektieren to affect

ahnen to suspect, feel, sense, divine

der Anherr (–n, –en) ancestor

ähnlich similar, like: sich — sehen to be alike

die Ähnlichkeit resemblance

die Ahnung (–en) presentiment, idea, hunch; conception

ahnungsvoll intuitive

Aisance (*Fr.*) ease

die Akten (*pl.*) legal documents

die Aktivität activity; force

die Albernheit (–en) silliness, folly

das All Universe; all things together; dein Alles all your hopes and desires; meine vor allen only mine

allemal anyway

allenfalls perhaps, possibly, at most

allenthalben everywhere

allerdings certainly

allerlei all kinds

allerliebst charming

die Allgegenwart omnipresence

allmählich gradual

alltäglich every day; das Alltägliche daily tasks

allumfassend all-embracing

allzuaufgeknöpft all too outspoken

als = außer except

alsdann then, after that, furthermore

das Alter (old) age

alterieren to upset

das Altertum antiquity, old times; die Altertümer ancient works of art

das Amt (ᵘer) office; das Hohe — High Mass

amtlich official

der Amtmann (Amtleute) magistrate

die Amtserfahrung (–en) administrative experience

anatomisch anatomical

an-beten to adore, worship

an-bieten (o, o) to offer

der Anblick sight

an-braten (ie, a) to fry, brown

das Andenken (–) memory, souvenir

andererseits on the other hand

ändern to change

anders: es ist nun wohl nicht — it seems to be certain now; ich kann nicht — I cannot help it

die Änderung (–en) change

an-deuten to indicate

andeutungsweise by way of allusions

an-eignen sich to acquire, learn

an-erkennen (erkannte, erkannt) to appreciate, admit

die Anerkennung recognition

anfänglich initial, at first

an-fassen to touch; sich — (*unus.*) cling

an-feinden to attack

an-fragen to inquire

an-führen to lead; cite, state

angefesselt fastened to; angefesselter Ballon captive balloon, (*fig.*) inclination to speculate

an-geben (a, e) to indicate

an-gehen (ging, gegangen) to begin; concern; es geht an it is possible

angelegen: er läßt sich es — sein he makes it his business

die Angelegenheit (–en) affair

angeschaffen (*p.p.*) inherent

das Angesicht face; presence

angetraut (*p.p.*) wedded

an-gewöhnen to get into a habit, accustom

an-greifen (griff, gegriffen) to attack, undertake; sich — to try one's best; nur halb — to tackle halfheartedly; angreifend exhausting

ängstlich timid, anxious

an-haben: jemand etwas — to prevail against a p., harm a p.

an-halten (ie, a) to last; anhaltend constant, continued, uninterrupted

an-hängen to attach; relate; pin to

die Anhänglichkeit attachment

an-kämpfen to brave, combat

an-klagen to accuse

an-kommen (kam, gekommen) auf to concern, depend on; es kommt nicht darauf an it is not important; wenn es darauf ankommt zu sehen when it is a question of, seeing

der Ankömmling (–e) newcomer

an-kündigen to announce

die Ankunft arrival

an-langen to arrive

der Anlaß (˝e) occasion, cause, inducement; — bekommen to have the opportunity

an-legen to lay a foundation, start

an-lehnen to lean on; sich — to rely upon

die Anleitung (–en) recommendation;

command; nach — des Evangeliums according to the teaching of the Gospel

an-maßen sich to claim unfairly

an-merken: sich — lassen to show

anmutig graceful, pleasant, agreeable

die Annahme assumption

an-nehmen (nahm, genommen) to accept, assume; sich (jemandes) — to assist

an-passen to adapt

die Anpassungsfähigkeit adaptability

an-regen to stimulate, inspire

an-rühren to touch

an-schaffen: jemand etwas — to endow a p. with a th.

an-schauen to look at, perceive: contemplate; das Anschauen contemplation, view

anschaulich clear, plastic, concrete; intuitive; anschauliche Begriffe (*pl.*) factual knowledge

die Anschauung (–en) perception, idea; zur — bringen to present

der Anschauungsunterricht practical lesson

anscheinend seeming, apparent

an-schließen (o, o): sich — to join, attach o.s.

an-sehen (a, e) to look at; — für or als to consider

das Ansehn esteem, prestige, authority

ansehnlich distinguished, respected, considerable

an-setzen to put to (one's lips); den Bleistift — (*unus.*) to draw a line

die Ansicht (–en) view, conviction

an-spannen to put the horses to the carriage

die Anspielung (–en) allusion

der Anspruch (˝e) demand; in — nehmen to take up

der Anstand behavior; Leute mit — polite people

anständig decent, adequate

an-staunen to look at (a th.) with amazement

an-stehen (stand, gestanden) to suit

die Anstellung (–en) appointment

der **Anstoß** obstacle; **ohne —** without a hitch

**an-stoßen** (ie, o) to touch (glasses)

**anstößig** objectionable, offensive

**an-streben** to strive, struggle for (a th.)

**an-streichen** (i, i) to mark

die **Anstrengung** (–en) effort

der **Anteil** (–e) interest, share

die **Anteilnahme** interest

das **Antlitz** face; **die Sterne weiden ihr —** the stars gaze at their image

**an-treffen** (traf, getroffen) to meet, find

der **Antrieb** stimulus

**an-tun** (tat, getan): **sich Gewalt —** to restrain o.s.

**an-vertrauen** to entrust: **sich —** to confide

**an-weisen** (ie, ie) to assign

**an-wenden** (wandte, gewandt, *or reg.*) to use, employ, practise

**anwesend** present

die **Anzahl** number

**an-zapfen** to tap

**an-zeichnen** to mark

die **Anzeige** (–n) indication; information

**an-ziehen** (zog, gezogen) to attract

**an-zünden** to light, set on fire

die **Arbeitslast** (–en) burden (*weight*) of work

**arg** bad; **es war mir zu —** it was too much for me

**ärgern** to irritate, provoke

der **Ärmel** (–) sleeve

**armselig** poor, pitiful

die **Art** (–en) manner, kind, way; style; **nach ihrer —** as she sees fit; **nach meiner — zu sein** according to my nature

**artig** nice, neat, pretty, courteous

das **Astloch** (¨er) knot-hole

der **Atem** breath; atmosphere; (*unus.*) presence

**Atheum** (*Lat.*) atheist

die **Au** (–en) meadow, field

das **Auditorium** (*Lat.*) audience

der **Aufbau** structure, composition

**auf-bewahren** to preserve, keep

**auf-binden** (a, u) to untie, remove the bandages

**auf-drängen sich** to force o.s. upon a p.

der **Aufenthalt** dwelling, spot, stay, haunt

**auf-fallen** (fiel, gefallen) to fall upon, strike

**auf-fassen** to understand

**auf-fordern** to beg, urge, invite

die **Aufgabe** (–n) lesson, task

**auf-geben** (a, e) to give up

**auf-gehen** (ging, gegangen) to open; **jemand gehen Lichter auf** a p. gains new understanding; **jemand geht Freude auf** a p. experiences joy

**aufgeregt** excited, incited

**aufgereizt** incited, egged on

**auf-halten** (ie, a) to deter, slow up, impede; **sich —** to stay

**auf-hellen sich** to clear

**auf-keimen** to bud

**auf-klären** to clarify, explain, enlighten; **sich —** to clear

die **Aufklärung** clue

die **Auflage** (–n) edition

**auf-legen** to put on, apply

**auf-liegen** (a, e) (= **obliegen**) to fall to a p.'s duty

**auf-lösen** to solve, dissolve, take apart, undo

**aufmerksam** attentive; **— machen** to call attention

**auf-muntern** to encourage

**auf-nehmen** (nahm, genommen) to receive, assimilate, include; catch

**auf-opfern** to sacrifice

**auf-passen** to pay attention

**auf-quellen** to swell, expand

**auf-räumen** to clean up, tidy

**auf-rechnen** to blame

die **Aufregung** (–en) excitement, emotion

**auf-reiben** (ie, ie) to wear out

**aufreibend** wearing, exhausting

**auf-richten** to raise up, encourage

**aufrichtig** sincere, frank

**auf-ruhen** (*poet.*) to recover

der **Aufsatz** (¨e) treatise

auf-schlagen (u, a) to open; die Stätte — to take up abode

auf-schließen (o, o) to unlock

der Aufschluß ("e) information

auf-schnüren to untie

der Aufschwung ("e) ecstasy

auf-spannen sich (*unus.*) to exert o.s.

auf-steigen (ie, ie) to rise

auf-stellen to put up; was Sie dagegen aufzustellen haben what your objections are

auf-suchen to look up

auf-tischen to serve

auf-tragen (u, a) to assign

auf-treten (a, e) to appear; gegen jemand — to oppose a p.

der Auftritt (-e) scene

auf-tun (tat, getan) to open

auf-zehren to consume, exhaust

die Aufzeichnung (-en) note

der Aufzug ("e) parade, pageant, display

das Auge: etwas im — haben to aim at a th.

der Augenblick (-e) moment

aus: von sich — by nature

aus-arbeiten to work on and develop

aus-atmen to breathe, exhale

aus-bilden to develop

die Ausbildung training, education, development

aus-brauen to brew, concoct

die Ausbreitung widening, growth

aus-brüten to breed, hatch

aus-dehnen to expend, extend; — auf to apply to; — sich to spread

der Ausdruck ("e) expression

aus-drücken to express

auserwählt selected

der Ausflug ("e) excursion, trip

aus-führen to carry out, execute

ausführlich in detail, at length

aus-füllen to fill (up)

aus-gehen (ging, gegangen) nach to go after, look for; — von to proceed from, emanate

ausgesprochen (*p.p.*) expressed; ein Ausgesprochenes a definitely formulated idea

ausgezeichnet excellent

aus-glitschen to slip

aus-halten (ie, a) to endure, stand, last, sustain

aus-harren to persevere

aus-heben (o, o): Rekruten — to enlist recruits

aus-heilen to heal

aus-kaufen to buy up everything

aus-lachen to laugh at

aus-laden (u, a) to unload; let stream forth

ausländisch foreign

aus-legen to interpret

aus-lesen (a, e) to finish reading, read through

die Auslesung recruiting, enlistment of recruits

aus-löschen to extinguish; eclipse

die Ausnahme (-n) exception

aus-putzen to trim, purge

aus-raufen to pull out

aus-reichen to succeed

aus-reißen (i, i) to pull out

aus-renken to dislocate

der Ausruf (-e) exclamation; epithet

aus-ruhen to rest

aus-schlagen (u, a) to kick; decline

aus-schließen (o, o) to exclude

ausschließlich exclusive

aus-schmücken to adorn, decorate

ausschweifend extravagant; in meinen ausschweifenden Gedanken in my fondest dreams

außen-bleiben (ie, ie) to remain away

außer outside, besides, except; — sich rufen (*unus.*) to take the attention away from o.s.; äußer outer, external

außerdem in addition, besides

das Äußere external, outward show

äußerlich outward

äußern (sich) to express (o.s.)

außerordentlich extraordinary

äußerst extremely, very

die Äußerung (-en) expression, means of expression

die Aussicht (-en) view, chance

aus-söhnen to reconcile

aus-spähen to discover

aus-spannen to relax

aus-speien (ie, ie) to spit out, exclude

aus-spenden to hand out

die Aussprache discussion

aus-sprechen (a, o) sich to discuss

aus-staffieren to outfit, trim

die Ausstattung (–en) dowry; **mein Vater ist mir — und Mitgift schuldig** my father owes me financial assistance in getting established

aus-stehen (stand, gestanden) to endure, put up with

aus-stoßen (ie, o) to exclude, expell

aus-strecken to stretch out

aus-suchen to choose

aus-trinken (a, u) to empty

aus-üben to exert

die Ausübung practice, exercise

der Ausweg (–e) way out, escape

aus-weichen (i, i) to make way, avoid; **in Tonarten und Weisen —** to change from one key and melody to another

aus-weisen (ie, ie) **sich** to become evident

aus-weiten to widen, enlarge, enrich; **das Auge weitet sich aus** the eye becomes accustomed to large dimensions

auszeichnend outstanding


der Bach (⁸e) brook

das Bad (⁸er) bath; watering place, Spa

die Badereise (–n) trip to a Spa to take a cure

die Bahre (–n) bier

die Bajadere (–n) bayadère, dancing girl

bald soon; **— und —** (*poet.*) gradually; **— ... —** now ... then

balgen sich to romp, wrestle playfully

das Band (⁸er) tie, ribbon; **— (–e)** tie, relation, fetters; **der — (⁸e)** volume

der Bandwurm (⁸er) tapeworm

bange sein to fear

die Bankierswitwe (–n) widow of a banker

der Bann spell

bannen to spell; **gebannt** spellbound

der Bau (–ten) structure, building

die Bauart (–en) structure; **— der Dörfer** the way the villages are built

die Baukunst architecture

der Baukünstler (–) architect

der Beamte (–n) official

bearbeiten to study; deal with

die Bearbeitung (–en) treatment, adaptation

beben to tremble, quake

der Becher (–) beaker, goblet

bedacht auf concerned with

die Bedächtlichkeit caution, care

bedauern to pity, regret

bedeutend significant, meaningful

bedeutsam significant

die Bedeutung (–en) meaning, sense; importance, significance

die Bedeutungslosigkeit insignificance, lack of meaning

bedienen sich to make use of, apply; **sich selbst —** to do without a servant

bedrücken to depress, subdue

bedürfen (bedurfte, bedurft) to need, want

das Bedürfnis (–se) demand, need; die **Bedürfnisse** the necessities of life; **das — meiner Natur** a basic drive in me

bedürftig in need

beeinflussen to influence

befangen (*p.p.*) confused, prejudiced

befestigen to strengthen, fortify, attach

befinden sich to be, feel; **sich übel —** to be badly off

befleißigen sich to devote o.s.; practise

befördern to further

befreien to free, relieve

der Befreiungskrieg (–e) war of liberation

befremden to surprise

befriedigen to satisfy

die Befruchtung fertilization, fruit-forming

begabt gifted

die Begabung (–en) gift, talent, endowment

begeben (a, e) sich to go

**begegnen** to meet; **es begegnet jemand** it happens to a p.

**begehen (beging, begangen)** to commit

**begehren** to demand, yearn; **begehrt in demand**

**begeistern** to fill with enthusiasm, animate

**begeistert** enthusiastic

die **Begierde** (–n) desire

**begleiten** to accompany

**beglückt** fortunate

**beglückwünschen** to congratulate

**begnügen sich** to content o.s.; **begnügt satisfied**

**begraben** (u, a) to bury

**begreifen (begriff, begriffen)** to grasp, understand, conceive

**begreiflich** comprehensive, intelligible

**begreiflicherweise** as may be easily understood

die **Begrenztheit** limitation, narrowness

der **Begriff** (–e) notion, conception, idea; understanding; **im — sein** to be about; **über alle Begriffe** beyond all comprehension

**begriffen sein** to be in the process

**begründet** well founded

**begünstigen** to favor

**begütigen** to soothe, conciliate

**behagen** to please; **das Behagen** well-being

**behaglich** comfortable, comforting

**behandeln** to treat, deal with

die **Beharrlichkeit** perseverance

**behaupten** to maintain, insist; exercise

die **Behauptung** (–en) assertion

**beherrschen** to dominate, master; **beherrscht** controlled, restrained

**beherzigen** to take to heart

**behüten** to guard; **Gott möge —** God forbid!

**bei-bringen (brachte, gebracht): einen Stich —** to give a dig

der **Beichtvater** (ᵘ) father confessor

**beiderseitig** on both sides

der **Beifall** applause

**beigeschlossen** (*p.p.*) enclosed

die **Beihilfe** help, assistance

**bei-kommen (kam, gekommen)** to reach; hurt

die **Beilage** (–n) enclosure

**beiliegend** enclosed

das **Bein** (–e) bone, leg

**beinah** almost

**bei-pflichten** to agree with

**beirren** to confuse; **sich nicht — lassen** not to allow o.s. to be disconcerted

**beisammen** together

**beiseite** aside; in an undertone

das **Beispiel** (–e) example

**bei-stehen (stand, gestanden)** to assist

**bei-tragen** (u, a) to contribute

der **Beitritt** admission

**bei-wohnen** to be present

der **Bekannte** (–n) acquaintance, friend

die **Bekanntschaft** (–en) acquaintance

**bekennen (bekannte, bekannt)** to confess

**beklagen sich** to complain

**beklatschen** to applaud

**bekräftigen** to strengthen

**bekümmern sich um** to care for; **bekümmert** distressed

**beladen** (*p.p.*) laden, loaded

die **Belastung** burden

**belauern** to watch secretly

**beleben** to animate; **belebend** real, true

**belehren** to instruct

**beleidigen** to insult

**belieben** to please; **wofern es mir beliebte** if I consented

**beliebt** popular

**beloben** to praise

**belohnen** to reward

**bemächtigen sich** to seize, catch

**bemerken** to notice

**bemühen sich** to try hard; **das Bemühen um** the search for

die **Bemühung** (–en) effort, endeavor; trouble

**benachrichtigen** to inform

**benehmen (benahm, benommen) =** nehmen

das **Benehmen** behavior

**beneiden** to envy

**benutzen, benützen** to make use of

die **Benutzung** utilization

**beobachten** to watch, observe

**bequem** comfortable, convenient, suitable

**bequemen sich** to condescend

die **Berechnung** (–en) calculation, taking into account, consideration

**berechtigt** justified

die **Beredsamkeit** eloquence

**beredt** eloquent

der **Bereich** range, sphere

**bereiten** to prepare, provide

**bereits** = **schon** already

**bergauf** up hill; **bergein** into mountainous country

der **Bergstrom** ("e) torrent

die **Bergwelt** Alpine world

das **Bergwerk** (–e) mine

der **Bericht** (–e) report

**berichtigen** to correct; **sich** — to become adjusted

der **Beruf** (–e) calling, profession; **von** — by profession; **einen** — **fühlen** to feel an urge

**berufen** (ie, u) to call

**beruhigen** to calm, put at ease

**berühren** to touch; mention

die **Berührung** (–en) touch, contact

**beschädigen** to harm, damage

**beschaffen** (*p.p.*): **wie es mit dem Publikum** — **ist** what people in a city are like

**beschäftigen** to occupy, busy

**bescheiden** (*adj.*) modest, humble; **sich** — to be contented

**bescheren** to give, allot

**beschleunigen** to hasten

**beschließen** (o, o) to decide; end; **beschlossen** enclosed

**beschränken** to limit, restrict, confine

die **Beschränktheit** limitation; limited, but for this very reason, skilled and worthwhile activity (*unus.*)

**beschreiben** (ie, ie) to describe

**beschuldigen** to accuse

**beschweren sich** to complain

**beschwerlich** difficult, troublesome

die **Beschwernis** (–se) difficulty

die **Beschwörung** (–en) conjuration

**beseelen** to give a soul to, animate; **halb beseelt** half alive

der **Besen** (–) broom

**besetzen** to occupy, take

**besichtigen** to inspect

**besinnen** (a, o) **sich** to think, remember; **sich hin und her** — to think and think

**besitzen** (b̓esaß, besessen) to possess; die **besitzende Klasse** upper class

**besonders** especially

**besorgen** to take care of; **besorgt sein um** to be concerned about

**bespiegeln** to mirror; **sich** — to be reflected; **in ihm Dich bespiegelnd** recognizing yourself in Him

die **Besprechung** (–en) review

**beständig** constant

**bestärken** to strengthen

**bestätigen** to confirm

**bestehen** (bestand, bestanden) to exist; das **Bestehende** existing conditions, the status quo

**besteigen** (ie, ie) to climb

die **Besteigung** (–en) ascent

**bestellen** to order

**bestenfalls** at best

**bestimmen** to decide, determine, appoint; **in viel Entfremdung bestimmt** (*unus.*) frequently aware of a lack of contact; **sich** — to become more definite

**bestimmt** definite, clear; surely; allotted, designated

die **Bestimmung** (–en) destination, occupation

die **Bestrebung** (–en) effort

der **Besuch** (–e) visit

**betäuben** to dull; **sich** — to make o.s. forget

**betäubend** deafening, overpowering

die **Beteiligung** participation, share

**betrachten** to look at, consider, contemplate

die **Betrachtung** (–en) consideration, observation, reflection, study

**betragen sich** to behave

**betreffen** (betraf, betroffen) to concern

**betreten** (a, e) to enter; reach

**betriebsam** industrious

betrüben to distress
betrügen (o, o) to deceive
das Bettelpack beggarly mob
betten sich to retire to rest
beurteilen to judge
bevölkern to populate
bewachen to watch
bewahren to preserve; — vor to keep from, protect against
bewähren sich to prove o.s.; die Brust — (unus.) to strengthen o.s.
bewahrheiten to prove true
bewegen to move; influence, induce
beweglich mobile, restless
die Bewegung (–en) motion, gesture
der Beweis (–e) proof
beweisen (ie, ie) to prove, show
bewerkstelligen to bring about, effect
bewundern to admire
bewußt conscious; das Bewußte consciousness
bewußtlos unconscious
das Bewußtsein consciousness, knowledge, realization
bezaubern to charm, fascinate
bezeichnen to characterize, indicate
bezeugen to prove, testify
beziehen (bezog, bezogen) sich auf to relate to
die Beziehung (–en) connection, relation
Bezug: in — auf in relation to
bezwingen (a, u) to overcome, restrain
der Biberfrack beaver coat
biegen (o, o) to bend
bieten (o, o) to offer, give
bilden to form, train; zum besten — to develop to a high degree of perfection; bildende Künste plastic arts
die Bildhauerkunst sculpture
die Bildung composition, culture, education, training, intellectual growth
das Bildungserlebnis (–se) cultural experience
das Billet (–e) note, short letter
billig just, fair, right; cheap
billigen to approve of
die Billigkeit fairness

die Bindung (–en) binding, tie; responsibility
bisher so far
der Bissen (–) bite, morsel
das Biwak bivouac
das Blatt (ᵘer) leaf, sheet
blättern to thumb
bleiben (ie, ie) to remain, last; mir blieb's (unus.) I remained under the impression; kein Bleibens no time to stay longer
blenden to dazzle
der Blick (–e) glance, sight, insight; (poet.) light
die Blondine (–n) blond girl
bloß mere
die Blüte (–n) blossom
Bockshorn: ins — jagen to scare
der Boden ground, soil
der Bogen (–) arc; sheet of paper; — (pl.) papers
borniert stupid
bosseln to form, mould, whittle
der Bote (–n) messenger
der Brand (ᵘe) fire; in — (poet.) glowing
braten (ie, a) to roast, fry
brauchen to need, require, use
braunseiden (adj.) brown silken
brausen to rush, roar; brausendes Blut surging blood
brav nice, worthy, dependable, honest, fine, good
breit broad; die breite Welt the world at large
der Brennpunkt (–e) focus
die Bretterwand (ᵘe) wall made of boards
brieflich in letters, by letter
die Brieftasche (–n) pocketbook
der Briefwechsel correspondence
bringen (brachte, gebracht) to bring; — um to deprive; dahin — to succeed
der Bruch (ᵘe) break, rupture
das Bruchstück (–e) fragment
brühen to scald
brühwarm boiling-hot, boiling with rage

der **Brunnen** (–) source, spring, well
**brüten** to breed, hatch, brood
das **Buchenblatt** (ʺer) beech leaf
die **Büchse** (–n) shotgun
**buchstabieren** to spell; **mein langes —**
my long apprenticeship
der **Buhler** (–) lover
die **Bühne** (–n) stage, theater
das **Bündnis** (–se) alliance
**bunt** variegated, motley, gay-colored;
painted; **es wird mit mir noch — gehen** all kinds of things are going to
happen to me yet
der **Bürger** (–) citizen; one of the middle class
**bürgerlich** middle-class; municipal
die **Bürgschaft** (–en) guarantee, pledge
der **Busen** bosom, heart
**büßen** to atone for, pay for

das **Cabinet** = **Kabinett: — sein** (*unus.*)
to be part of a collection
**cedieren** to give up, cede
die **Chiffer** (–n) number, sign
das **Chor** (ʺe) choir
der **Christtag** 25th of December
das **Collegium** (*Lat.*) council; **Landes
—** public administration
**coquet** (*Fr.*) flirtatious
die **Cymbeln** (*pl.*) cymbals (*a pair of
brass disks*)

**D.** = **Doktor** (*title*)
**dabei** present
**dagegen** on the other hand, in comparison
**dahin-geben** (a, e) to give up
**damals** at that time, then
das **Dämmer** subdued light, twilight
**dämmern** to dawn; **dämmernd** like
twilight
das **Dämonische** the daemonic (*a magic,
irrational element in art and man*)
**dampfen** to steam
**daneben** beside it, along with it
**dar-bieten** (o, o) to offer, present

**dar-stellen** to present, show, represent
die **Darstellung** (–en) presentation; **zur
— bringen** to produce, express
das **Dasein** existence
**daselbst** there
die **Dauer** duration, permanence; **auf
die —** at length, for a long time
**dauern** to last; **etwas dauert mich** I feel
sorry for it, I regret it
**davon-tragen** (u, a) to carry away
**dawider** against it
**dazu-setzen** to add
die **Decke** (–n) ceiling
die **Deklamation** recitation
**deklariert sein für** to be engaged to
die **Delikatesse** delicacy, tact
**demütig** humble
die **Denkart** (–en) way of thinking
**denkbar** imaginable
das **Denkmal** (ʺer) monument
**dennoch** yet
**derart** in such a way
**derb** coarse
**dereinst** some day
**dergleichen** the same
**deucht: mir —** it seems to me
**deuten** to point, interpret
**deutlich** distinct
das **Diarium** (*Lat.*) diary
**dichten** to write poetry
**dichterisch** poetic
der **Dichterruhm** poetic fame
die **Dichtung** (–en) poetry, poem, poetic work
die **Dichtungsart** (–en) type of poetry
der **Dienst** (–e) service
**dienstbar** useful
die **Dienstentlassung** discharge
**dîné** (*Fr.*) dinner
das **Ding** (–e): **vor allen Dingen** above
all
der **Dirigent** (–en) conductor (*music*)
**dispensieren** to free; **sich — von** to do
without
**disponieren** to arrange
die **Domäne** (–n) domain, land, property
der **Domino** domino (cloak)
**doppelt** double, still more

der **Dorn** (–en) thorn; — **im Auge** eyesore

**dortig** of that place, there

der **Drache** (–n) dragon; kite

**dran** = **daran**, at it

der **Drang** urge, impulse, restlessness, distress, pressure

**drängen** to urge

**drauflos:** — **gehen** to start

**draus** = **daraus: wenig ist** — **worden** little came of it; **sich nicht viel** — **machen** not to care much about it

das **Dreckwesen** dirty work

**dreifach** threefold, triple

**drein-schauen** to look

**dreschen** to thrash

**dressieren** to treat

**dringen** (a, u) to reach, press forward, come; — = **drängen** to urge; **Gerüchte drangen in die Welt** rumors were heard

**dringend** pressing, quickly passing

**drohen** to threaten, be threatened

die **Drollerei** fun

die **Drommete** (–n) trumpet

der **Druck** pressure, oppression

**drucken** to print

**drücken** to press, pinch; **drückend** oppressive

der **Druckfehler** (–) misprint

**drum** = **darum** therefore

**drunter** = **darunter** under it

der **Duft** (ᵘe) fragrance

**dulden** to tolerate, suffer, bear patiently

**dummsinnig** silly

**dumpf** vague, dark

**dunkel** dark, obscure, vague; **auf diesem dunklen Zug** (*unus.*) on this incognito excursion

der **Dünkel** conceit

die **Dunkelheit** darkness; anonymity

**dünken: es dünkt mir** it seems to me

der **Dunst** mist; **Dunst- und Nebelweg** (*poet.*) romantic world of fancy

**durch-bringen** (brachte, gebracht) to get through with

**durchdringen** (a, u) to penetrate, pierce, fill

**durcheinander** together; **unter- und** — **pell-mell;** — **gehen** to be mixed

**durch-fressen** (a, e) **sich** to eat through, scrape through

**durch-gehen** (ging, gegangen) to run away; examine; **jemand nichts** — **lassen** not to spare a p.; **durchgehend** pervading

**durchgreifend** pervading

**durch-kommen** (kam, gekommen) to get on

**durchnässen** to wet through

**durch-schlingen** (a, u) to pass through, meander

**durch-schwatzen** to talk about

**durch-setzen** to carry through; **sich** — to take effect

**durch-sprechen** (a, o) to discuss

der **Durchstich** (–e) break-through, passage

**durch-treiben** (ie, ie) **sich** to move

**durchwachen** to stay awake

**durchziehen** (durchzog, durchzogen) to travel through

**eben** (*adv.*) simply, just; **noch** — still the same; — **so** just as

das **Ebenbild** (–er) image

**ebenso . . . als** as . . . as

**echt** genuine, authentic

die **Ecke** (–n) corner

**edel** noble, generous

**edelmütig** generous

**Ehehafften** (*obs.*): — **haben wollen** to claim legal ground for being exempt from military service

**ehemals** formerly

der **Ehemann** (ᵘer) married man

**eher** earlier; — = **leichter** more easily; **je** — the sooner

**ehern** (*adj.*) iron; solid, firm

**ehemalig** earlier, former

die **Ehre** (–n) honor; — **antun** to honor

die **Ehrerbietung** respect

die **Ehrfurcht** reverence

der **Ehrgeiz** ambition

**ehrlich** honest

**ehstens** very soon

das **Eichenblatt** (*"*er) oak leaf
die **Eifersucht** jealousy
**eigen** own, special, peculiar
der **Eigendünkel** conceit
die **Eigenheit** (–en) peculiarity, characteristics
die **Eigenschaft** (–en) quality, characteristic
**eigentlich** real(ly)
das **Eigentum** property
**eigentümlich** peculiar, singular
**eilig** quick; **auf das eiligste** as quickly as possible
**ein-arbeiten sich** to make o.s. familiar
**ein-bilden sich** to imagine; **sich viel —** to think much of o.s.; **sich etwas darauf —** to feel flattered by a th.
die **Einbildungskraft** power of imagination
der **Einblick** (–e) insight
**ein-dringen** (a, u) to enter by force
der **Eindruck** (*"*e) impression; **der äußere —** the — on the audience
**ein-drücken** to close
**einerlei** all the same; uninteresting
**ein-ernten** to harvest
der **Einfall** (*"*e) idea = unproved, personal suggestion or impression
**ein-fallen** (**fiel, gefallen**) to occur, come to one's mind; **sich — lassen** to think of
**einflußreich** influential
**ein-geben** (a, e) to suggest
**ein-gehen** (**ging, gegangen**) **auf** to agree to
**eingemacht** preserved
**eingenommen** (*p.p.*) taken with; prejudiced
**eingerichtet** furnished, arranged
die **Eingeweide** (*pl.*) inside
die **Einhaltung** observance
die **Einheit** unity, oneness; **die letzte —** the basic element
**ein-holen** to catch up with, overtake
**einig** in accord; **— mit sich selbst sein** to know what one wants
**ein-kehren** to take lodgings
der **Einklang** harmony; **in — bringen**

to reconcile; **sich in — bringen lassen** to conform, adjust o.s.
**ein-laden** (u, a) to invite
**ein-lassen** (ie, a) to let in; **sich — in** to become involved in, go in for; **sich nicht — in** to avoid
**ein-leben: sich wieder —** to get used to the life again
**ein-leiten** to introduce, bring about
**ein-leuchten** to be evident, convincing
der **Einmarsch** (*"*e) invasion
die **Einnahme** (–n) revenue
**ein-ordnen** to fit in
**ein-pflanzen** to implant
**ein-prägen** to impress; **— sich** to remember, memorize
**ein-quartieren** to quarter, house
**ein-richten** to establish, found, arrange
**einsam** lonely
die **Einsamkeit** solitude
**ein-schalten** to insert
**ein-scharren** to bury
**ein-schenken** to pour
**ein-schlagen** (**einen Weg**) to choose
**ein-schleichen** (i, i) **sich** to sneak in
**ein-sehen** (a, e) to realize
die **Einseitigkeit** one-sidedness
die **Einsicht** (–en) insight, understanding
**einsichtsvoll** experienced, judicious
der **Einsiedler** (–) hermit
**ein-siegeln** to seal up
**ein-stecken** to pocket
**ein-stellen sich** to appear
die **Einstellung** attitude
die **Einstimmung** (*unus.*) consent
die **Einteilung** (–en) division
**ein-tragen** (u, a) to bring in, pay
**ein-treffen** (**traf, getroffen**) to arrive
**einverstanden** (*p.p.*) agreeable
**ein-wirken** to coöperate
der **Einwohner** (–) inhabitant
**einzeln** single, individual, particular; **in nichts Einzelnem** in no particular detail; **in einzelnen Momenten** at various times
**einzig** only, singular, unique; **einzigstes Mädchen** you one and only girl
**einzigartig** unique

eisern iron
das Eisgebirge (–) glacier
die Eiszeit (–en) glacial age
eitel vain; useless
die Eitelkeit vanity
Ei was! why!
ekel fastidious
elend miserable, wretched; das Elend
  misery
die Elle (–n) yard
empfangen (i, a) to receive
empfänglich sensitive, receptive
empfehlen (a, o) to recommend
empfinden (a, u) to feel, sense, understand
der Empfinder: der lebhafte — one who
  feels and reacts strongly
empfindlich sensitive
die Empfindsamkeit sensitivity
die Empfindung (–en) feeling, emotion,
  sentiment, frame of mind
die Empirie empiricism; mit seiner gemeinen — with its stress on common
  experiences
empor up
empor-arbeiten sich to rehabilitate o.s.
empören to shock; — sich to rebel
empor-heben (o, o) to raise; sich — to
  rise
emsig eager, industrious
endgültig final
endlich finite, finally
der Endzweck (–e) final aim
eng narrow, confined, close
die Enge narrowness, restrictions, con-
  finement; jemand in die — treiben
  to put a p. on the spot; meine Engen
  und Weiten my shortcomings and
  possibilities
ennuieren to bore
ennuyant (Fr.) boring
entäußern sich to renounce
entbehren to miss, dispense with
entbehrlich dispensable
die Entbehrung (–en) privation
entbinden (a, u) to free
entblößen to deprive
entdecken to discover; es entdeckt sich
  ihm it becomes clear to him

entfernen to remove; sich — to leave
entfliehen (o, o) to flee, escape
entfremdet estranged
die Entfremdung estrangement, lack of
  contact
entgegen towards
entgegen-kommen (kam, gekommen)
  to meet; anticipate
entgegen-ragen to obstruct
entgegen-wanken to move unsteadily
  towards
entgegen-wirken to oppose
entgehen (entging, entgangen) to
  escape; es entging ihr nicht she could
  not fail to notice; sich — lassen to
  neglect
enthalten (ie, a) to contain; sich — to
  renounce, refrain
entheben (o, o) to lift above, deliver
  from
das Entlassungsgesuch (–e) resignation
entledigen sich to get rid of
entmutigen to discourage
die Entrüstung indignation, anger
entsagen to renounce, resign o.s.
entscheiden (ie, ie) to decide
entschieden (p.p.) definite
entschließen (o, o) sich to decide, make
  up one's mind
entschlossen (p.p.) determined
entschlummern to fall asleep
entschlüpfen to escape
der Entschluß (ˮe) decision; einen —
  fassen to make a —
entschuldigen to excuse
das Entsetzen terror
entsetzlich frightful, horrible
entspringen (a, u) to spring from, result
entstehen (entstand, entstanden) to rise,
  spring, come into existence, take
  form, take place
die Entstehung origin, evolution
enttäuschen to disappoint
entwerfen (a, o) to draw, plan, design;
  to sketch
entwickeln to develop
das Entwicklungsgesetz (–e) law of development

der **Entwicklungsroman** (–e) novel of self-development

der **Entwurf** (*̈*e) plan, sketch

**entziehen** (**entzog, entzogen**) to withdraw

**entziffern** to decipher

**entzücken** to delight; **sich** — **über** to be fascinated by; **voll Entzücken** delighted

**entzweien** to make dissatisfied

**episch** epic

**erachten: meines Erachtens** in my opinion

**erbarmen sich** to have mercy; **das Erbarmen** mercy

**erbauen** to build; give satisfaction

das **Erbe** inheritance, heritage

**erben** to inherit; take the place of; **zu erb und eigen schreiben** to dedicate

**erbeuten** to gain

**erbieten** (**o, o**) to offer

das **Erdbeben** (–) earthquake

der **Erdboden** earth

das **Erdengewühl** (*poet.*) earthly commotion, turmoil

der **Erdgeruch** (*̈*e) earthly smell

die **Erdgeschichte** geology

**erdrücken** to crush

die **Erdschicht** (–en) stratum, layer

die **Erdscholle** (–n) clod; soil

das **Ereignis** (–se) event

**erfahren** (**u, a**) to hear, learn, experience

**erfassen** to grasp

**erfinden** (**a, u**) to invent; conceive

die **Erfindung** (–en) invention, device

der **Erfolg** (–e) success

**erfolgen** to come, result

**erfordern** to demand, lay claim to

das **Erfordernis** (–se) demand

**erforschen** to explore

**erfreulich** enjoyable

**ergänzen** to supplement

**ergeben** (*p.p.*) devoted

**ergehen** (**erging, ergangen**): **es ergeht jemand gut** a p. fares well

**ergötzen** to amuse, entertain; **sich** — to delight; **das Ergötzen** delight

**ergreifen** (**ergriff, ergriffen**) to seize,

move; **ergreifend** (*unus.*) actual, real

**ergriffen** (*p.p.*) deeply impressed

**erhaben** (*adj.*) grand, great; above; das **Erhabene** grandeur, the sublime

**erhalten** (**ie, a**) to obtain, receive, preserve, keep; **sich** — to support o.s.

**erheben** (**o, o**) to lift up; **sich** — to rise

**erhellen** to brighten; **sich** — (*poet.*) to become purified

**erhoffen** to expect

**erholen sich** to recover

die **Erholung** relaxation, rest

**erhören** to grant

die **Erinnerung** (*̈*–en) recollection, reminiscence, reminder

**erkalten** to grow cold; (*poet.*) die

die **Erkältung** (–en) cold

**erkennen** (**erkannte, erkannt**) to recognize, understand, acknowledge

die **Erkenntnis** (–se) realization, understanding, knowledge

**erklären** to explain

**erkoren** (*p.p.*) chosen

**erkundigen sich** to inquire

**erlangen** to obtain, acquire, get

**erlassen** (**ie, a**): **es wird nicht** — **it** cannot be dispensed with

die **Erle** (–n) alder (tree)

**erleben** to experience

der **Erlebniskreis** (–e) range of experience

**erleichtern** to ease, facilitate, improve

die **Erleichterung** relief

**erleiden** (**erlitt, erlitten**) to suffer

**erleuchten** to light up, enlighten

**erliegen** (**a, e**) to succumb

**erlösen** to redeem

**ermatten** to grow weary

**ermorden** to murder

**ermüden** to weary, become tired

**ermutigen** to encourage

**erneut** anew

**ernst** serious; **es war ihm so deutsch** — **um** he was in a typically German fashion so — about

**ernsthaft** serious

**ernten** to harvest

**erobern** to conquer, take, get hold of; discover

die **Erörterung** (–en) discussion, argument
die **Erquickung** relief, refreshment
**erregen** to excite, stir, arouse, cause
**erringen** (a, u) to gain, win
**ersaufen** to drown
**erschaffen** (**erschuf, erschaffen**) to create
die **Erscheinung** (–en) appearance, phenomenon; visit
die **Erscheinungswelt** physical world
**erschießen** (o, o) to shoot
**erschrecken** to frighten; — (**erschrak, erschrocken**) be afraid
**erschüttern** to shake
die **Erschütterung** (–en) shock
**erschweren** to render (more) difficult
**ersehen** (a, e) to foresee
**ersehnen** to desire, long for
**ersetzen** to supply, substitute, replace, make good, compensate
**ersinnen** (a, o) to invent, think of
**ersprießlich** valuable
**erstarren** to freeze
**erstaunen** to be amazed
das **Erstaunen** astonishment; **in —** setzen to amaze
**erstaunlich** astonishing, remarkable
**erstausgesprochen** (*p.p.*): erstausgesprochenes **Wort** direct revelation
**erstrecken** sich to extend; apply
**ersuchen** to ask
**ertönen** to sound
**ertragen** (u, a) to endure
die **Erwägung** (–en) consideration
**erwählen** to choose
**erwähnen** to mention
**erwarten** to expect
**erweisen** (ie, ie) to prove; — sich turn out
**erweitern** to expand, enlarge
**erwerben** (a, o) to acquire
**erwidern** to reply, return
das **Erz** (–e) ore
**erzeugen** to produce, bring forth
die **Erzeugung** creation
**erziehen** (**erzog, erzogen**) to bring up
der **Erzieher** (–) teacher, educator
die **Erziehung** education

**erzwingen** (a, u) to obtain by force
**eßbar** edible
**Euresgleichen** your equal
das **Evangelium** (**Evangelien**) gospel
**ewig** eternal, constant, for ever, incessant
das **Exemplar** (–e) copy
die **Expedition** (–en) petition

die **Fabrik** (–en) factory
das **Fach** (*"*er) field, place, branch, division, compartment
der **Faden** (*"*) thread; **Fäden laufen durcheinander** threads cross one another
**fähig** capable
die **Fähigkeit** (–en) ability, talent; useful knowledge
**fahren** (u, a) to move; — **lassen** let go; **gen Himmel —** to go to Heaven
die **Fahrt** (–en) journey, trip, ride
der **Fall** (*"*e) fall; case; situation, event; **auf alle Fälle** at all events
**fallen** (**fiel, gefallen**) to fall; (*unus.*) descend; — **lassen** to drop, omit; allude, hint at; **schwer —** to be difficult
die **Falschheit** deceit; — **begehen** to deceive
**fangen** (i, a) to catch; **gefangen** (*p.p.*) helpless
die **Farbe** (–n) color
die **Farbenbildung** origin of color
die **Faser** (–n) fiber
**fassen** to grasp; fit; (*unus.*) stir; — **auf** to enclose in
**faßlich** comprehensible
die **Faßnacht** carnival
die **Fassung** (–en) version, edition
**fatal** disagreeable, annoying, odious
der **Federstutzhut** (*"*e) hat with feather
der **Federzug** (*"*e) stroke of the pen
das **Fegfeuer** Purgatory
**fehlen** to miss; make a mistake; **an dem es nicht fehlt** of which there was no lack; das **Fehlen** lack, absence
der **Fehler** (–) mistake, shortcoming
die **Feier** (–n) celebration; **des Lagers**

**vergnügliche** — (*poet.*) the chamber's happy communion

**feierlich** solemn; die **Feierlichkeit** celebration; feast

der **Feigenbaum** (ᵁe) fig tree

**feilen** to polish

**fein** fine, delicate, graceful, subtle; festive

die **Feindschaft** (-en) hostility

der **Felsen** (-) rock; — **abhang** rocky slope

das (die) **Felsengebirge** Rocky Mountains

die **Felsspitze** (-n) crag

die **Felswand** (ᵁe) rocky slope, cliff

das **Ferkel** (-) young (suckling) pig

**fermentieren** to ferment; become agitated

**fern** distant; etwas liegt ihm — he is not interested in a th.

**ferner** furthermore

**fertig** ready; — **werden** to finish; **mit jemand** — **werden** to get on with a p.; **mit etwas** — **werden** to understand, know how to handle a th.

die **Fertigkeit** (-en) skill

**fesseln** to confine

**fesselnd** striking, captivating

**fest** firm, definite

das **Fest** (-e) feast, festival

**festgesetzt** established

**festigen** to fasten, strengthen

**festklammern** to cling

der **Festtag** (-e) holiday

**fett** fat; nicht — **machen** not to improve matters

**feucht**(lich) moist

der **Feuerblick: der** — **des Moments** spontaneous insight of the moment

der **Feuerstrahl** (-en) flash of fire

das **Feuerzeichen** (-) meteor

die **Fichte** (-n) fir

die **Fichtenwand** (ᵁe) wooded slope

die **Fiedel** (-n) violin

der **Filtriertrichter** (-) filter

**finden** (a, u) to find; sich zu — **wissen** to see one's way clearly

die **Fingerfertigkeit** technique

die **Finsternis** darkness; **Sonnen** — eclipse of the sun

**fixieren** to fix, fasten

**flach** shallow

die **Fläche** (-n) plain

die **Flammengrube** fiery grave, pyre

**flechten** (o, o) to weave; sich — to be formed

das (der) **Fleck** (-en) spot, place; **ein groß** — **erobern** to make good progress

der **Fleiß** industry

**fliegen** (o, o) to fly; **fliegendes Fieber** sudden fever; flare-up

die **Flinte** (-n) shot-gun

der **Flitter** tinsel

der **Fluch** (ᵁe) curse, oath

die **Flucht** flight

**flüchtig** fleeting, hasty, slight, superficial; — **hingeworfen** lightly sketched

der **Flügel** (-) wing

**flügge** grown, able to fly

die **Folge** (-n) consequence, result, succession; **in einer** — consecutively

die **Folgerung** (-en) conclusion

**fordern** to request, demand

die **Form** (-en) form, shape, appearance

**förmlich** conventional, literal

die **Formulierung** (-en) formulation; **gedankliche** — thoughtful interpretation

**fort** away; es regnet — it continues raining; es will nicht — it does not progress

die **Fortdauer** duration; life

**fort-fahren** (u, a) to continue

**fort-gehen** (ging, gegangen) to go on

**fort-schreiten** (schritt, geschritten) to proceed, progress

**fortschrittlich** progressive

**fort-setzen**(sich) to continue

**fortwährend** continued, constant

**fort-wirken** to continue to have an effect

**fort-ziehen** (zog, gezogen) to carry away

der **Franzos** (-en) Frenchman

der **Fraß** treat
**frech** fresh, forward, insolent
**frei** free; die **freie Welt** the wide world
der **Freiheitsstreit** free contest of wit
**freilich** indeed, of course, it is true
**freimütig** frank
**freiwillig** voluntary
**fremd** strange, foreign, alien; other people's
**fressen** (a, e) to eat
die **Freude** (–n) joy
**freuen sich** to enjoy
die **Fröhlichkeit** enjoyment, happiness
**fruchtbar** fertile
**fruchtbringend** fruitful
**früher** former
**fühlbar** sensitive
das **Fuhrwerk** (–e) carriage
die **Fülle** abundance
das **Füllen** (–) colt
der **Funke** (–n) spark
**fürchterlich** terrible, dreadful
die **Fürstin** (–nen) princess
die **Fürstlichkeit** (–en) duke, prince
die **Fußsohle** (–n) sole of the foot
das **Futter** feed, nourishment
**füttern** to feed

die **Gabe** (–n) gift
**galoniert: im galonierten Rock** in a coat edged with gold-lace
der **Gang** (ᵘe) walk, course; function; **seinen — gehen** to go on; **in — bringen** to start, set going
die **Gans** (ᵘe) goose
**ganz: im ganzen und großen** as a whole; **in the conception of the whole**
**gänzlich** entirely
**gar: ganz und — completely**
die **Gärung** fermentation
**gastfreundlich** hospitable
die **Gastlichkeit** hospitality
der **Gatte** (–n) husband
**gebieten** (o, o) to demand, command
**gebildet** cultured, educated; **fein —** (*ironical*) too refined
das **Gebrechen** (–) weakness, shortcoming, defect

das **Gedächtnis** memory
der **Gedankensprung** (ᵘe): **solche Gedanken- und Körpersprünge** such unpredictable agility of mind and body
**gedeihen** (ie, ie) to thrive, grow; das **Gedeihen** success
die **Geduld** patience
**geduldig** patient
die **Gefahr** (–en) danger
die **Gefährtin** (–nen) companion
**gefallen** (gefiel, gefallen) to please; **ich lasse es mir nicht —** I don't like it; das **Gefallen** pleasure
die **Gefälligkeit** a pleasing, obliging spirit
das **Gefild** (–e) fields, surrounding nature
die (das) **Geflügel** birds
das **Gefolge** retinue, suite
das **Gefühl** (–e) feeling, emotion
**gefühlsmäßig** emotional, instinctive
die **Gegend** (–en) region, surrounding country
die **Gegenpartei** (–en) opposition
der **Gegensatz** (ᵘe) contrast
**gegenseitig** mutual
der **Gegenstand** (ᵘe) object, thing, subject
die **Gegenwart** presence, present
**gegenwärtig** present, at present; in person; alert
die **Gegenwirkung** (–en) retort
das **Gehalt** (ᵘer) salary
**geheim** secret, private; **— behandeln** to keep —
das **Geheimnis** (–se) secret, mystery; silence
der **Geheimrat** (ᵘe) privy councillor; die **Geheimratsstelle** position of a —
**gehen** (ging, gegangen): **es geht** it can be done; **wie es — wollte** whatever came into his mind; **es geht mir wunderbar mit G.** G.'s attitude to me is extraordinary
der **Gehilfe** (–n) assistant, helper
das **Gehirn** brain, mind
das **Gehölz** grove
das **Gehör** sense of hearing

gehören to belong; **es gehört dazu** it is necessary

gehörig necessary; thorough; **das Gehörige** the right thing

der **Gehorsam** obedience

der **Geist** (–er) ghost, spirit

der **Geisterduft** (*poet.*) haze of the spirit-world

die **Geistesentwicklung** mental development

die **Geistesgegenwart** presence of mind

geistestrunken (*adj.*) ecstatic, as if drunk with spirit

die **Geistesverwandtschaft** kinship of spirit

geistig spiritual, mental, intellectual

geistreich full of life and wit, ingenious, clever

das **Gekritzel** sketch (*derogatory, indicating amateurish work*)

geladen sein to be invited

das **Gelage** revelry

gelangen to come

gelassen (*adj.*) calm

die **Gelassenheit** composure

die **Gelegenheit** (–en) opportunity, occasion; — **geben** to give cause

der **Gelehrte** (–n) scholar

gelenk nimble

gelind gentle

gelten (a, o) to be worth; — **für, als** to be considered, taken for; — **lassen** to admit, accept

das **Gelübde** (–) vow

die **Gemahlin** (–nen) wife

das **Gemälde** (–) painting

gemäß in agreement with

gemein (in) common, ordinary

das **Gemeingut** common, universal possession

gemeinsam common, mutual

die **Gemeinschaft** (–en) community

gemessen (*p.p.*) measured, rhythmic

das **Gemisch** mixture

das **Gemüt** (–er) mind, soul, heart; (*pl.*) people

gemütlich comfortable

die **Gemütlichkeit** ease; **freiere —** greater ease and freedom

die **Gemütsruhe** calm disposition

genau exact, accurate, careful; **rein —** (*poet.*) perfectly

die **Genauigkeit** exactness, accuracy, precision

geneigt disposed, inclined; kind

der **Generalsuperintendent** archdeacon

generisch generic; true

**Genf** *Geneva* (*in Switzerland*)

genial ingenious, brilliant, profound, full of genius

das **Genie** genius

genieren to embarrass

genießbar enjoyable

genießen (o, o) to eat, enjoy

der **Genius** genius, spirit, ingenuity

genötigt forced

die **Genügsamkeit** frugality

der **Genuß** (*"*sse) enjoyment, treat

genußreich enjoyable

geordnet regular

gerade straight; precisely

geraten (ie, a) to get; **es gerät mir** I succeed with a th.

geräumig capacious

gerecht just, fair

das **Gerede** talk

geregelt well-ordered

die **Gereiztheit** irritation

das **Gericht** (–e) food, dish; court of justice; — **halten** to pass judgement; **das jüngste —** Judgement Day

gering slight, small, simple, inferior; **mit geringen Mauern** hardly fortified

geringschätzig slighting

der **Geruch** (*"*e) smell, scent; trace

das **Gerücht** (–e) rumor

gesammelt collected, composed

das **Geschäft** (–e) business, profession, task; (*pl.*) affairs

geschäftlich relating to business

gescheit clever

das **Geschick** fate

die **Geschicklichkeit** skill

geschickt capable

das **Geschlecht** (–er) sex, species, race

der **Geschmack** taste

das **Geschöpf** (–e) creature, person

das **Geschreibe** writing (*derogatory*)

das **Geschwätz** gossip
**geschweige** let alone
**geschwind** quick
die **Geschwindigkeit** speed
die **Geschwister** brothers and sisters
die **Geschwulst** (˝e) swelling, tumor
der **Geselle** (-n) companion
**gesellig** social
die **Gesellschaft** (-en) society, party, company; organization, club
**gesellschaftlich** social
das **Gesetz** (-e) law
**gesetzmäßig** lawful
die **Gesetztheit** composure
das **Gesicht** (-er) face; **ins — treten** to come face to face; **zu — stehen** to fit, suit
der **Gesichtspunkt** (-e) point of view
das **Gesindel** rabble
die **Gesinnung** (-en) sentiment, attitude
die **Gesinnungsart** (-en) way of thinking
**gesittet** well behaved, civilized
**gespannt** tense; **wir waren —** our relations were not friendly; **aufs höchste gespannte Erwartung** highest expectations
das **Gespenst** (-er) ghost, spook; idol **hypochondrische Gespenster** morbid fears
das **Gespinst** (-e) fabric, cloak
das **Gespräch** (-e) conversation
**gesprächig** talkative
die **Gestalt** (-en) figure, form, character, aspect
**gestalten** to form, give expression; **sich — to** assume a form or shape
**gestatten** to permit
**gestehen** (gestand, gestanden) to admit
das **Gestein** rocks
die **Gesteinsart** (-en) type of rock
das **Gestirn** (-e) star, planet
**gestrig: der gestrige Tag** yesterday
**gesund** healthy
die **Gesundung** recuperation of health
**gesunken** (p.p.) dejected
**getrauen sich** to dare
**getreu** true
**gewahr** aware: **sich drin — werden**

(unus.) to take one's bearings from a th.
**gewähren** to give, grant; **jemand — lassen** to allow a p. his own way
die **Gewalt** (-en) power, force
**gewaltsam** violent; destructive
das **Gewehr** (-e) gun, rifle
der **Gewinst** (-e) gain
**gewiß** certain; I am quite sure
das **Gewissen** conscience
**gewissermaßen** so to speak, as it were
die **Gewohnheit** (-en) custom, habit
**gewöhnlich** usual, ordinary
**gewohnt** accustomed
das **Gewühl** crowd, confusion, tumult; die **seltenen Gewühle** (poet.) the strange disturbing emotions
das **Gewürz** (-e) spice
**gezwungen** (p.p.) forced
**gießen** (o, o) to pour
das **Gift** (-e) poison
der **Gipfel** (-) top, climax
der **Gips** plaster
der **Glanz** splendor
**glänzen** to shine, glitter
**glatt** smooth
**gleich** the same; right away; evenly; **es jemand — tun** to match a p.
**gleichen** (i, i) to be like, resemble
**gleichgültig** indifferent
die **Gleichheit** equality, congeniality
der **Gleichmut** calmness, serenity, composure
**gleichnamig** of the same name
das **Gleichnis** (-se) image, simile, symbol
**gleichsam** as it were
**gleichzeitig** simultaneous, of the same period, together in time
**gleiten** (glitt, geglitten) to glide
die **Gletscherwelt** glaciers
das **Glied** (-er) limb, joint; **mir stockt's in den Gliedern** I feel paralyzed; (unus.) scene of a play
das **Glück** good fortune, stroke of luck
**glücken: wenn es glückt** if I am lucky
die **Glückseligkeit** happiness
**glühen** to glow, burn
die **Glut** (-en) glow, embers

gönnen to grant
göttergleich like the gods
die Götterpracht divine beauty
der Gottesdienst (–e) religious service;
der äußere — religious ceremonies
die Gottesruhe divine peace
gottselig pious; graciously
die Gottseligkeit godliness, devotion
der Graben (˝) ditch; moat
grad = gerade upright, honest; (adv.)
just, exactly
der Grad (–e) degree; testimony
die Gräfin (–nen) countess
der Grasaffe (–n) (obs. slang) child
graus (unus.) mysterious
grausam cruel
die Grazie grace
greifen (griff, gegriffen) to grasp,
seize; falsch — to hit the wrong note;
um sich — to spread
die Grenze (–n) boundary, limit; in
Grenzen halten to limit, restrain
der Greuel (–) horror
der Griff (–e) grasp
die Grille (–n) whim, obsession; Grillen zurechtlegen to correct mistaken
ideas
der Grimm anger
der Grimmenstein Grim Rock (name
of a castle)
grimmig grim, bitter
grob rude, crude
der Groll resentment
groß: die Großen the ruling class; im
Großen on a large scale
großartig grand
die Größe greatness, grandeur
großenteils mostly
die Großheit: mit einer so ungemeinen
— behandeln to treat with such a
keen eye for essentials
grübeln über to ponder
die Gruft (˝e) grave
der Grund (˝e) ground, reason, basis;
aus dem — thoroughly; im — in
fact; die Gründe gorges
gründen to found, lay the foundation
die Grundlage (–n) foundation, basis

gründlich thorough, deep; das Gründliche the foundations
Gründonnerstag the last Thursday of
Lent
das Grundthema (–en) basic theme
grundverschieden (p.p.) fundamentally
different
gucken to look
gültig valid, adequate, authentic
günstig favorable, kind
der Gürtel (–) belt
gut: mir ist's — I feel well; ich bin ihm
— I like him
das Gut (˝er) estate
die Güte kindness; innere — (unus.)
excellence of vision
gütig kind
gutmütig good-natured
gutwillig well-meaning

haben: an sich — to master; man hat
wenig von ihm he means little to us
der Hafen (˝) harbor
haften to cling
der Hagel hail
das Halbdunkel semi-darkness
halbwelk half faded
der Hals (˝e) neck; an den — fliegen
to fly into a p.'s arms
der Halt support
halten (ie, a) to hold, stop; — von to
think of; — für to consider; sich —
an to stick to; schwer — to be difficult
die Haltung posture, attitude, disposition
die Hand (˝e): vor der — for the time
being; an der — under the guidance
der Händedruck (˝e) hand shake
der Handel trade
handeln to act
das Handelsschiff (–e) merchant ship
die Handelsstadt (˝e) trade center
die Handlung (–en) action, plot
das Handwerk (–e) craft, field, occupation
der Handwerker (–) artisan, craftsman

**handwerklich:** das **Handwerkliche** the technical skill and knowledge
**handwerksmäßig** artisan-like, mechanical
die **Handzeichnung** (–en) sketch, drawing
der **Hang** (⁎e) slope
die **Harmlosigkeit** inoffensiveness, harmlessness
**härten** to harden
**hartnäckig** stubborn, tenacious
**haschen** to catch
der **Haß** hatred
die **Haube** (–n) cap
der **Hauch** breath (of air)
**häufen sich** to accumulate
**häufig** frequent
**haupt** chief, major, main
das **Haupt** (⁎er) head, top
das **Hauptingrediens** chief ingredient
der **Hauptpunkt** (–e) main point
die **Hauptsache** (–n) the essential thing
der **Hausflur** (–e) hallway
die **Haushaltung** (–en) housekeeping, household
die **Hausleute** landlord and his wife
**häuslich** domestic, homelike
der **Hausrat** household furniture
die **Hauswirtin** (–nen) landlady; lady of the house
die **Haut** (⁎e) skin; die — **voll zu tun haben** to be up to one's neck in work; **so viele Häute lösen sich von meinem Herzen** so many old skins are shed from my heart
die **Hecke** (–n) hedge
**hefetrüb** fermenting
**heften** to stitch, bind; **an die ich geheftet und genistelt bin** to whom I cling and cuddle up
**heftig** vehement, angry, violent; in a huff
**hegen** to keep
das **Hehl: kein — machen aus** not to conceal a th.
der **Hehler** (–) accessory
die **Heide** heath
**heilen** to heal, cure

**heilig** holy, sacred; der, die **Heilige** saint
das **Heiligtum** (⁎er) sanctuary
**heilsam** wholesome
**heimlich** secret; cozy
**heim-suchen** to afflict, pester
das **Heimweh** homesickness
**heiß: es wird mir — dabei** my cheeks burn
**heißen** (ie, ei) to mean, order; **es heißt** it reads
**heiter** bright, merry, gay
die **Heldenmaske** (–n) disguise of a hero (of antiquity)
**hell** clear, bright; **heller Kopf** keen mind
**herab-setzen** to belittle
**herab-stimmen** to depress
**heran-ziehen** (zog, gezogen) to draw close; employ
**heraus-arbeiten sich** to emerge
**heraus-fordern** to challenge
**heraus-geben** (a, e) to publish
**heraus-glätten** (*unus.*) to smooth out
**heraus-kriegen** to find out
**heraus-reißen** (i, i) to tear out
**heraus-schütteln** to shake out, pour out; **nur so** — to produce with the greatest ease
**herbei-führen** to bring about
die **Herbigkeit** reserve; **mutwillige** — mischievous coldness
die **Herbstmesse** (–n) autumn fair
**her-halten** (ie, a) to be made the target of
**her-kriegen: jemand** — to make a p. come
**her-leiten** to deduce
**hernach** afterwards
der **Herr: — werden** to succeed, get control
**herrisch** despotic, self-willed
**herrschaftlich** belonging to the Duke
**herrschen** to reign; be; prevail
**her-stellen** to make, establish; — **sich** to take a form; **wieder** — to restore
**herum-irren** to wander about
**herum-ruscheln** to play at random

**herum-schweifen** to wander, roam about

**herum-streichen** (i, i) to roam

**herum-tappen** to grope about

**herum-treiben** (ie, ie) **sich** to play around

**herum-zeichnen (sich)** (*unus.*) to sketch all over the place

**hervor-bringen (brachte, gebracht)** to create, produce

**hervor-suchen** to seek out; think of

**der Herzog** (#e) duke

**die Herzogin Mutter** the duchess dowager

**das Herzogtum** (#er) duchy

**hetzen** to go hunting (with hounds)

**heucheln** to pretend

**die Hexe** (–n) witch

**hiesig** here, of this place

**das Hilfsmittel** (–) help, resource, tool; (*pl.*) library facilities

**der Himmel** (*poet.*) sight; **unter freiem — in the open**

**himmlisch** heavenly, divine

**hinauf** up; **bis —** to the top

**hinaus-laufen** (ie, au) to lead to

**hinaus-reichen** to go beyond

**hinaus-wollen: wo es hinauswill** how the wind blows

**der Hinblick: im — auf** with regard to, keeping (a th.) in mind

**hin-bringen (brachte, gebracht)** to spend

**das Hindernis** (–se) obstacle

**die Hinderung** hindrance, difficulty

**hin-drängen** to push towards

**hindurch-dringen** (a, u) to push through, succeed

**hinein-schlagen** (u, a) to roar over (*fire*)

**hin-geben** (a, e) to give up, yield; give of o.s.; **hingebend** trusting; **— sich** to devote o.s.

**hingegen** on the other hand, however

**hin-gehen (ging, gegangen)** to go along; **drüber —** to pass over

**hinlänglich** sufficient

**hin-reichen** to be sufficient

**die Hinsicht** regard, respect, way

**hin-stellen** to place; represent, depict

**hin-strecken** to stretch out

**hinten: — nach** afterwards

**hin-trauen** to trust

**hinüber-segnen** (*unus.*) to send by the power of wishing

**der Hinweis** (–e) allusion

**das Hinwirken: Hinleben und — live and let live**

**hin-ziehen (zog, gezogen)** to attract

**hinzu-denken (dachte, gedacht)** to add

**hinzu-kommen (kam, gekommen)** to come in as an addition

**der Hirsch** (–e) stag

**hoch: das Hohe (der Welt)** the great things

**die Hochachtung** esteem

**hochgestellt** of high rank

**hoch-schätzen** to respect highly

**höchst** very, extremely

**der Hof** (#e) court; farm; **den — machen** to court, make love

**die Hofdame** (–n) lady of the court, lady-in-waiting

**die Hofleute** courtiers

**höflich** polite

**der Hofrat** (#e) title of honor

**die Höhe** (–n) height; superior development; **— des Geistes** brilliance of mind

**die Hoheit** loftiness, superiority

**der Höhepunkt** (–e) climax

**höher: höhere Menschen** gifted men

**hohl** hollow

**die Höhle** (–n) cave

**der Holzschnitt** (–e) woodcut

**der Holzstoß** (#e) woodpile

**die Honnettetät** honesty, decency

**die Hüfte** (–n) hip

**hüllen** to cover

**humanitär** humanitarian

**der Humor** humor; mood

**die Hungersnot** famine, starvation

**hüten** to cherish

**hypochondrisch** morbid

**ihrerseits** on their part

**immerwährend** continuous

imponieren to impress
imstande sein to be capable, able
indes = indessen however
das Individuum (Individuen) individual
infam infamous
der Inhalt (–e) content
inkommodieren to trouble, disturb
inländisch domestic
inliegend enclosed
inner inner, intrinsic; das Innere the
interior; intestine; in seinem Innern
within him
innerlich inner, within, mental, spiritual
innerst most central, most private; das
Innerste the very core; im Innersten
in the innermost soul
innig tender, sympathetic, sincere
in- und auswendig from the inside and
outside
inzwischen in the meantime; — daß
while
irdisch earthly; ein irdischer Mensch
a man of this world
irr astray, aimless
die Irradiation (ir)radiation; direct personal contact
irre machen to disconcert; er ließ sich
nicht — he did not allow himself to
be swayed
irren to go astray, be wrong; alles Irrende, Schweifende all that wanders
and strays
iura (Lat.) law


die Jagdhütte (–n) hunting lodge
Jagdrock: aufgeschlagener — hunting
coat with lapels
jagen to hunt, drive, chase
der Jahrmarkt ("e) fair
das Jahrzehnt (–e) decade
Jambe (–n) iambus; blank verse
der Jammer misery, tragedy
jauchzen to cheer
je ever
jeher: von — always
jetzig present

Johanni: um — the 24th of June
der Jubel merrymaking
der Jugendstreich (–e) youthful prank
juristisch: juristische Praxis law practice
just right


die Kabale (–n) intrigue
kahl bald
die Kaiserkrönung (–en) coronation of
the emperor
das Kamin (–e) chimney; fireplace
die Kammer (–n) chamber, bedroom
der Kammerherr (n, –en) chamberlain
der Kammerrat ("e) councilor (of the
exchequer)
kämpfen to fight, struggle
die Kanaille (–n) rascal, scoundrel
das Kanape sofa
der Kanzler (–) chancellor
der Kanzlist (–en) office clerk
die Kapelle (–n) chapel
die Kaskade (–n) cascade
die Kasse (–n) cash register; funds
die Kehle (–n) throat
kehren to turn; sweep; sich — to turn;
in sich gekehrt sein to be dependent
on o.s.
der Keim (–e) germ; core; seine Keime
und Knospen the buds = innate gifts
and likings
keineswegs by no means
keltern to press out (wine)
die Kenntnis (–se) understanding,
knowledge, information
das Kennzeichen (–) sign, characteristic
die Kette (–n) chain, succession
der Kiesel (–n) pebble
die Kinnlade (–n) jaw
die Kiste (–n) box
die Klage (–n) lament, complaint
klammern sich to clutch
klar: ins Klare bringen to clarify
die Klarheit: — über sich knowledge
of o.s.
klatschen to clap, crack
das Klavier (–e) piano
kleiden to dress; be becoming

klein: kleine Leute ordinary people;
im Kleinen on a small scale
die Kleinheit pettiness
die Kleinigkeit (–en) trifle
kleinlich petty
der Klepper (–) horse, hack
die Klerisei clergy
klingeln to ring a bell
die Klippe (–n) cliff
das Kloster (¨) nunnery
die Kluft (¨e) ravine
die Klugheit prudence, discretion, wisdom
klüglich wise
knistern to crackle
der Knittelvers (–e) doggerel verse
der Knochenbau bony frame
das Knochenmark marrow
das Knochenreich osteology
die Knospe (–n) bud
das Knötchen (–) little abscess
knüpfen to tie
knusprig crisp
kommen: hinter etwas — to find out
about a th.; zuvor — to antecede;
nichts — lassen auf to allow no criticism of; außer Stimmung — to loose
the desire
kommissarisch provisional
das Kommißbrot (–e) coarse army bread
die Komödie (–n) comedy; theater
die Komposition (–en) composition;
(unus.) person
der Kopf (¨e): jemand an den — werfen to throw in a p.'s face; jemand
vor den — stoßen to antagonize a p.
der Kopist (–en) one who copies
das Korn (¨er) kernel, seed
körperlich physical
die Kost food, fare
kosten to cost; taste; dran — to sample
köstlich charming, precious, valuable,
wonderful
kostspielig expensive
kräftigen to strengthen
kränken to hurt a p.'s feelings
die Kränklichkeit sickliness, delicate
health
kraß glaring

das Kraut (¨er) herb
der Krebs (–e) crayfish
der Kreis (–e) circle, sphere; im — der
Familie in the midst of one's family
kreuzen to cross
kreuzigen to crucify, torture
kriecherisch hypocritical
kriegen to receive, get hold of; rund —
(unus.) to get a well-rounded impression
die Kriegsrüstung (–en) preparation for
war
das Kriegsschiff (–e) man-of-war, war-
ship
die Kritik (–en) criticism
kritzeln to scratch, draw poorly
der Kronenleuchter (–) chandelier
krumm crooked, roundabout
die Kugel (–n) ball
die Kuh (¨e) cow; blinde — spielen to
play blindman's buff
kühn bold, daring
kümmerlich barely
kümmern sich um to bother with
künftig in the future
die Kunst (¨e) art; bildende Künste
visual arts; frühe Künste (poet.) artificial charms
die Kunstanschauung (–en) views on
art
künsteln (unus.) to improve on, elaborate
der Kunstgelehrte (–n) art historian,
art critic
die Künstlerfreude (–n) artist's enjoyment
das Künstlertum artistic endeavor
künstlich artificial; elaborate
der Kunstliebhaber (–) lover of art
die Kunstsache (–n) artistic matter
der Kunstschatz (¨e) art treasure
der Kunstsinn understanding of art
das Kunstverständnis understanding of
art
das Kunstwerk (–e) work of art
der Kupfer (–) copper, engraving
das Kupferbild (–er) copper engraving
die Kur (–en) cure; zur — to drink the
waters (at a Spa)

kurz: zu — kommen to fall short
kürzlich recently
kurzsinnig limited in thought or intelligence
die Kußhand (ᵘe) kissing of the hand
die Kutsche (-n) coach, carriage

die Labe comfort
laben to refresh; sich an jemand — to enjoy a p. thoroughly
das Labyrinth labyrinth; das — in der Brust the mazes of the heart
laden (u, a) to load
die Ladung (-en) load
lampenhell lit up by lamps
die Landenge (-n) Isthmus
die Landschaft (-en) landscape; district, representative chamber of a district
der Landsmann (Landsleute) compatriot
die Landstrecke (-n) tract of land
die Langeweile boredom
die Lanze (-n) lance, spear
Lappenware (unus.) masquerading costume
lärmen to be noisy
die Last (-en) burden
die Lästerung (-en) slander
die Laube (-n) arbor
der Lauf (ᵘe) run, course
launig humorous, satirical
lauschen to listen, not stir
der Laut (-e) sound
lauter pure, clear, genuine
das Lazarett (-e) hospital
leben: Sie sollen — ! to your health!
die Lebendigkeit liveliness
die Lebensart convention, way of living
lebensfroh joyful
das Lebensgefühl conception of life
die Lebensgemeinschaft (-en) living together, union
der Lebensgenuß enjoyment of life
lebenslustig gay, cheerful
der Lebenssinn understanding of life
die Lebensweisheit practical wisdom, lesson of life

lebhaft lively, vivid, ardent
Lebtag: meiner — all my life
der Lehrauftrag (ᵘe) lectureship
die Lehre (-n) teaching, doctrine; words
der Leib (-er) body; im — in a p.; etwas vom — halten to keep a th. at a distance; mit — und Seele with all one's heart; seiner Mutter — to his mother's womb
der Leibeigene (-n) serf, slave
leibhaftig in person
leicht light, easy; wie's — ist the easy way
die Leichtigkeit ease, elegance
der Leichtsinn light-heartedness; carelessness
leichtsinnig frivolous, irresponsible
das Leid (-en) sorrow, suffering
die Leidenschaft (-en) passion, emotional intensity
leider unfortunately
leidig disgusting
leidlich tolerable; das leidlichste Gute the smallest gain
die Leier (-n) lyre
leisrauschend murmuring; with a low roar
leisten to achieve
leiten to direct; pipe
lenken to guide, steer, influence; sich — to turn
lesbar legible
letzt last, ultimate, basic
letzthin recently
leuchten to shine
der Leuchtturm (ᵘe) lighthouse
leugnen to deny
das Licht (-er) light; insight; es geht mir ein — auf I see the light
der Lichtfunke (-n) spark
liebenswürdig amiable
die Liebenswürdigkeit lovableness, charm
das Liebesverhältnis (-se) love affair
der Liebhaber (-) lover; amateur
die Liebhaberei (-en) hobby; passion
die Liebhaberin (-nen) mistress

die **Liebheit** (*unus.*) loveliness, goodness

die **Lieblichkeit** loveliness

die **Lieblingsbeschäftigung** (–en) favorite occupation

**liefern** to furnish

**liegen** (a, e): **es liegt darin** it is based on the fact

**lind** gentle

**lindern** to soften, ease, soothe

die **Lippe** (–n) lip; **drück deine Hand an die Lippen** press your hand to your lips = don't criticize

die **List** (–en) cunning

**loben** to praise

die **Lobrede** (–n) eulogy; **eine — halten** to sing a p.'s praise

das **Loch** (*"*er) hole

**lockern sich** to loosen; become less close

**lockig** curly

der **Lockton** (*"*e) the mother's call to her young

**logieren** to lodge

das **Logis** living quarters

der **Lohn** (*"*e) reward

der **Lohnbediente** (–n) hired man-servant

**lohnen** to reward, pay; **lohnend** profitable

**los** loose; **— sein** to be rid of; **— werden** to get rid of

das **Los** (–e) lot

**löschen** to extinguish (fire)

**losen** to draw lots

**lösen** to loosen, free, disengage; **sich —** to detach o.s.

**los-reißen** (i, i) to detach, tear away

die **Lücke** (–n) opening, breach, gap

die **Luft** (*"*e) air; time

die **Lüge** (–n) lie, deception

der **Lump** (–e) scoundrel

die **Lust** joy, desire, wish, rapture; **— und Liebe** inclination, urge; **— am** love of

**lustig** gay

das **Lustspiel** (–e) comedy

die **Macht** might; **volle — und Gewalt** full authority

die **Magd** (*"*e) maid

**mager** lean, slender, thin

**mahlen** (**mahlte, gemahlen**) to grind

die **Mähre** (–n) mare, horse

die **Malerei** (–en) painting

**malerisch** picturesque

**mancherlei** various

der **Mangel** (*"*) defect, want

**mangelhaft** poor, deficient

**mangeln** to lack

die **Manier** (–en) manner, treatment, form, approach

**mannigfaltig** manifold, varied, various; in many ways

die **Männlichkeit** masculinity

das **Manuskript** (–e): **ins — schreiben** to make a new manuscript

das **Mark** marrow; core

der **Markt** (*"*) market, -place; square

die **Maske** (–n) mask, fancy dress

das **Maß** (–e) measure, degree; **ihr gerütteltes — haben** to have their full share; **das — ist voll** the cup is brimming over; **nach seiner Maße** (*unus.*) according to his ability; **über die Maßen** extremely

die **Masse** (–n) mass, crowd, host; **die — und Menge** the range of subject matter and its numerous details

**mäßig** moderate, reasonable, tolerable

**mäßigen** to moderate, check, restrain

die **Mäßigung** moderation; **— tropfen** (*poet.*) to cool

die **Maßlosigkeit** recklessness, radicalism

der **Maßstab** (*"*e) measuring rod

die **Materie** matter, subject

**matt** weak, lifeless

der **Maulwurf** (*"*e) mole; miner (*symbol*)

die **Mäzenschaft** patronage

der **Meerbusen** (–) gulf

**mehrbenannt** afore-mentioned

**mehren** to increase

**meiden** (ie, ie) to avoid

**meinen** to think, imagine

die **Meinung** (–en) opinion

das **Meisterstück** (–e) masterpiece

**melden** to announce

die **Menge** (–n) great quantity, number, throng

**menschenfreundlich** humane, kind, compassionate

das **Menschengewerb** (–e) human activities

die **Menschenkenntnis** insight into human nature, knowledge of men

**menschenscheu** reticent

**menschlich,** human, humane

die **Menschlichkeit** humaneness, decency; **reine —** a term used to characterize Iphigenia's attitude which brings about peace and understanding

**merken auf** to notice; **— lassen** to divulge, reveal; **laß dich nichts —** don't give it away

das **Merkmal** (–e) sign

**merkwürdig** noteworthy, memorable, strange; (*adv.*) especially

**messen** to measure; **sich — mit** to compare with

die **Meßfreude** (–n) excitement of the fair

**mieten** to rent

**mildern** to soothe, restrain

**mindest** least

der **Ministerrat** cabinet (council)

**mischen** to mix; **sich — unter** to join

**mißbilligen** to disapprove

der **Mißbrauch** (*ᴟe*) abuse

der **Mißton** (*ᴟe*) false note

**mißtrauen** to distrust

der **Mitarbeiter** (–) collaborator

**mit-erleben** to participate, share; **etwas — to** experience a th. with a p.

das **Mitgefühl** sympathy

**mit-genießen** (o, o) to participate in; das **Mitgenießen** sharing

die **Mitgift** dowry

das **Mitglied** (–er) member

**mit-machen** to take part

der **Mittagsschein** (*poet.*) sunlight at noon

**mit-teilen** to tell, communicate, read, give, publish; **— sich** to open one's heart to

die **Mitteilung** (–en) information

das **Mittel** (–) means, remedy

**mittelmäßig** mediocre

der **Mittelzustand** balanced state

**mit- und untergeordnet** associated and subordinated

**mitunter** sometimes

**mit-wirken** to participate

die **Möglichkeit** (–en) possibility, chance

**Molo** (*Ital.*) quai, pier

die **Montagsgesellschaft** a club meeting on Mondays

das **Moos** (–e) moss

die **Moral** morality

der **Morast** morass, bog

das **Morgenbrot** breakfast

die **Mücke** (–n) fly

die **Mühe** (–n) effort, toil, labor; **mehr — machen** to cost a greater effort

**mühsam** troublesome

**mühselig** laborious

der **Mund** mouth; **die Hand auf den — legen** to be silent

**mündlich** oral, by mouth, in person

das **Münster** cathedral

**munter** gay, lively, cheerful

**murren** to grumble

die **Muschel** (–n) shell

die **Muße** leisure

der **Müßiggang** idleness; **— treiben to** loaf

**musterhaft** exemplary, perfect

das **Musterstückchen** (–) little sample

der **Mut** courage; **guter — cheerfulness; bei gutem —** in good spirits

der **Mutwillen** playfulness, mischief

**nach: — und —** gradually; **der Handlung — as** far as the plot is concerned

**nach-ahmen** to imitate, reproduce

das **Nachdenken** thoughtfulness

die **Nacheiferung** emulation

die **Nachfrage** inquiry

**nach-geben** (a, e) to give in

**nach-gehen** (ging, gegangen) to persue

**nachhaltig** lasting

**nach-helfen** (a, o) to help along, improve

**nach-holen** to make up for

nach-klingen (a, u) to linger

der Nachlaß posthumous works

nach-lassen (ie, a) to grow less, diminish

die Nachricht (–en) news

nach-sagen: — muß ich ihr I must say for her

die Nachsicht indulgence, kindness

nachsichtig lenient

der Nächste (–n) next one, neighbor; nächstens very soon; aufs nächste very closely

nackt naked, bare

der Nagel (ᵘ) nail; aus den Nägeln saugen to invent; auf die Nägel brennen to concern a p. vitally

nah: es geht mir — it affects me much

die Nähe nearness, neighborhood; in der — sein to be close by

nahen to approach

näher: das Nähere the details; (adv.) more specifically

nahe-legen to suggest

nähren to nourish, feed

nämlich namely

der Narr (–en) fool

die Narrheit (–en) folly

närrisch foolish, crazy, silly, wild

die Nase (–n): jemand bei der — führen to fool a p.

das Naturerlebnis (–se) vital, elemental experience

natürlich natural, simple; (adv.) without trouble

das Naturschauspiel (–e) natural phenomenon

der Natursinn understanding of nature

die Naturstimmung (–en) mood of nature

das Naturwesen (–) child of nature

naturwissenschaftlich scientific

NB (Lat. = nota bene) note well

der Nebel (–) mist, fog

der Nebelglanz diffused light

nebenbei on the side, in one's spare time

die Nebensache (–n) side issue

nebenweg = nebenbei incidentally

nebst with

necken to tease; über das Mädchen ihr — there she is at her teasing again

die Neckerei (–en) banter, teasing

der Neid envy

neigen to incline; sich — to bow

die Neigung (–en) inclination, interest, affection, preference

nennenswert worth mentioning

die Nerve ( = Nerv) nerve; wie die reinste — klingt how the most delicately tuned nerve-string sounds

neu: aufs neue anew

der Neuankömmling (–e) newcomer

die Neuausgabe (–n) new edition

neuerdings lately, recently

die Neugier curiosity, novelty, inquisitive eagerness

neulich the other day, recently

die Nichtachtung lack of esteem, disrespect

die Nichte (–n) niece

nieder-wünschen: to wish a th. to descend

niedlich pretty

nimmer never

nochmals again

die Nordwand (ᵘe) northern slope

die Not (ᵘe) need, necessity, misery, suffering; das wäre zur — etwas that might perhaps do

die Notdurft need, necessity; die nächste — necessities of life

nötigen to make necessary, force

die Notiz (–en) note

nüchtern sober

nunmehr now, however

das Nur-Künstlertum art for art's sake, purely artistic approach to life

Nutz: zu — kommen to be of use

nutzen to be useful, profitable

der Nützlichkeitslehrer (–) teacher of the doctrine that nature exists to be useful


die Oberfläche (–n) surface

Oberland: das Berner — the Bernese Highlands

die Oberstallmeisterin wife of the equerry

ob . . . gleich = obgleich although
ob-liegen (a, e) to be a p.'s concern;
  einer Sache — to study, pursue a th.
ob . . . schon = obschon although
öde desolate
die Öde solitude
offenbaren to reveal
die Offenheit frankness
öffentlich public
ohnehin anyway
das Ohr (–en) = Eselsohr dog's ear
das Öl (–e) oil; — stoßen to press
  out —
opfern to offer, sacrifice
der Orden (–) order, decoration
ordentlich fairly good, orderly
ordnen to arrange, classify
die Ordnung order; höhere — sublime
  structure
der Ort (–e) place; an — und Stelle
  on the spot


packen to pack; seize, take hold of
der Pack (en) (–) package
das Pannier (Fr. panier) basket
der Papagei (–en) parrot
der Pappdeckel (–) cardboard (box)
der Papst (ᵘe) pope
parforce (Fr.) forcibly
das Parforcepferd (–e) hunter (horse)
die Partei (–en) party; — ergreifen,
  sich zu einer — schlagen to take sides
pasquillieren to satirize, criticize
passen to fit, suit
passieren to happen
pathetisch arousing admiration and enthusiasm, inspiring to the noble and
  heroic (never pathetic); das höchste
  Pathetische the tragic
peinlich painful
die Peitsche (–n) whip
perlend sparkling, clear
die Pest pestilence, plague
die Pfeife (–n) pipe; whistle; jemand
  nach der — tanzen to dance to a
  p.'s tune
pfeifen (pfiff, gepfiffen) to whistle;

dazu — (unus.) to be in good spirits
  about a th.
der Pfingstsonntag (–e) Whit-Sunday
der Pfirsich (–e) peach
das Pflanzenwesen nature of the plant,
  genesis
die Pflanzenzeugung phytogenesis
das Pflaster pavement
die Pflege cultivation, care
pflegen to care for, cultivate, foster;
  be in the habit of
die Pflicht (–en) duty, obligation
pflichtmäßig assigned
phantasieren to indulge in fancies
phantasievoll imaginative
die Philisterei (unus.) old-time patri-
  archal order
die Physiognomik facial characteristics,
  the study and interpretation of —
der Plafond (Fr.) ceiling
plagen to plague, bother, trouble, torment
der Platz (ᵘe): auf dem — in the actual
  setting
plump coarse, rough
pöbelhaft vulgar
der Porphyr porphyritic rock
Portechaise (Fr.) sedan-chair
das Portefeuille (Fr.) portfolio
das Porzellan porcelain, china
die Posse (–n) prank
der Posten (–) sentry
das Postpferd (–e) horse of the mail
  coach
der Posttag (–e) the day for mail service
der Postwagen (–) mail coach
pp. and so on
die Pracht splendor
der Prachtglanz splendor, glare
prächtig splendid
prägen to imprint
die Praktik practice; poetische — exercise of the poetic faculty
präpariert sein auf to be prepared for
die Prätension (–en) pretension, pre-
  sumption
predigen to preach
der Preis (–e) price; praise

preisen to praise; **jemand glücklich —**
to call a p. fortunate
die **Probe** (–n) trial, rehearsal; sample
**probieren** to try out, rehearse
die **Problematik** problems
die **Promenade** (–n) walk
**prosaisch** prosaic, commonplace
**prüfen** to prove, test, try out, examine
die **Prüfung** (–en) test, ordeal
das **Publikum** public; population
das **Pult** (–e) writing desk
die **Pumphose** (–n) baggy trousers =
knickerbockers
der **Punkt** (–e) point, fact
**punktum: hiermit — !** now, that's settled!
die **Puppe** (–n) puppet, doll; baby
**purgieren: wie sie nun wieder ihre**
**Weisheit purgiert** (*ironical*) how her
philosophizing is purging her heart

die **Qual** (–en) torment, pang
**quälen** to torment, plague, trouble
das **Quecksilber** quicksilver, mercury
die **Quelle** (–n) well, spring, source
**quellen** (o, o) to well up, surge, spring

der **Rahmen** (–) frame; **im — within**
der **Rang** (*"*e) rank, title, position
die **Rangordnung: die gesellschaftliche**
**— social order**
**rasen** to rage, rush; **rasend furious;**
**jemand rasend machen** to make a p.
mad
**rasieren** to shave
**rastlos** restless, incessant
der **Rat** advice
**raten** (ie, a) to guess; advise
**rätlich** advisable
das **Rätsel** (–) riddle
die **Ratte** (–n) rat; die **Ratten** perhaps
symbol for diplomats and politicians
der **Raub** robbery, cheating
**rauben** to rob, deprive of
das **Raubschloß** (*"*er) castle of a robber-
knight
der **Raubvogel** (*"*) bird of prey

der **Rauch** smoke
**rauh** rough, unpolished; biting
der **Raum** (*"*e) room, space; sphere
**rauschen** to murmur, roar, rustle
die **Rebe** (–n) grape (plant), vine
die **Rechenschaft** account; **— geben von**
to account for
**rechnen** to count
die **Rechnung** (–en) calculation
**recht** right; **was Rechts** something
worthwhile; **jemand etwas — ma-**
**chen** to do a th. to a p.'s liking; **—**
**sein** to please; **— behalten** to be right
**rechtfertigen** to justify
der **Rechtsanwalt** (*"*e) lawyer
**rechtschaffen** (*adj.*) honest
**recken** to stretch
**recueil** (*Fr.*) collection
die **Rede** (–n) talk, speech; **die — geht**
there is talk
**redlich** honest
die **Redoute** (–n) (*Fr.*) dance (in fancy
dress)
**referieren** to report
**rege** lively
die **Regel** (–n) rule
**regelmäßig** regulated; orderly, normal
**regen sich** to stir
die **Regierung** (–en) reign, government;
**die — antreten** to come to the throne
der **Regierungsrat** (*"*e) councilor to the
government (*title*)
das **Regiment: — führen** to wield authority
die **Regung** (–en) stirring; **meine gei-**
**stigen Regungen** my mental life
**reiben** (ie, ie) to rub, sharpen
**reichen** to hand, last, lead; **— an** to be
equal to
**reichlich** abundant; quite, considerably
**reif** ripe, mature
**reiflich** careful
die **Reihe** (–n) row, series; **der — nach**
one after the other
**reihen** to put in a row; **— sich an** to
be added, fall in line
**reimen** to rhyme
**rein** clean, pure, clear, undisturbed,
natural, simple, without change; **—**

genau (*poet.*) perfectly; **wie die
reinste Nerve klingt** (*poet.*) how the
most delicately tuned nerve-string
sounds; **reine Menschen** persons of
high integrity; **die Idee des Reinen**
the meaning of purity

die **Reinheit** purity, clearness, unbiased
mind

**reinigen** to purify, cleanse, clear, cure;
**in mir reinigt sich's unendlich** I feel
infinitely purified

die **Reinlichkeit** neatness

der **Reiseführer** (–) traveler's guide-
book

der **Reiz** (–e) charm, attraction, stimulus

**reizen** to tempt, attract, incite

der **Rekrut** (en, –en) recruit

die **Reliquie** (–n) relic

**renken: die Finger auseinander —**
(*unus.*) to stretch the fingers apart

**resp.** = **respektive** respectively

**retten** to save

**reuen: es reut mich** I repent, regret

**reuig** repentant

das **Revier** (–e) district

**richten** to direct, give direction; judge;
change (for the better); **sich — to**
adapt o.s.

die **Richtung** (–en) direction

**rieseln** to trickle, murmur

**riesenhaft** gigantic

**ringen** (a, u) to wrestle

der **Ritt** (–e) ride on horseback

der **Ritter** (–) knight; **zum — schlagen**
to knight

die **Ritze** (–n) crack

**roh** raw, rude, crude

das **Rollbett** (–en) bed on casters

die **Rolle** (–n) roll; part, rôle

das **Rotkehlchen** (–) robin redbreast

der **Ruck** sudden jerk; **es würde keinen
— tun** nothing would be upset

**rück-bleiben** = **zurück-bleiben**

der **Rückblick** (–e) review, retrospec-
tive glance

**rucken, rücken** to move, bring closer;
**den Hut —** to touch one's hat

**rückhaltlos** unreserved, reckless

die **Rückreise** return trip

**rücksichtslos** inconsiderate, unconven-
tional

der **Ruf** reputation

**rügen** to criticize

die **Ruhe** rest, peace; **zur — kommen**
to find — ; **jemand nie zur — kommen lassen** to keep a p. restless

**ruhig** quiet; **— sein über** to be at ease
about

der **Ruhm** fame, honor, glory

**rühmen sich** to boast

**rühmlich** with praise

**rühren** to touch, move, stir; **— sich to**
hasten

die **Rührung** feeling, emotion, sympathy

**runden** to round off

der **Saal** (̈e) hall, room

die **Sache** (–n) matter, thing, cause,
business; **es tut nichts zur —** it does
not matter; **das ist so eine —** that is
not satisfactory

die **Sachkenntnis** (–se) knowledge of a
subject

**sachlich** impartial, reasoned, objective

**Sachsen** Saxony

**sacht** gentle, gradual

**säen** to sow

**salto mortale** (*Ital.*) breakneck leap

der **Same** (–n) germ, seed

das **Samenkorn** (̈er) seed

**sammeln** to gather, collect

die **Sammlung** concentration

**sämtlich** complete, entire

**sanft** soft, smooth, gentle

die **Sanftmut** gentleness

die **Satzung** (–en) code (of law)

**säuberlich** (*adv.*) nicely; **— verfahren**
to treat —

**sauer** sour, hard; **es sich — werden lassen** to toil

**saugen** to suck, absorb, draw; **aus den
Nägeln — to** invent

das **Säugetier** (–e) mammal

der **Saum** (̈e) edge, border

**säumen** to linger

**sausen** to roar

die **Schachtel** (–n) box

der **Schädel** (–) skull

**schaden** to do harm; der **Schaden** damage, detriment, disadvantage

**schaffen** (**schuf, geschaffen**) to create, do, produce; **zu — machen** to cause trouble, bother

die **Schaffenslust** creative urge

**schäkern** to jest, joke

**schal** shallow, stale

die **Schale** (–n) shell, skin; (*fig.*) outlived and now meaningless works

**schallen** to sound

die **Schattenleidenschaft** (–en) unreal passion

der **Schattenriß** (–se) silhouette

die **Schattierung** (–en) shade, shading

der **Schatz** (*̈*e) treasure, riches

**schätzbar** precious

**schätzen** to appreciate

das **Schatzkästchen** little jewel-box

die **Schätzung** appreciation

**schauen** to see; das **Schauen** insight

**schäumen** to foam

das **Schauspiel** (–e) play, sight, spectacle

**scheiden** (ie, ie) to part, separate

der **Schein** shine, light, semblance, illusion, fancy

**scheinbar** seeming, apparent

der **Scheitel** (–) top (of the head), head

die **Schelle** (–n) little bell

das **Schellengeklingel** tinkling of bells

**schelten** (a, o) to scold, name disparagingly

**schenken** to present; pour out

**scheren** (o, o) to shear; fleece

der **Scherz** (–e) joke, fun; play; mystification

die **Scheu** shyness, aversion

**scheuen** to shy away, be at a loss

die **Scheune** (–n) barn

die **Schicht** (–en) stratum, layer

**schicken** to send; **sich —** to be suited

**schicklich** decent; practical

der **Schicksalsschlag** (*̈*e) adversity of fate

**schieben** (o, o) to push; blame

**schief** slanting; unfavorable, incorrect

**schießen** (o, o) to shoot; **jemand in den Sinn —** to come suddenly to one's mind

**schildern** to describe

**schimpflich** disgraceful

der **Schirm** shelter

die **Schlacht** (–en) battle

**schlagen** (u, a) to strike; **zu Glück —** to turn out well; **auf Mühlen —** to use (like water in a mill); **in vollen Tönen —** to sing and play in rich chords

die **Schlange** (–n) snake

**schlank** slender

**schleichen** (i, i) to creep

der **Schleier** (–) veil

**schleiernd** like veils

der **Schlendrian** the routine, humdrum way

**schleppen** to carry; **sich — mit** to be burdened with

**schließen** (o, o) to close, press; **— aus** to conclude from, expect from; **in sich —** to contain; **auf vieles —** to draw many conclusions

**schließlich** in the end, finally

**schlimm** bad, wicked

die **Schlittenfahrt** (–en) sleighride

das **Schlittschuhlaufen** skating

die **Schloßen** (*pl.*) hail

**schlottern** to shake; **schlotternde Prosa** the irregular rhythm of prose

**schlürfen** to sip, lap

das **Schlüsselbein** collarbone

der **Schlußstein** (–e) concluding piece; **der — zum Menschen** conclusive argument for the evolution of man

**schmecken** to taste

**schmeicheln** to flatter, coax

**schmerzen** to pain, hurt

**schmücken** to decorate

**schnakisch** funny (*unus.*)

der **Schneeberg** (–e) glacier

**schneidend** piercing

das **Schnupftuch** (*̈*er) handkerchief

die **Schnur** (*̈*e) string

der **Schokoladenbrei** chocolate sauce; (*unus.*) mud

schonen to spare; sich — to take care of o.s.

schöngeistig esthetic

schonungslos without restraint

der Schopf tuft (of hair); beim — nehmen to seize a p. by his hair

schöpfen to draw, fetch (water); derive

der Schöpfer creator; God

schöpferisch creative

die Schöpfung (–en) creation

der Schoß lap

der Schrecken (–) fright, dismay

das Schreibzeug (–e) inkstand, writing utensils

die Schrift (–en) writing

der Schriftsteller (–) writer

der Schritt (–e) step; action

schroff brusque, blunt

schroten to rough-grind

schuld: ich bin — daran I am to blame

die Schuld fault, guilt; — geben to blame

schuldig guilty; — sein to owe

die Schuldigkeit duty; ihre — tun to do her part

die Schulung training

schütteln to shake

der Schütze (–n) marksman

der Schwager (–) brother-in-law

der Schwamm (ᵘe) mushroom

der Schwank (ᵘe) prank; — und Schabernack treiben to play pranks

schwanken to waver

der Schwanz (ᵘe) tail; wie sie die Schwänze tragen (fig.) how they behave

der Schwarm swarm, crowd

schwärmen to gad about; — für to be fascinated by; Goethe schwärmt G. is raving

der Schwärmer (–) reveller

schwärmerisch enthusiastic, idealizing

schwarzglänzend shining black

schwätzen to chat

schweben to hover, float, be suspended; das Schweben und Schwirren vague and erratic state of mind; — über to have a detached view

schweifen to wander, roam

schweigen (ie, ie) to be silent

schweinisch piggish; miserable

die Schwelle (–n) threshold

schwellen (o, o) to swell, expand, rise; vom Tode — to abound with deathly power

schwer (adv.) rarely; — fallen to be difficult

die Schwere weight, stability

schwermütig melancholy

das Schwert (–e) sword

schwierig difficult

schwindeln: es schwindelt mir I am dizzy

schwindlig suffering from dizziness

schwingen (a, u) sich to rise

schwül sultry

der Schwung (ᵘe) fling, uplift, incentive; mit einem rührend schwärmerischen — der Seele with a spiritual enthusiasm which is moving

seckieren to irritate, provoke

der Seelensammler (–) expert in analyzing human character

seelenvoll soul-stirring; deeply expressive

die Seelenwanderung transmigration of souls

seelisch of the soul; nur eine seelische Handlung an action confined to inner experiences

der Seetang seaweed

der Segen blessing

die Sehenswürdigkeit (–en) sight(s)

sehnen sich to long

sehnlich longing, burning

die Sehnsucht longing

die Seide silk

sein: wie seiend how real! sollte es an dem — should it be true

seinesgleichen his equal

die Seite: von dieser — concerning this matter

selbständig independent, autonomous

die Selbstbeherrschung self-control

die Selbstentwicklung personal development

die Selbstgefälligkeit complacency

selbstsicher self-assured

die **Selbstvernichtung** self-annihilation, suicide

**selig** happy, blessed

**seltsam** strange, peculiar, odd

**sentieren** (*unus.*) to feel

**sentimental** moving, expressing emotion

**Serenissimus** His Highness

**seßhaft sein** to take up residence

**setzen** to put; **sich —** to settle down; **aus den Augen —** (*unus.*) to lose sight of

**seufzen** to sigh

**sezieren** to dissect

**sicher: das Sichere** the laws

die **Sicherheit** security, assurance

**sichtbar** visible, apparent, evident

**sichten** to sight, select

**sichtlich** apparent

**sieden** (**sott, gesotten**) to boil

das **Siegel** (–) seal

der **Sinn** (–e) sense, meaning; taste, mind, spirit; **nach dem — sein** to be to one's liking; **— und Gefühl haben** to have the intention; **wie es ihnen zu — sei** how they felt

**sinnen** (a, o) to ponder

die **Sinneslust** sensuality

die **Sinnes- und Handelsweise** the way of thinking and acting

**sinnlich** of the senses, sensual, sensuous, material; **durch den sinnlichen Blick** by the sight of material things

die **Sinnlosigkeit** senselessness

**sinnvoll** meaningful

die **Sitte** (–n) custom, habit; moral law

der **Sittenlehrer** moral teacher = Christ

**sittlich** moral

das **Sittlichschöne** beauty of morality

die **Skizze** (–n) sketch

der **Sklavendienst** (–e) menial service

der **Skrupel** (–) scruple; **— waren gehoben** the scruples vanished

**soeben** just then

**sollen: was soll** why

**sonderbar** strange, peculiar, unusual

**sonderlich** special; **nicht — stehen** not to get along especially well

**sondern** to separate

**sonst** else, otherwise; formerly

die **Sorge** (–n) care, sorrow, concern; **— machen** to worry

**sorgen** to attend to, care, provide; worry; **— für** to look after; **es war dafür gesorgt** there was no cause for worry

die **Sorgfalt** care

die **Sorglosigkeit** carelessness

die **Sozietät** society

**spähen** to spy, observe

**spalten** to split, divide

die **Spaltung** (–en) division

**spannen** to span; **sich —** to extend; **gespannt** curious

die **Spannung** (–en) tension

der **Spargel** (–) asparagus

der **Spaß** (¨e) fun, joke; **mit jemand — treiben** to make sport of a p.

**spassen** to joke, jest, make fun

der **Spaziergänger** (–) stroller

**speien** to spit; erupt

**speisen** to eat, have dinner

**sperren** to shut in

**spiegeln** to reflect

das **Spiel** (–e) play, game, performance, presentation; **sein — treiben** to be at work

die **Spielerei** (–en) play

der **Spieltisch** (–e) card-table, gambling table

**spitz** pointed, piercing

**spitzen: in die Luft —** to build high

**splittern** to splinter

der **Sporn** (**Sporen**) spur

der **Spott** mockery, ridicule; **— auf** satire on

**spotten** to mock; **jeder Beschreibung —** to defy all description

die **Sprachgrenze** (–n) border of a region in which a language is spoken

der **Springbrunnen** (–) fountain

das **Springwerk** fountain

die **Spritze** (–n): **Feuer —** hose, fire-engine

**spröde** reserved, unyielding

**sprudeln** to gush; **alles springt und sprudelt** the water rises and gushes

**sprühend** sparkling, brilliant

die **Sprunghaftigkeit** disjointedness

die **Spur** (–en) trace, track, imprint; **auf der — sein** to be after; **nächste — original mark**; **auf die — kommen** to get a clue

**spüren** to feel, sense

der **Staatsdienst** service of the State

die **Staatssachen** affairs of state

der **Stab** (ᵘe) bar

der **Stamm** (ᵘe) stem, trunk

**stammen** to descend, come from

der **Stand** (ᵘe) position, rank; **die unteren Stände** the lower classes

**standhaft** stoical, brave

die **Standhaftigkeit** perseverance

der **Standpunkt** (–e) standpoint, position, point of view

**Standesgebühr: nach —** in accordance with one's social position

die **Stange** (–n) pole, perch

**starr** rigid

die **Stätte** (–n) place, spot, abode

**statt-finden** (a, u) to take place

der **Statthalter** (–) governor

**stattlich** stately, splendid

der **Staub** dust

**stäuben** to spray

**stechen** (a, o) to stab, cut

**stecken** to stick; stay

der **Stefansturm** tower of St. Stephen's Cathedral

**stehen: gut — mit** to get along with; **gut — um** to be well with

**stehlen** (a, o) to steal; **sich — durch** to enter through

**steigen** (ie, ie) to climb; advance; **in steigendem Maße** increasingly

**steigern** to render more intense, heighten

**steil** steep

die **Stelle** (–n) place, position; **auf der — immediately**

**stellen** to place, put, arrange; **sich —** to behave (as if)

die **Stellung** (–en) position

**sterblich** mortal

**stets** always

das **Steuer** rudder

der **Stich** (–e) stitch; **— halten** to stand comparison

der **Stiefel** (–) boot

**stiften** to do, cause; contribute

**stimmen** to put a p. into a mood

die **Stimmung** (–en) mood, atmosphere, right frame of mind; **aus aller — sein** to be in a bad mood; **außer aller — kommen** to lose completely the desire

das **Stirnrunzeln** frown

der **Stock** (ᵘe) stick; story; head (of a tapeworm)

**stocken** to come to a standstill, stop, cease; **in den Gliedern — to** feel as if paralyzed

der **Stoff** (–e) stuff, material, topic, subject matter

**stören** to disturb, upset

**stoßen** (ie, o) to push, kick, bump; **— auf** to meet with; **jemand vor den Kopf —** to antagonize a p.

**strafen** to punish

der **Strahl** (–en) ray; stream

**sträuben sich** to resist, refuse

der **Strauß** (ᵘe) bouquet, bunch

**streben** to strive

der **Streich** (–e) prank

**streichend** (*unus.*) breezy

das **Streiflicht** (–er) ray of light

**streiten** (**stritt, gestritten**) to fight, quarrel, conflict

**streng** strict, severe

der **Strich** (–e) line; **Striche machen** to scribble, doodle

**stroheingelegt** straw-entwined

der **Strom** (ᵘe) current, river, torrent

**stromhaft** torrential, powerful

die **Strophe** (–n) stanza, verse

der **Strumpfwirker** (–) weaver (of socks)

das **Stück** (–e) piece, bit, fragment

**stückweise** piece by piece

**studentenhaft** student-like; unrestrained

die **Stufe** (–n) step, level

**stufenweise** by steps

**stumm** mute

**stumpf** blunt, dull, without an edge

**Sturm und Drang** Storm and Stress

der **Sturz** fall, plunge

**stürzen** to fall

die **Stütze** (–n) support
**subaltern:** — **ansehen** to consider inferior
**suchen** to seek, search; try
die **Sudelei** slipshod work
**sudeln** to work in a slovenly fashion
das **Sujet** (*Fr.*) subject, project, idea
**summen** to hum
das **Sumpffleck** (–e) swampy spot
die **Sünde** (–n) sin
**superlunarisch** (*unus.*) above the moon, supernatural
die **Supplik** (–en) petition
die **Szene** (–n) scene; discussion

der **Tadel** (–) criticism
**tadeln** to criticize
die **Tafel** (–n) board, table; picture
der **Tag** (–e): **an den** — **bringen** to show, to bring to light; **zu** — **treten** to appear, show
das **Tagebuch** (*"*er) diary
der **Tagelöhner** (–) hired man, day laborer
die **Tagesordnung** order of the day; **an die** — **kommen** to be in line, occur
das **Tagewerk** daily work
das **Tannenreis** (–er) fir branch
**tappen** to grope
die **Tat** (–en) act, deed; **in der** — indeed
**tatenfroh** glad to be active, energetic
**tätig** active
die **Tätigkeit** (–en) activity, work
die **Tatkraft** energy
die **Tatsache** (–n) fact
**tatsächlich** actual
der **Taumel** whirl, hustle
**taumeln** to stagger; **taumelnde Erkenntnis** dizzily-groping mind
**tausendfach** thousandfold
der **Tautropfen** (–) dewdrop
der **Teich** (–e) pond
**teilen** to divide, share; **sich** — to separate
**teil-haben** to share
die **Teilnahme** sympathy, interest, participation
**teilweise** in part

das **Tellerchen** (–) little plate or disk; sporophyte generation (of moss)
die **Tendenz** (–en) tendency, drive
das **Terrain** (*Fr.*) ground; **das** — **würde lichter und reiner** the view would become clearer and less obstructed
der **Text** (–e) text, theme
die **Tiefe** (–n) depth; **in der** — far below
**tiefgegründet** innate
die **Tierreste** (*pl.*) remains of animals
der **Tierschädel** (–) animal skull
**tilgen** to erase, do away with
**zu Tisch** to dinner; **nach Tisch** after dinner
**toll** mad, wild, angry
der **Ton** (*"*e) tone, sound
die **Tonart** (–en) key (*music*)
das **Tor** (–e) door, (city) gate
die **Torheit** (–en) folly
**töricht** foolish
das **Totenreich** realm of the dead
die **Tour** (–en) trip, excursion
die **Tracht** (–en) costume
**trachten** to endeavor
**tragen** (u, a) to carry, endure, bear; **sich** — to behave; **sich im Kreise** — to dance
**traktieren** to treat; play (melody)
**tränenvoll** tearful
die **Traube** (–n) grape
**trauen** to trust
die **Trauer** sadness
das **Trauerspiel** (–e) tragedy
**treffen** (**traf, getroffen**) to hit; meet; find
**trefflich** excellent, splendid
**treiben** (ie, ie) to drive, carry on, do, manage; sprout; **sich** — **lassen** to drift; **getrieben werden** to drift, be carried; das **Treiben** doings, struggle; **im** — **der Welt** in worldly affairs; **ohne dumpfes** — without aimless striving
das **Treibhaus** (*"*er) hothouse
**trennen** to separate
**treten** (a, e) to step; **ich trete auf alle Seiten** I look from all angles
**treu** faithful, reliable

treuherzig candid, frank

der **Trieb** (–e) urge

trocken dry; **aufs Trockne bringen** to take home

tropfen to drip; **Mäßigung** — to cool

der **Trost** comfort

trösten to console, comfort

tröstlich comforting

trostlos disconsolate

der **Trotz** obstinacy, stubbornness, defiance

trotzdem nevertheless

trüb gloomy, dark

trüben to dim, darken, sadden

trügen (o, o) to deceive

die **Trümmer** (*pl.*) ruins, pieces

trunken (*p.p.*) drunken; blind

der **Truthahn** (<sup>u</sup>e) turkey

tüchtig capable, effective, vigorous, noble

die **Tugend** (–en) virtue; **leidende** — virtuous resignation

tun (tat, getan): **es tut wohl** it feels good; **das tut mir nichts** that is no problem to me; **es ist mir nur zu —um** I care only for; **genug** — to satisfy

das **Tüpfchen** (–) dot

übel bad; — **nehmen** to take amiss, mind; — **dran sein** to be badly off; — **tun** to be wrong; — **machen** to make (a p.) feel bad

das **Übel** ill, trouble

üben to exercise, train

die **Überanstrengung** over-exertion

überarbeiten to revise

überaus extremely

überbieten (o, o) to surpass

über-bleiben (ie, ie) to remain

die **Überbleibsel** (*pl.*) remains

die **Übereilung** haste

die **Übereinstimmung** agreement, harmony

überfallen (überfiel, überfallen) to come over, seize

überflüssig superfluous

die **Überfülle: die — des Daseins** extremely busy life

überfüllen to cram, fill to overflowing

übergeben (a, e) **sich** to surrender

übergehen (überging, übergangen) to pass over, omit

überhaupt on the whole, altogether, simply, at all

überlassen (ie, a) to leave, cede; — **sich** to abandon o.s.

überlegen to think over, consider, reflect; — (*adj.*) superior, ahead of

überliefern to deliver, hand down

das **Übermaß** overflowing measure; — **von Liebe** overflowing love

übermäßig extravagant, excessive

der **Übermut: der Satan des Übermuts** a mischievous devil

übermütig exceedingly merry, exuberant

übernächst: **am übernächsten Tag** two days later

übernachten to pass the night

übernehmen (übernahm, übernommen) to take upon o.s.

überraschen to surprise

überreden to persuade

überschaulich: **völlig** — in complete view

überschütten to shower

übersehen (a, e) to survey

die **Übersicht: freie** — comprehensive understanding

die **Übersiedelung** moving (to a place)

überspannt overexcited, exaggerated

überspringen (a, u) **sich** (*unus.*) to forget o.s.

übersprudeln to wash over

überstanden (*p.p.*) passed

überströmen to submerge

übertäuben to silence, soothe

übertragen (u, a) to transfer

übertreffen (übertraf, übertroffen) to surpass

überwältigen to overwhelm

überwiegen (o, o) to outweigh

überzeitlich permanent

überzeugen to convince

übrig left over, remaining, other; **es war mir ganz** — (*unus.*) it was quite lost on me; **alles übrige** all the rest

übrigens by the way, besides, however, incidentally

das Ufer (–) bank, shore

um-arbeiten to work over, revise

um-drehen to turn around; **sich** — (*fig.*) to think in circles

der Umfang the whole range, extent, scope; **im ganzen** — in detail

umfassend comprehensive

der Umgang social contact; attitude, company

umgeben (a, e) to surround

die Umgebung environment; **nahe** — close friends

um-gehen (ging, gegangen) to associate; — **mit** to treat, commune with

umher-spähen to search

umhin-können: **ich kann nicht umhin** I cannot but

um-kehren to turn around

umleuchtet in the radiance of

um-schaffen (schuf, geschaffen) to change, transform

umso the more

der Umstand (¨e) circumstance, item, detail

umstritten sein to be questioned

der Umsturz: **radikaler** — revolution

um-tun sich to get about

die Umwelt environment

um-wenden (wandte, gewandt) to turn around

um . . . willen for the sake of

die Unabhängigkeit independence

unablässig incessant

unangemeldet unannounced

unanständig improper, shocking

unantastbar unimpeachable, authentic

unartig naughty

unauffällig inconspicuous

unaufgefordert without being asked

unaufhörlich incessant

unauslöschlich unquenchable

unaussprechlich inexpressible

unausstehlich unbearable, intolerable

unbändig reckless; uncontrollable

unbedeutend insignificant

unbedingt absolute

unbegreiflich incomprehensible, miraculous

der Unbegriff (*unus.*) lack of understanding

die Unbehaglichkeit discomfort, discontent

unbequem troublesome

die Unbequemlichkeit discomfort

unberechenbar incalculable, immeasurable

unbeschreiblich indescribable

unbesorgt at ease

unbestimmt undefined, indefinite, vague

unbeweglich motionless

unbewußt unconscious; unknown

unbezwinglich unconquerable

unbrauchbar useless

unendlich endless, unlimited, infinite

unentbehrlich indispensable

unerachtet in spite of

unerfahren (*adj.*) inexperienced

unerhellt unlit

unerhört unheard of, unique, extraordinary

unerkannt unrecognized

unerläßlich indispensable

unermüdet untiring

unerschrocken (*adj.*) intrepid, courageous

unerträglich intolerable

unerweislich not provable

unfaßlich incomprehensible

unfruchtbar sterile

ungebändigt undisciplined, unrestrained

ungebunden sein not to be tied down

die Ungebundenheit unrestraint, freedom

ungeduldig impatient

ungefähr about, approximate

ungeheuer immense, mighty

ungehindert unhindered, free

ungekünstelt artless, natural

ungemein uncommon, admirable

ungeplagt: **jemand** — **lassen** not to annoy a p.

ungerecht unjust, unfair

ungeschickt awkward, clumsy
ungeschliffen (*p.p.*) unpolished, crude
ungetrübt untroubled
ungewiß uncertain, unknown
die Ungezogenheit bad manners
ungezügelt unbridled, unrestrained
der Unglaube lack of faith
ungläubig sceptic
unglaublich unbelievable
die Ungnade displeasure
das Unheil calamity
das Unkraut weeds
unleidlich intolerable
der Unmensch (–en) monster
unmittelbar direct, immediate
unmündig (*unus.*) not qualified to judge
unmutig angry
unnachahmlich inimitable
unnahbar unapproachable
unnötig needless, superfluous
unnütz useless
unrein unclean
die Unreinlichkeit lack of cleanliness
unsäglich unspeakable, inexpressible
unschätzbar invaluable
die Unschicklichkeit mistake, short coming
unschmackhaft tasteless, dull
die Unschuld innocence
unselig unhappy
unsereiner, unsereins one like us, our equal
unsicher unsafe, insecure, precarious
unsichtbar invisible
unsterblich immortal
untätig inactive, ineffective
unten: von — auf dienen to serve from the ranks
unterbrechen (a, o) to interrupt
unterdrücken to suppress
untereins sein (*unus.*) to get along, agree
der Untergang ruin, downfall
untergeordnet subordinate
untergeschlagen: mit untergeschlagenen Armen with folded arms
der Unterhalt support
unterhalten (ie, a) von, mit to tell

about, entertain; maintain; sich — to converse, discuss
unterirdisch subterranean
unterlassen (ie, a) to neglect, fail
unterlegen to attribute
unternehmen (unternahm, unternommen) to undertake
der Unternehmungsgeist enterprising spirit
unternehmungslustig enterprising
die Unterredung (–en) conversation
unterrichten to instruct
unterscheiden (ie, ie) to differentiate; sich — to be different
die Unterscheidung capacity to differentiate
der Unterschied (–e) difference
unterstützen to assist
untersuchen to examine, explore, study
unter-tun (tat, getan) sich (*unus.*) to take abode
die Untreue infidelity
untröstlich disconsolate, unhappy
ununterbrochen (*adj.*) without interruption
unveränderlich unchangeable, unchanged
unverantwortlich irresponsible
unverbesserlich incorrigible, hopeless
das Unverhältnis disproportion
unverhüllt bare, open
unverkennbar undeniable
unvernünftig unreasonable
unveröffentlicht unpublished
unverrücklich unmoved, uninfluenced
unversehen (*adj.*) unexpected
unverwandt fixedly
unvollendet unfinished; stumpf — shapeless and unfinished
unvollkommen (*adj.*) imperfect, deficient
unvorsichtig inconsiderate, careless
der Unwert worthlessness
unwiderstehlich irresistible
unwürdig unworthy, humiliating
unzerstörlich indestructible
unzertrennlich inseparable
unzulänglich insufficient
das Urgestein primary rock

der **Urlaub** leave

die **Urne** (-n) urn

die **Urpflanze** the (archetypal) original plant from which all other plant forms may be derived

das **Urphänomen** (-e) basic phenomenon

die **Ursache** (-n) cause

der **Ursprung** origin

das **Urteil** (-e) judgement, opinion, criticism; — **abgeben über** to express an opinion about

**urteilen** to judge, comment

**urwüchsig** innate, original

das **Vagabundentum** tramp's existence

**väterlich** fatherly; **viel Väterlichs haben** to be like a father

**verabschieden** to dismiss, send off

**verachten** to despise, scorn

**veraltet** obsolete

**verändern** to change

**veranlassen** to cause, make

die **Veranlassung** (-en) cause; **bei** — in connection

**veranstalten** to undertake, prepare

**verantworten** to take the responsibility; to prove, verify

die **Verantwortlichkeit** responsibility

**verarmen** to become poor

**verbergen** (a, o) to hide, conceal; **das Verborgene** the secret

**verbessern** to improve

**verbeugen sich** to bow

**verbinden** (a, u) to oblige

**verbindlich** courteous

die **Verbindlichkeit** (-en) obligation

die **Verbindung** (-en) connection, union

**verbitten** (verbat, verbeten) **sich** not to allow, insist that a th. not be done

**verbittern** to embitter

**verblenden** to blind

der **Verbrecher** (-) criminal, wicked p.

**verbringen** (verbrachte, verbracht) to spend

**verbunden** (p.p.) combined

die **Verbundenheit** connection

**verdacht** (*unus.*) obscured by thoughts

**verdächtig** under suspicion

**verdanken** to owe

**verdauen** to digest

**verderben** (a, o) to spoil, ruin, corrupt, waste

das **Verderben** corruption

**verderblich** pernicious

**verdienen** to deserve

das **Verdienst** (-e) merit

**verdienstlich** valuable

**verdrängen** to replace

**verdrießen** (o, o) to grieve, vex, annoy

**verdrießlich** ill-humored

der **Verdruß** bad humor, displeasure, disgust

**veredeln** to ennoble

**verehren** to honor, admire, pay homage to

die **Verehrerin** (-nen) admirer

**vereinen** to combine

**vereinfacht** simplified, reduced (to the state of)

**vereinigen** to unite

**vereinsamen** to become increasingly lonely

**vereinsamt** lonely

**verfahren** (u, a) to proceed; **mit jemand** — to treat a p.

das **Verfahren** treatment

**verfallen** (verfiel, verfallen) to decay, fall down; — (*adj.*) dilapidated

der **Verfasser** (-) author

die **Verfassung** (-en) position, situation

**verfechten** (o, o) to fight for, defend

**verfinstern** to darken, obscure

**verflucht** cursed; **es ist** — it is a — business

**verfolgen** to follow up, pursue, persecute, attack, watch

**verführen** to seduce, tempt, deceive

**vergängeln** to idle away

**vergaukeln** to enchant

**vergebens** in vain

die **Vergebung** forgiveness

**vergehen** (verging, vergangen) to pass, vanish; **vergangen** (*adj.*) last

**vergeßlich** forgetful

der **Vergleich** (-e) comparison

vergleichen (i, i) to compare; sich — to come to an agreement

die Vergleichung comparison

vergnüglich pleasurable, enjoyable

vergnügt happy

vergreifen (vergriff, vergriffen) sich to make a wrong choice

das Verhältnis (–se) relation, condition, proportion, combination, speculation

verhältnismäßig relative

verhaßt hated, hateful

verhehlen to conceal, hide

die Verheißung (–en) promise

verhelfen (a, o): einem zu etwas — to help a p. to procure a th.

verhüllt disguised, hidden, mysterious

verinnerlicht: verinnerlichtes Kunsterlebnis artistic experience, with emphasis on the spiritual counterpart of physical beauty

verirren sich to stray, lose one's way

die Verirrung (–en) error, guilt

verjüngen to rejuvenate

der Verkehr traffic, commerce, contact

verkehren to associate

verkennen (verkannte, verkannt) to misjudge, underrate

verklären to make radiant

verklärt serene

verknüpfen to connect

die Verknüpfung (–en) connection, relation

die Verkörperung embodiment

der Verlag (–e) publishing firm

verlangen to demand; das Verlangen desire, wish

verlassen (ie, a) sich auf to depend on; — (adj.) forsaken, alone

die Verlegenheit embarrassment

der Verleger (–) publisher

verleiden: der Ort ist ihm verleidet he has taken a dislike to the place

verleihen (ie, ie) to lend, bestow, give

verleugnen sich to deny o.s.

verliebeln to make love

der Verlobte (–n) fiancé

der Verlust (–e) loss

vermannigfaltigt diverse

vermehren to increase

vermeiden (ie, ie) to avoid

der Vermerk (–e) note, entry

vermindern to decrease, lessen

vermissen to miss

die Vermittlung mediation, mediator; furtherance

vermögen (vermochte, vermocht) to be able, induce

vermuten to suspect, expect

die Vermutung (–en) assumption

vernachlässigen to neglect

vernehmbar audible, intelligible

vernehmen (vernahm, vernommen) to hear, learn

verneigen sich to bow

verneinen to deny, say "no"

vernichten to destroy, annihilate

vernünftig sensible

veröffentlichen to publish

verpassen to let slip, miss

verpflichten to oblige

verraten (ie, a) to reveal

verrücken to move out of place

versagen to refuse

versammeln to gather

versäumen to miss, neglect

verschaffen to procure, bring about, provide

verschieben (o, o) to postpone

verschieden (adj.) different

verschließen (o, o) to lock; sich — to resist

verschlingen (a, u) to swallow, devour; wird verschlungen is absorbed, vanishes

verschlossen (adj.) reserved; der einsam Verschlossene the lonely and unsympathetic person

verschmähen to scorn

verschweigen (ie, ie) to suppress, pass over in silence

die Verschwiegenheit secrecy

versehen (a, e) to do, provide; ehe ich's mich versehe before I am aware of it

versengen to singe

versenken to sink; sich — in to give o.s. up to

versenkt (unus.) surrounded

versetzen to move, place, reply; jemand

etwas — to give a p. a dig; **in Er-staunen** — to surprise
**versichern** to assure
**versöhnen** to reconcile
**versöhnlich** conciliatory
der **Versöhnungsversuch** (-e) attempt at reconciliation
**verspätet** tardy, late
**verspotten** to laugh at, deride, mock at
der **Verstand** reason, intelligence, mind, intellect; understanding
**verständig** intelligent; cautious, judicious
das **Verständnis** understanding
**verstecken** to hide
**verstehen** (verstand, verstanden): **sich — lassen von** to be appreciated by
**versteinert** petrified
**verstimmen** to irritate
**verstimmt** dejected
die **Verstimmung** disharmony, disagreement, tension, bad humor
**verstocken** to harden
**verstummen** to become silent
der **Versuch** (-e) attempt
**versuchen** to try; taste; **versuchend** questioningly; **sich —** to try one's hand
die **Versuchung** (-en) temptation; **in — sein** to be tempted
**versunken** (*p.p.*) sunk, wrapped
**verteidigen** to defend
der **Verteidiger** (-) defender, adherent
die **Verteilung** division, arrangement
**vertiefen** to deepen
das **Vertrauen** confidence, trust
die **Vertraulichkeit** intimate thoughts
**verträumen** to dream away
die **Vertraute** (-n) intimate friend
**vertreiben** (ie, ie) to drive away, do away with; **die Zeit —** to pass the time
**vertrösten: jemand — auf** to console a p. by holding out hopes for
**vertun** (vertat, vertan) to lose, waste
**verursachen** to cause, give
**vervielfältigen** to reproduce
**verwahrlost** negelected
**verwaist** orphaned

die **Verwaltungsaufgabe** (-n) administrative duty
**verwandeln** to transform
**verwandt** kindred, related
die **Verwandtschaft** kinship
**verweht** snowbound
**verweilen** to stay; **— auf** to dwell on
der **Verweis** (-e) reproach
**verweisen** (ie, ie) to reproach for
**verwenden** (verwandte, verwandt) to employ; **sich — für** to use one's influence on behalf of; **— an** (*unus.*) to feel for
**verwerten** to use
**verwickeln: sich — in** to become involved in
**verwirren** to confuse
**verworren** (*adj.*) confused
die **Verworrenheit** confusion
**verwundern sich** to be astonished, marvel
**verwurzelt** rooted
die **Verwurzelung** being rooted, belonging
**verzagen** to lose heart
**verzehren** to consume, eat
**verzeihen** (ie, ie) to pardon, excuse
**verzichten** to renounce, give up
**verziehen** (verzog, verzogen) **sich** to disappear
**verzweifeln** to despair; **verzweifelt** desperate
das **Vieh** animals, cattle
die **Viehigkeit** stupidity
die **Vielfältigkeit** diversity
**vielmehr** rather
**vielseitig** (*adv.*) in many ways
die **Vielseitigkeit** versatility
das **Viertel** (-) quarter
die **Villa** (Villen) villa, residence
der **Vogelflug** flight of birds; **im —** from the air
die **Völkerschaft** (-en) people, nation
**vollenden** to complete
die **Vollendung** completion; perfection; (sense of) accomplishment
**vollkommen** (*adj.*) perfect, absolute
**vollziehen** (vollzog, vollzogen) to execute; **— sich** to take place

**vor:** — **Tausenden** more than thousands of others

**vor-arbeiten** to pave the way

**voraus** beforehand; — **sein** to be ahead

**voraus-sehen** (a, e) to anticipate

**voraus-setzen** to presuppose

**vor-behalten** (ie, a) **sich** to reserve

**vorbei-lassen** (ie, a) to let pass

**vor-bereiten** to prepare

das **Vorbild** (–er) model, example

**voreingenommen** (*p.p.*) prejudiced, ill-disposed

**vor-finden** (a, u) to find

**vor-führen** to present; bring before (the judge)

**vor-geben** (a, e) to pretend

**vor-gehen** (ging, gegangen) to happen

**vor-haben** to have in mind

der **Vorhof** (*"*e) first court of a temple; (*fig.*) the most obvious and rudimentary elements

**vorig** last, past

**vor-kommen** (kam, gekommen) to happen; appear, seem, come one's way; **sich** — to feel

**vorläufig** for the time being

**vor-legen** to present; tell

der **Vorleser** (–) reader

die **Vorliebe** preference

**vorlieb-nehmen** (nahm, genommen) to be satisfied

**vorn** in front; **von** — from the beginning, anew

**vornehm** aristocratic, distinguished

**vor-nehmen** (nahm, genommen) to undertake, take up; **sich** — to intend

der **Vorposten** (–) outpost

**vor-rücken** to push forward, progress

der **Vorsaal** (*"*e) antechamber, hall

der **Vorsatz** (*"*e) intention

**Vorschein: zum** — **bringen** to present, produce

der **Vorschlag** (*"*e) proposal, offer, suggestion

**vor-schreiben** (ie, ie) to prescribe

**vor-schützen** to plead as an excuse

der **Vorsitzende** (–n) chairman

**vor-spielen** to play

**vor-stellen** to present; **sich** — to imagine, conceive

die **Vorstellung** (–en) conception

die **Vorstellungsart** (–en) way of thinking

**vor-stolpern** (*unus.*) to stutter, express incoherently

der **Vorteil** (–e) advantage, gain, favor

**vor-tragen** (u, a) to read, aloud, cite, play

das **Vorurteil** (–e) prejudice

**vorurteilslos** unbiased

**vor-walten** to predominate

**vor-werfen** (a, o) to reproach

der **Vorwurf** (*"*e) reproach

**vor-ziehen** (zog, gezogen) to prefer

das **Vorzimmer** (–) anteroom

der **Vorzug** (*"*e) preference, merit, sign of superiority

**vorzüglich** especially


**wach** awake, vigilant

die **Wache** (–n) guard, sentry

**wachen** to wake, watch; **bei einem** — to sit up with a p.

das **Wachfeuer** (–) campfire

**wachsen** (u, a) to grow: **einer Sache gewachsen sein** to be equal to a task

die **Waffe** (–n) weapon, arms

**wagen** to dare, venture

das **Wagnis** (–se) risky enterprise

**wählen** to choose

der **Wahn** illusion

**wähnen** to believe mistakenly; **wähnend selig** (*poet.*) under a happy illusion

**währen** to last

**wahrhaftig** true; indeed; my word!

die **Wahrnehmung** (–en) perception, observation

**wahrscheinlich** probable

die **Waldblöße** (–n) clearing

das **Waldhorn** (*"*er) hunter's horn

**walken** to mill, crush

**wallen** to roll, fall

**walten** to prevail

das **Wämslein** (–) little jacket, sweater

die **Wand** (*"*e) wall; cliff

**wandeln** to wander, walk; stir

der **Wandleuchter** (–) candelabra
die **Wange** (–n) cheek
die **Wanze** (–n) bedbug
die **Wässerung** irrigation
der **Wechsel** change
**wechselseitig** mutual, respective, reciprocal
**wecken** to waken, stir
der **Weg: auf gutem — sein** to progress well
**weg-drängen sich** to push o.s. past; to lean far over
**weg-gehen** (ging, gegangen) **über** to pass over
**weg-kommen** (kam, gekommen) **über** to get over
**weg-leugnen** to deny
**weg-löschen** to erase
**weg-schlüpfen** to slip, sneak away
**weg-schwingen** (a, u) **sich** to soar
**weg-witschen** (*unus.*) to run away
**weg-zweifeln: jemand — und weg-träumen** to drive a p. away by doubts and bad dreams
**Wehe: Glück oder Wehe** weal or woe
die **Wehmut** sadness
**wehren sich** to defend o.s.
**wehrlos** undefended
**weiblich** womanly, feminine, female
**weichen** (i, i) to recede
die **Weide** (–n) willow
**weiden** to feed, refresh; **ihr Antlitz —** (*poet.*) to bathe their image
**weigern sich** to refuse
**weihen: sie hatte Beethoven geweiht** (*unus.*) she had idolized B.
die **Weinlese** vintage
die **Weise** (–n) way; melody
**weisen** (ie, ie) to show
die **Weisheit** wisdom
**weit** far; **— vor** advanced; **weiter** further
die **Weite** expansion, range (of interests), vastness; **in der —** far away; **ins — laufen** to take a long walk
**weiter-bringen** (brachte, gebracht) to further
**weiter-gehen** (ging, gegangen) to continue

**weitschichtig** rambling
der **Weizen** wheat
**welken** to fade, wither
das **Weltall** Universe
**weltanschaulich** philosophic; **weltanschauliche Gegensätze** fundamental differences in the views of life
die **Weltanschauung** (–en) philosophy of life
die **Weltbegebenheit** (–en) world event
der **Weltgeist** Creator, God
der **Weltmensch** (–en): **die großen Weltmenschen** persons in high places
**wenden** (wandte, gewandt *or reg.*) to turn; **zum Guten —** to better
der **Wendepunkt** (–e) turning point
**wenngleich** although
**werben** (a, o) **um** to court, woo
**werden** (wurde, geworden): **so kann's — thus** it will come to something; **im Werden sein** to be in the process of development
**werfen** (a, o) to throw, cast
**wert** worth, worthy; **jemand werter haben** (*unus.*) to esteem a p. more
der **Wert** (–e) worth, value, significance
**wertgeschätztest** most honored
das **Wesen** (–) being, essence, nature, existence, thing, creature, character, appearance; **das große Wesen** God; **zu meinem —** in my development; **des Wesens so viel** so much activity; **Menschenwesen** doings
die **Wesenheit** essence
die **Wesensverschiedenheit** (–en) difference in character
**wesentlich** essential
die **Wette** (–n) bet, wager
der **Widerschein** reflection
**widersprechen** (a, o) to contradict, be repugnant to
der **Widerspruch** (*"*e) contradiction; **jemand zum — reizen** to arouse a p.'s opposition
der **Widerstand** (*"*e) resistance, opposition
**widerstehen** (widerstand, widerstanden) to resist

widerstrebend reluctantly

widerwärtig disagreeable

der Widerwille dislike, antipathy

widmen to devote, dedicate

widrig disagreeable

der Wiederaufbau reconstruction

wieder-geben (a, e) to render, record, reproduce

die Wiedergeburt rebirth

wieder-her-stellen to reëstablish

wiehern to neigh

wiewohl although

das Wildbret game, venison

die Willenskraft willpower

willig willing, ready

die Willkür arbitrary action or power

wimmeln von to swarm with

der Wink (-e) sign, advice

winzig tiny

der Wipfel (-) treetop

wirbeln to whirl

wirken to work, act, be active, have an effect or influence

die Wirklichkeit reality

wirksam effective

die Wirkung (-en) effect, aspect

der Wirkungskreis (-e) sphere of action

die Wirtschaft way of life

wirtschaften to carry on

die Wißbegierde curiosity

die Wissenschaften (pl.) science and learning; knowledge

der Wissenschaftler (-) scholar, scientist

wissenschaftlich scientific, scholarly

die Witterung weather

die Witwe (-n) widow

der Witz (-e) wit, joke; intelligence

das Witzprodukt (-e) satirical writing

die Woge (-n) wave

wohinaus wissen to know how to use

wohl well; es tut — it feels good; es war mir so — I felt so well; — gab ich zu I did admit

wohlangewandt (p.p.) well spent

wohlerzogen (p.p.) well-bred

wohlfeil cheap; aufs wohlfeilste in the easiest way

wohlgesinnt well-disposed; die Wohlgesinnten (ironical) the good people

wohlhabend well-to-do

der Wohlklang ("e) rhythm and melody (of language)

der Wohlstand wealth, well-being

die Wohltat (-en) kind action, great service

wohltätig beneficial

die Wohltätigkeit generosity, charity

die Wolke (-n) cloud

der Wolkensaum ("e) edge of a cloud

die Wollust delight, lust; — finden in to be fascinated by

womöglich if possible

wo nicht . . . doch if not . . . at least

die Wonne (-n) delight

die Wonnestunde (-n) hour of rapture

das Wort ("er, -e): das — nehmen to begin speaking

wörtlich literal

das Wortspiel (-e) pun

das Wunder (-): du sollst dein — sehen you will be surprised

wunderbar wonderful, strange

wunderlich strange, peculiar

wundersam wondrous

wünschenswert desirable

die Würde dignity; office

würdig worthy, dignified

würdigen to appreciate

der Würfel (-) dice; die — fallen the — are cast

würzen to spice, give interest to

der Wust confusion

wüst deserted, bare, barren; dizzy

die Wüste (-n) desert; (poet.) wilderness

wüten to rage


zäh tough, inert, sluggish

zahlreich numerous

der Zapfen (-) plug

der Zauberer (-) magician

zauberleicht (poet.) magical, with magical ease

**zaubern** to perform magic; bind as by magic

**zaudern** to hesitate

der **Zaunkönig** (–e) wren

die **Zehe** (–n) toe

das **Zeichen** (–) sign

die **Zeichenakademie** (–n) art school

**zeichnen** to draw, sketch

die **Zeichnung** (–en) drawing, sketch

die **Zeile** (–n) line

die **Zeit: die — wollte ihm lang werden** he was getting bored

**zeitgemäß** timely

der **Zeitgenosse** (–n) contemporary

**zeither** hitherto, thus far

**Zeitlang: eine —** for a time

**zeitlich** in time

**zeitraubend** time consuming

die **Zeitschrift** (–en) magazine, periodical

die **Zeitspanne** (–n) interval

**zeitverderbend** time wasting

**zeitweilig** temporary

das **Zelt** (–e) tent

der **Zephir** gentle breeze

der **Zephirgang** graceful walk

**zerhacken** to cut to pieces

**zerreißen** (i, i) to tear up; torment

die **Zerrissenheit** discord, struggle

**zerstören** to destroy; **zerstörte Brust** dispairing heart

**zerstreuen** to scatter, distract, divert

das **Zerwürfnis** (–se) quarrel

der **Zettel** (–) slip of paper, note

das **Zeug** stuff, material; nonsense; **unnützes —** idle talk; **des Zeugs zu viel** too many obligations

der **Zeuge** (–n) witness

**zeugen** to give evidence

das **Zeughaus** (˝er) armory

das **Zeugnis** (–se) testimony, proof, recommendation

der **Ziehbrunnen** (–) draw-well

**ziehen** (zog, gezogen) to draw, move, pull; **auf sich —** to attract

das **Ziel** (–e) aim, goal, end, target

**ziemen sich** to be proper, fitting; **es will sich nicht —** it will not do

**ziemlich** pretty, rather

der **Zierat** (–e) decoration

die **Zierde** decoration, ornament; **— der Tage** the most beautiful flower of life

**zierlich** graceful, pretty; neat

**zigeunerhaft** gipsy-like

der **Zirkel** (–) circle

**zittern** to tremble

**zögern** to hesitate

der **Zorn** anger, rage

**zu-bereiten** to prepare; cause

**zu-bringen** (brachte, gebracht) to spend

**zu-drängen** to crowd in; demand attention

**zu-eignen sich** to make (a th.) one's own

**zu-erkennen** (erkannte, erkannt) to award, confer, honor

**zu-fallen** (fiel, gefallen) to fall towards

**zufällig** accidental

die **Zuflucht** refuge

die **Zuflüsterung** (–en) whispering, insinuation

**zuförderst** first of all

die **Zufriedenheit** contentment, satisfaction

der **Zug** (˝e) feature, trait, sign, characterization, quality

der **Zugang** (˝e) entrance

**zugänglich** accessible

**zu-geben** (a, e) to admit

**zugedacht** intended, meant for

**zugeknöpft** reserved

**zu-gestehen** (gestand, gestanden) to concede

**zugetan** (adj.) fond

**zugleich** at the same time

**zu-greifen** (griff, gegriffen) to take, help o.s.

**zugrunde-gehen** (ging, gegangen) to go under, perish

**zugute-kommen** (kam, gekommen) to be advantageous

**zugrunde-liegen** (a, e) to underlie

der **Zuhörer** (–) listener, audience

**zu-kommen** (kam, gekommen): **es kommt mir zu** I deserve

die **Zukunft** future

**zu-lassen** (ie, a) to permit

**zuliebe** for the sake of

zumal especially

zumute: mir ist — I feel

die Zuneigung attraction

die Zunge (–n) tongue; auf der — sein to be talked about

das Zureden encouraging words

zu-reichen (*unus.*) to find time

zurück: bleibt . . . remains unsaid

zurück-bilden to adapt, make conform

zurück-drängen to push back, suppress

die Zurückhaltung reserve

zurück-kehren to return; alles kehrte auf mich zurück (*unus.*) everything depended upon me

zurück-legen: den Weg — to progress

zurück-wirken to react

die Zusage (–n) promise

zu-sagen to agree

die Zusammenarbeit collaboration

zusammen-engen to shrink; depress

zusammen-fassen to bring together, condense, collect; understand the connections

zusammen-finden (a, u) sich to come together

die Zusammengehörigkeit kinship, belonging together

der Zusammengenuß shared pleasure

der Zusammenhang (*"*e) contact, connection

zusammen-hängen (i, a) to be connected, related; wie es zusammenhängt how it comes about

die Zusammenkunft (*"*e) meeting

zusammen-nehmen (nahm, genommen) sich to concentrate

zusammen-phantasieren to extemporize, improvise

zusammen-rücken to put together, connect

die Zusammenstimmung favorable aspect

zusammen-treffen (traf, getroffen) to meet

zusammen-ziehen (zog, gezogen) to contract, gather; oppress

zusamt together

zu-schauen to watch, look on

zu-sehen (a, e) to look on; das Zusehn haben to be cheated out of a th.

zu-setzen to sacrifice

die Zusicherung assurance, promise

der Zustand (*"*e) condition, position, relation, state (of mind)

zustande-bringen (brachte, gebracht) to accomplish

zustatten-kommen (kam, gekommen) to prove useful

die Zustimmung consent

zu-stoßen (ie, o): es ist mir zugestoßen I met with

zuteil werden lassen to allot, give

zuträglich beneficial

das Zutrauen confidence, trust

zuverlässig dependable; surely

zuversichtlich confident, optimistic

zuvor before

zuvor-kommen (kam, gekommen) to anticipate

zu-wachsen (u, a) to be added

zuweilen at times

zuwider repugnant

der Zwang compulsion, necessity, restraint

zwar it is true, moreover; — . . . aber on the one hand . . . on the other hand

der Zweck (–e) purpose, aim, goal, end

zweckmäßig purposeful

zweideutig ambiguous, doubtful, suspicious

der Zweifel (–) doubt

zweifeln to doubt

die Zwiebelsuppe onion soup

der Zwiespalt discord, dilemma

zwingen (a, u) to force

der Zwischenkieferknochen intermaxillary bone

# INDEX